GEZUSTERS MATERASSI

Aldo Palazzeschi

Gezusters Materassi

Vertaald door Anton Haakman

2009

DE BEZIGE BIJ

AMSTERDAM

De vertaler ontving voor deze vertaling een werkbeurs van het Fonds voor de Letteren.

Oorspronkelijke titel *Sorelle Materassi*
Oorspronkelijke uitgever Valecchi, Firenze 1934 / Arnoldo Mondadori Editore S.p.A., Milaan 2001
Omslagontwerp Brigitte Slangen
Omslagillustratie Hollandse Hoogte
Foto auteur Fondo Palazzeschi, Centro di Studi 'Aldo Palazzeschi', Università di Firenze
Vormgeving binnenwerk Peter Verwey, Heemstede
Druk Clausen & Bosse, Leck
ISBN 978 90 234 5331 4
NUR 302

www.debezigebij.nl

SANTA MARIA A COVERCIANO

Wie Florence niet kent, of nauwelijks, van een vluchtig bezoek, moet weten dat deze lieflijke, mooie stad nauw omgeven is door bijzonder harmonieuze heuvels. Dit woord 'nauw' moet niet leiden tot de veronderstelling dat de arme inwoners van de stad hun neus in de lucht moeten steken om de hemel te zien als vanaf de bodem van een put, integendeel; aan dat 'nauw' moet ik 'vriendelijk' toevoegen, dat me zo toepasselijk lijkt aangezien de heuvels er geleidelijk toe afdalen, van de hoogste, die echt bergen genoemd worden en bijna een hoogte van duizend meter bereiken, tot aan de lagere, vreemd gevormde van honderd of vijftig meter. Ik moet eraan toevoegen dat slechts aan één kant en over een geringe breedte een heuvel, die dicht tegen de stad aan ligt, er steil boven uitsteekt en een balkon vormt waarop we ons met niet te evenaren genoegen kunnen vertonen. Daartoe krijg je toegang via trappen.

> Per le scalèe che si fèro ad etade
> Ch'era sicuro 'l quaderno e la doga;*

Als een enkeling dit niet begrijpt, moet ik eraan toevoegen dat deze fraaie, originele manier om je tijdgenoten voor oplichters

* Door trappen gemaakt in de tijd dat akten en maten nog betrouwbaar waren. (Dante, *Purgatorio* XII, 104-105-noot).

en dieven uit te maken ook in Florence gangbaar is; en wij, die nooit de moed zouden hebben om de goddelijke meester tegen te spreken, moeten toegeven dat ze dat waren en gaan verder. Trappen dus, of straten zo steil dat hun naam volstaat om hun aard te onthullen: Costa Scarpuccia, Erta Canina, Rampe di San Nicolò... De heuvel erboven is dat deel van de Viale dei Colli dat het Piazzale Michelangiolo vormt en dat velen, al hebben ze het niet gezien, toch kennen van horen zeggen en zich hebben voorgesteld aan de hand van getuigenissen op foto's, prenten en ansichtkaarten.

Er liggen dan ook tussen de stad en haar heuvels min of meer uitgestrekte vlakten die haar ervan kunnen scheiden over twee, drie kilometer, soms minder, soms meer dan deze afstand.

Ik zei 'harmonieus' omdat datgene wat het meest in het oog springt van zelfs de verstrooidste, middelmatigste en onverschilligste toeschouwer, hun lijn is, die niet gemakkelijk uit de herinnering kan worden gewist wanneer je hem eenmaal gezien hebt; want die harmonie is het gevolg van dermate onverwachte onregelmatigheden als alleen het toeval kan ontwerpen; en ik benadruk de voorname betekenis van het woord harmonieus, ik zou haast zeggen die geur van wonder en mysterie waarmee we het uitspreken; om heel duidelijk te maken wat ik bedoel, zou ik willen verklaren dat alle architecten ter wereld ervan staan te kijken wanneer juist het toeval de architect is. Onvoorziene onregelmatigheden waaraan niemand een verbetering zou kunnen voorstellen, iets toevoegen of ontnemen; nooit vervallen ze in het duistere, het schrikwekkende, het romantische; en evenmin in het kunstmatige of zoetelijke, het sensuele of nostalgische, en ze bewaren een lichtende, heldere toon van voornaamheid en élégance, van beschaafde schoonheid.

De architecten van overal ter wereld mogen dan aanvankelijk sprakeloos van bewondering zijn geweest over wat het bovengenoemde toeval kon teweegbrengen, ik moet er haastig aan toevoegen dat ze, toen ze eenmaal goed hadden gekeken, niet met hun handen in hun zakken bleven staan, maar aan die les zoveel zelfbewustzijn gepaard met moed ontleenden dat we wel moeten erkennen dat het effect van het toeval, hoeveel het ook vermocht, is verdubbeld door mensenwerk; want deze heuvels zijn van onschatbare waarde doordat ze bezaaid zijn met villa's, met kastelen gebouwd op de bekoorlijkste plekken, gericht naar alle kanten, uit alle tijden, in elke stijl, en zo dat ze nooit de harmonie verstoren; omgeven als ze zijn door parken en tuinen leveren ze niet een sfeer van onwerkelijkheid, of die van een droom of sprookje op, maar slagen ze er dankzij een zekere gestrengheid en raffinement in de illusie te wekken van de eenvoudigste werkelijkheid, huiselijkheid, veilige noblesse, soberheid en wijsheid, bescheidenheid, ook wanneer hun proporties het moeilijk maken hun macht te verhullen. Bij de villa's en kastelen voegen zich kleinere villa's, villaatjes, huizen, boerderijtjes, dorpen en gehuchten die de verscheidenheid van het terrein te zien geeft in een geheel dat het oog van de beschouwer onverzadigbaar maakt door het onuitputtelijke aantal ontdekkingen dat hij doet, en waardoor hij natuurlijk moet inzien dat de tweede kunstenaar, door de eerste zo te hebben liefgehad en begrepen, zich diens werken zo eigen gemaakt heeft dat alles nu door hemzelf lijkt te zijn gemaakt: door de mens, die overal aanwezig is waarheen wij onze blik richten, de mens in zijn verhevenste en waardigste uitingen.

Telkens wanneer ik de gelegenheid had vreemdelingen of Italianen uit andere streken te vergezellen over deze heuvels, konden zij alleen maar uitdrukking geven aan die verscheidenheid van visuele indrukken, gevoelens en bewondering, met één woord: 'Mooi! mooi! mooi!', en dat herhaalden ze heel vaak en in veel toonaarden, soms met enige terughoudendheid; maar natuurlijk had degene die 'mooi' zei een andere schoonheid in zijn hart, zoals alle geliefden die geen schoonheid kunnen toestaan welke die van hun eigen lief te boven gaat, maar heel even verontrust worden en vage argwaan koesteren; want het is een woord dat in hun geheugen en in hun gerechtvaardigde trots een bijzonder aangenaam koor, of liever, een symfonie met dissonanten vormt, die tegelijk bijzonder harmonisch is, zoals de heuvels van Florence.

Om deze reden zijn er, zoals ik iets eerder zei, vlakke terreinen waaraan u, als u erdoorheen komt voor een wandeling of een bezoek, te voet, in de tram of in een auto, onverschillig voorbijgaat of die u doorloopt met de blik naar voren, naar boven, naar uw feitelijke doel, omhoog naar waar u heen wilt, en daarbij ergert het u bijna dat het vlakke stuk te lang is en dat het u daarvan scheidt, al is het maar voor kort. Deze zone is natuurlijk een secundair en verwaarloosd, zij het niet te verwaarlozen gedeelte, en van geen enkel belang in het rijk van de schoonheid; bescheiden, erin berustend dat men hem vertrapt om verder te gaan. Niemand kiest hem als zijn bestemming tenzij uit noodzaak, maar ook op die vlakten staan villa's en huizen, dorpen en gehuchten van een nederig, opofferend karakter; en omdat ze hun eigen charme hebben opgeofferd bezien ze degenen die langskomen met fatsoenlijke tolerantie en berusting, en een klein beetje ergernis; en wanneer een enkele keer hun geduld opraakt, en ze een verontwaardigd of opstandig gebaar maken, overwinnen ze hun ergernis door te werken en putten ze daaruit de kracht om het te verdragen.

Niet om de situatie te verduidelijken maar om deze beter aanschouwelijk te maken met een beeld wil ik ook zeggen dat als in dit gebied de heuvel de plaats inneëmt van de dame, en bijna altijd een echte dame, een prinses, de vlakte er de taak van de dienster, de kamenierster of het dienstmeisje op zich neemt; en ook de welwillendste passant bejegent haar met dezelfde welwillende hartelijkheid die je de vrouw betoont die de deur voor je opent wanneer je haar meesteres komt bezoeken; of in het gelukkigste geval die van de gezelschapsdame, die waardig en bedaard haar eigen rang handhaaft zonder zich een oordeel te veroorloven en haar ogen neerslaat en nauwelijks een trek om haar mond vertoont bij het vele stof dat ze door de schuld van de ander van ochtend tot avond wel moet verdragen en bij de modder die al dat geloop voor het huis veroorzaakt en die haar voordeur tot boven aan toe bespat; en soms is ze uiteindelijk de bedelares aan haar voeten.

Ik zal een paar namen van deze heuvels noemen, omdat ze alles wat al zo klaarblijkelijk is nog beter uitdrukken dan mijn woorden: *Bellosguardo*, en let wel dat er heel wat zijn waarvan het uitzicht nog mooier is, *Il Gelsomino*, *Giramonte*, *Il Poggio Imperiale*, *Torre del Gallo*, *San Gersolè*, *Settignano*, *Fiesole*, *Montereggi*, *Castel di Poggio*, *Montebeni*, *il Poggio delle Tortore*, *Montiloro*, *L'Incontro*, *L'Apparita*, *Monte Asinario*, *il Giogo*, *Monte Morello*... Maar hoor nu de namen van de vlakten: *Le Panche*, *Le Caldine*, *Rifredi*, *Peretola*, *Legnaia*, *Soffiano*, *Petriolo*, *Brozzi*, *Campi*, *Quarto*, *Quinto*, *Sesto*... ook de alledaagse fantasie raakt uitgeput, dit lijken wel de castraten van de verbeelding.

De dame komen alle eer, alle verdiensten en vrijheden toe en veel is haar toegestaan; zij mag zich grillen en spontane ideeën veroorloven, een overdaad aan sieraden, een hele collectie veren, waarbij elk materieel nut wordt opgeofferd aan het genoegen van het zien, en het zou, gezien haar hooghartige, humeurige karakter, zinloos zijn haar te vragen zich nuttig te maken voor iets wat niet louter een lust voor het oog is, wat overigens niet zo gering is, en waarop ze niet weinig trots is.

Kronkelige bomen, misschien gemarteld door een innerlijke kwellende vraag naar het waarom, staan er nerveus, hysterisch, taai, ascetisch, naar de hemel te kijken met een diepe, kwijnende blik, of ze tonen een naaktheid als van Christus aan het kruis. Nooit zijn ze gedachteloos of goedmoedig mollig, ze beleven geen greintje vreugde aan spieren of huid.

Terwijl ze op deze beheerste, hooghartige of brutale wijze heerst, komt het zelfs niet bij haar op om naar de ondergeschikte te kijken, ze werpt er hoogstens vanuit de hoogte en schuins een vluchtige blik op, een minachtende blik om haar te ergeren, en daaruit alleen al blijkt haar onaantastbare superioriteit.

Maar de arme dienstbode ziet naar haar op vanuit de diepte en slaat haar ogen neer en doet alsof ze niet merkt met hoe weinig respect ze wordt behandeld, en ze blijft haar hoofd buigen om haar geduld niet te verliezen als ze ziet hoe haar meesteres haar behandelt, hoe nutteloos en ijdel die is, hoe grillig en koket: ze zoekt houvast aan haar eigen deugden en toont zich geduldig, vlijtig, onderdanig. Het is haar taak om te zorgen voor lange rijen kool en artisjokken, sla, rapen, komkommers, aubergines, courgettes, jonge erwtjes, smakelijke asperges, datgene wat de ander erdoor jaagt in haar villa's waar rijke mensen wonen, in haar drukke, gerenommeerde restaurants; het is haar taak om zich van de ochtend tot de avond ervoor uit te sloven dat al dit heerlijks zich mooi en smakelijk ontwikkelt; en omdat het niet volstaat dat de aarde onophoudelijk wordt overstroomd, stuurt die ander haar iets wat niet lekker ruikt en waarvan ze zich met plezier ontdoet omdat het voor haar alleen maar afval is dat ze met een gebaar van afkeer laat afvoeren: 'Naar beneden!' terwijl de arme ziel daar met open armen op wacht als op een geschenk van de voorzienigheid. Zodat ze niet alleen haar ogen sluit uit berusting en haar mond uit voorzichtigheid, maar ook haar neusgaten een beetje moet dichtstoppen om de stank niet te ruiken, alle gaten moet ze dichtstoppen, de stakker, om haar heerlijk geurende mevrouw daar boven een genoegen te doen. Ik ga maar niet uitweiden over wat er gebeurt tijdens onweer en storm. De een kronkelt, rebelleert, haalt haar neus op, gaat tekeer, snuift, dreigt, maakt allerhande grimassen, maar wanneer de storm eenmaal is geluwd richt ze zich meteen weer op, fatsoeneert zich, komt fris en stralend terug, vrolijk, en na een halfuur is ze nog mooier dan eerst. De ander spreidt zich uit, gaat liggen, maakt zich breed om in haar schoot al het afvoernat op te vangen dat ze zonder ophouden absorbeert, en waarvan ze een week lang smerig blijft.

Juist zo'n tweederangs dorpje wil ik voor u gaan beschrijven, het plaatsje waar de gebeurtenissen plaatsvinden in het verhaal dat volgt.

Santa Maria a Coverciano is niet eens een dorp maar een buurtschap, en onder buurtschap verstaat men zo'n kern die niet een administratieve eenheid vormt, maar door een kerk in geestelijke eenheid wordt gehouden.

Desnoods zou je er de kiem van een dorp in kunnen zien; aan een scheef soort plein, gevormd door een paar straten, staat een franciscaner klooster, omgeven door zeer hoge muren, met op een hoek onder een rustiek dakje een uit marmer gehouwen beeld van de heilige Franciscus en een gedenksteen die eraan herinnert dat in dat klooster eeuwenlang het kleed van de heilige bewaard werd. Dan is er een ouderwetse villa die altijd afgesloten is, omgeven door een ronde muur, en door discrete bomen; ze staat daar als een oude dame in haar leunstoel, met een heel wijde rok en een mutsje. En ervoor, bijna op straat, kijkt een modern villaatje, een beetje koket, een beetje brutaal, als de vrijpostige, oneerbiedige schoondochter naar haar strenge, mopperende schoonmoeder, en besprenkelt die zozeer met rozen alsof het vingers in haar ogen steekt vanuit een wit hekje, waardoor het eerder opvalt dan verhuld wordt. Verscholen opzij van de villa nodigt een kerkje met een klein portaal, met slechts één boog vanuit zijn schuilplaats bescheiden en vriendelijk uit tot de idylle van het geloof.

Iets voorbij het villaatje en nog steeds voor de grotere villa, staat een huizenblok dat een vierkant vormt en lijkt op een kloosterhof, een lekenklooster, met een grote binnenplaats en een put in het midden, omsloten door een muur aan de straatkant met een houten poort, die altijd dicht blijft aangezien de bewoners gebruikmaken van een poortje ernaast. Het uiteinde van dit blok bestaat uit een huis van drie verdiepingen dat iets weg heeft van een bijenkorf, zoals alle huizen van arme mensen, en uit lange, smalle vleugels van slechts twee verdiepingen die uitkomen op de muur aan de straatkant.

Het valt meteen op dat dit geheel stukje bij beetje is gebouwd en dat de zuidelijke vleugel veel ouder is en van een ander karakter, statiger van architectuur en dat niet alleen door overblijfselen van ornamenten maar ook doordat de ramen niet uitzien op de binnenplaats zoals de andere, maar alle op de velden, naar het zuiden, en omdat het minachtend met de rug naar de binnenplaats staat, waar slechts één raam is uitgespaard, dat van een gang, dat er naar het lijkt alleen is om er voorzichtig op uit te zien. Dat bevoorrechte deel beschikt over een speciale ingang aan de straat, een wit hek dat altijd half openstaat en sterk is aangevreten door roest.

De hoofdstraat, die langs deze gebouwen loopt en aan het beschreven pleintje ligt, leidt van Florence naar Ponte a Mensola en Settignano en heet Via Settignanese; en de andere ernaast, de kleinere tussen het klooster en de villa, van Salviatino naar Montalto, naar Maiano en naar zijn wijnkelders. Deze wordt gedomineerd door een authentiek kasteel dat Poggio Gherardo heet.

De inwoners van deze plaats en degenen die er vertrouwd mee zijn, noemen hem kortweg Santa Maria; maar de stedelingen, die meer ontwikkeld zijn en minder vertrouwd, zeggen alleen Coverciano. Hierbij moet u niet denken aan een scheiding tussen vrijmetselaars en gelovigen, God beware ons, dat onderscheid laat alleen de onverschilligheid aan de ene kant zien en de vertrouwdheid en liefde aan de andere.

En nu ik de ligging van dit dorp aldus heb beschreven, moet ik nodig zeggen dat het zich tussen twee stroompjes bevindt: de Africo en de Mensola, waarvan de eerste van Fiesole komt en de tweede van Vincigliata. Beekjes waarin de maan en de zon nauwelijks een tussen de grassen verborgen zilveren of gouden draad laten schitteren, maar die bij noodweer plotseling rumoerig worden, dreigend, kolkend: dan gaan ze tekeer, treden buiten hun oevers met de onstuimigheid van de jeugd, en na een uur is er niets meer, dan vallen ze in slaap zoals kinderen nadat ze opgewonden zijn geweest en veel lawaai hebben gemaakt.

Niet voor niets heb ik deze twee stroompjes genoemd en nu vertel ik waarom. Het siert deze heuvels dat ze de herinnering bewaren aan grote personages uit de geschiedenis, vorsten en koningen, dichters, geleerden, kunstenaars van hier en elders die er hebben gewoond en gewerkt, die er rust kwamen zoeken, inspiratie, vergetelheid, scheppingskracht, kalmte of afleiding, een vlucht in het verleden of energie voor de toekomst, een onderdak voor de roem of het verdriet; maar dit onderwerp omvat zoveel dat hier de ruimte ons niet toelaat er nader op in te gaan, ik wil alleen zeggen dat tussen deze twee stroompjes naar het schijnt het huis heeft gestaan waar

Giovanni Boccaccio zijn *Decamerone* heeft beleefd of helemaal heeft gedroomd en misschien heeft geschreven, dat is niet goed bekend; niemand kan met zekerheid vaststellen op welke plek precies, en daarom zijn en blijven er in deze streek verscheidene huizen van Boccaccio, en naar men zegt wil het ene zich niet gewonnen geven tegenover het andere of tegenover de stelligste ontkenningen of de te grote vaagheid van het vermoeden. Ze doen er goed aan zich niet gewonnen te geven, wij vergeven iedereen zijn trots en ook zijn kwade trouw, ze hebben gelijk als ze hun huizen of villa's met zo'n naam bekronen, zoals ik ze nu, met de eerbiedige groet van een nederige, verre nakomeling, wil bekronen met dit verhaal dat zich aan hun voeten afspeelt.

'*Alle sterren waren al uit het oosten weggevlucht, behalve die ene, die wij Lucifer noemen en die nog schitterde in de helder wordende dageraad, toen de seneschalk opstond en met een grote stoet karren en lastdieren naar de vallei der vrouwen trok om daar alles te regelen volgens de orders en bevelen van zijn heer. Zodra hij op pad was, stond de Koning, gewekt door het rumoer van het laden van de karren en de lastdieren, meteen op; en zodra hij was opgestaan, liet hij eveneens de vrouwen en de jonge mannen wekken. En nog bereikten de stralen van de zon de aarde niet helemaal of allen gingen op weg; nog nooit hadden ze de nachtegalen en andere vogels zo vrolijk horen zingen als het hun die ochtend leek; begeleid door hun zang kwamen ze uiteindelijk aan in de vallei der vrouwen, waar ze door nog meer anderen werden ontvangen die zich naar het hun leek verheugden op hun komst. Toen ze daar rondgingen en de vallei terugzagen, leek die hun nog veel mooier dan de vorige dag, want het uur van de dag paste nog beter bij de schoonheid ervan. En toen ze met goede wijn en zoetigheid hun ontbijt hadden gedaan, begonnen ze te zingen om met hun liederen* *niet onder te doen voor de vogels; en de vallei die samen met hen dezelfde liederen zong en herhaalde wat zij zeiden, en de vogels die zich haast niet gewonnen wilden geven, voegden er lieflijke noten aan toe. Maar toen het uur van de maaltijd was aangebroken en de tafels onder de weelderige bomen waren geplaatst bij het mooie meertje, zoals het de Koning beviel, gingen ze zitten en zagen ze al etend de vissen in grote scholen zwemmen in het meer; een schouwspel dat een reden tot gespreksstof gaf. Maar toen er een eind aan de maaltijd was gekomen en de spijzen en tafels waren weggezet, begonnen ze nog vrolijker te zingen dan eerst. En omdat er op verscheidene plaatsen in de kleine vallei bedden waren gemaakt, alle door de discrete seneschalk bedekt met Franse dekens en omgeven en omsloten door baldakijnen, kon wie dat wilde met toestemming van de Koning gaan slapen; en wie niet wilde slapen, kon naar believen deelnemen aan andere genoegens. Maar toen het uur was aangebroken waarop allen waren opgestaan en het tijd werd om weer te gaan vertellen, zoals de Koning wilde, werden er niet ver van de plek waar ze hadden gegeten op het gras tapijten uitgespreid, en toen ze dicht bij het meer hadden plaatsgenomen, gaf de Koning aan Emilia opdracht om te beginnen. En zij begon vrolijk glimlachend te vertellen.'**

Terwijl ik door deze straten dool, sceptisch glimlach om de authenticiteit van het huis in kwestie en het alle legitimiteit gun vanwege zijn nobele streven en liefde, en op een marmeren bordje bij de Ponte a Mensola het volgende opschrift lees: RECREATIEVERENIGING GIOVANNI BOCCACCIO, krijg ik zin om naar binnen te gaan: om wat te zien? Hoe ijverig zoekt mijn

* Giovanni Boccaccio, *Decamerone*, Zevende dag, begin.

blik tussen de cipressen en olijfbomen naar wat niet te zien is: wat? Tussen de heide, de brem en de mirte zoek ik gretig als iemand die wonderkruiden zoekt met al mijn zintuigen naar de zaadjes van jouw allerzuiverste vrolijkheid, naar waar ze verscholen liggen, of verloren zijn, *messer* Giovanni.

‘GEZUSTERS MATERASSI’

En nu ik u het omliggende landschap zo goed mogelijk heb beschreven, zal ik allereerst samen met u datgene bezien wat op het eerste gezicht onze nieuwsgierigheid wekt wanneer we dat stel huizen observeren dat Santa Maria a Coverciano heet.

Afgezien van het feit dat er van alles langskomt dat het plaatsje slechts terloops aangaat, of liever dat het alleen in negatieve zin aangaat, in de stemming waarover we het al hebben gehad, en dat ons ook helemaal niet aangaat, beperken we onze aandacht tot iets wat ons werkelijk aangaat, van nabij, ons zelfs ter harte gaat, en dat is dat er geregeld imposante auto’s parkeren bij het altijd halfgeopende hek van het al eerder aangeduide huis, een feit dat bestemd is om al onze aandacht in beslag te nemen; het oponthoud duurt even lang als de tijd die een beleefdheidsbezoek vergt, of niet zelden een vertrouwelijk bezoek zoals dames uit de zogenoemde beau monde elkaar gewoonlijk brengen. Al in de tijd van de koetsen met paarden was daar, stilstaand bij dat hek, trappelend van ongeduld en energie, een span parmantige, glanzende en blinkende moren of vossen te bewonderen, trots op hun tuig en bijtend op hun bit, waarbij ze een bek lieten zien zo fris als een bloem; net als vandaag de dag een schitterende auto met luxe carrosserie. En iets anders kon het kennersoog niet ontgaan, namelijk de drie zeer uiteenlopende soorten personen die bij dat hek uitstapten, zowel in de tijd van de antieke koetsen als nu uit de modernste automobielen.

Allereerst dames op rijpere leeftijd vergezeld van een meisje, beiden van een onberispelijke élégance die past bij hun leeftijd en hun uiterlijk, en voor de laatste moet de poëtische beschrijving gewoonlijk teruggrijpen op het beeld van een bloem: de roos in knop. En terwijl de moeder – om ons aan het ridderlijke, hoffelijke taalgebruik te houden – soms pronkt met haar eigen status van roos in volle bloei, vertoont de dochter die van een lelie die zich ervan bewust is dat ze het einde bereikt heeft van haar onschuld – om het kuise, lieflijke taalgebruik te blijven bezigen.

De tweede categorie is die van de oudere, zelfs zonder meer bejaarde dames; bejaard niet alleen van jaren maar ook uit eigen keuze, ongestraft lelijk en rimpelig, die niets doen om het wrede werk van de natuur en het onverbiddelijke van de tijd op hun gelaat en figuur te verzachten of verhullen; integendeel, ze lopen vooruit op de ouderdom en hollen hem blij tegemoet met al zijn rampzalige consequenties; en door zich heel eenvoudig en donker te kleden gaan ze zo onverschillig aan de heersende mode voorbij dat het iets agressiefs krijgt. Bepaalde vrouwen zijn niet alleen ostentatief afwijzend, maar belichamen uiteindelijk een gedecideerd protest, een belediging voor de anderen, voor de tijd en de bekoring van de schoonheid en de vrouwelijke élégance; ze wekken zo'n instinctieve verbazing wanneer je ze die glanzende, mooie koetsen ziet verlaten of betreden dat je minder verrast zou zijn wanneer je ze 's morgens vroeg met een boodschappentas of een mand zou zien schuifelen tussen slager, kruidenier en drogist; of wanneer ze doelloos rondlopen en op een gegeven moment een versleten, vette zakdoek uit een tas halen om te huilen over beschroomde, fatsoenlijke ellende.

Soms, maar minder vaak, zie je een belangrijke prelaat uit de tram komen en dat hek binnengaan; belangrijk zoals blijkt uit zijn waardige gedrag dat gereserveerd en traag is, en ook uit een glimp van paarse zijde tussen zijn soutane en zijn boordje. Of er komt haastig een jonge priester tevoorschijn, wie weet waarvandaan, die op zijn rode wangen na nog helemaal zwart is als een horzel.

Als u op dat moment het gevoel krijgt dat u ergens steeds heviger geprikkeld wordt door nieuwsgierigheid, zult u zich moeten afvragen wie er zou kunnen wonen in een oud huis in de vlakte bij Florence dat er dorps en bescheiden uitziet en toch zulke belangrijke en uiteenlopende personen kan aantrekken. Het doet denken aan de verfijnde kunst van zo'n huisvrouw die in staat is mensen bijeen te brengen die zo verschillen in gewoonten en leeftijd en die tegelijk onze nieuwsgierigheid en onze bewondering kan opwekken.

Het komt ook voor dat opeens zo'n auto in de buurt van het huis stopt en de dame of de chauffeur aan een jonge vrouw of een kind midden op straat vraagt om een inlichting, altijd dezelfde: 'De gezusters Materassi? Kunt u het mij zeggen? Waar ze zijn? Waar ze wonen?' En nauwelijks hebben ze die naam uitgesproken of alle handen wijzen zonder aarzelen en beslist naar het witte, door roest aangevreten hek dat altijd voor de helft openstaat, en waar op de staanders twee leeuwen tronen die er nog tammer uitzien dan alle huisdieren en meer lijken op twee oude vrouwen die in de schemering van een zomeravond zitten te praten, hun kapotte monden geopend vanwege het benauwde weer en hun kortademigheid.

Wanneer we het hek zijn binnen gegaan bevinden we ons op een pad waarboven de ramen van het lage, langwerpige huis te zien zijn, vijf gelijke ramen met groene gordijnen op de eerste verdieping, drie bijeen in het midden en iets verderop de twee opzij; en vier gelijkvloers, onder de andere, met in plaats van gordijnen een dun wit traliewerk, dat net als dat van het hek is aangevreten door roest. In het midden, boven drie afbrokkelende stenen treetjes, bevindt zich de deur, met een rond raam, voorzien van een groot groen gordijn dat over twee rails loopt.

Voor het huis staan her en der op een laag muurtje een paar niet erg florissante bloempotten, zonder symmetrie, en het is duidelijk dat ze deel uitmaken van het verwaarloosde geheel en geen blijk geven van een opvallende zorg zoals huisvrouwen eraan zouden besteden, die er een stem aan zou geven als aan levende schepsels, maar eerder van verwaarlozing als gevolg van ernstiger en dringender besognes. Vier of vijf meter achter het muurtje staat op een stukje grond dat tuin noch veld is een groep oude linden die met hun niet erg weelderige kruinen het huis, dat precies op het zuiden ligt, geen lucht en geen licht ontnemen.

Daarachter is zonder enige overgang de boerderij te zien, met haar rijen kale esdoorns waarboven de wijnranken zich met vrouwelijke hulpeloosheid of koketterie tegen ruwe mannenhanden lijken te verzetten of zich gewonnen geven, elkaar hardnekkig omklemmen of zich in onmacht laten hangen; zodat sommige stukken van die grond ons doen denken aan de befaamde roof van de Sabijnse maagden, die er wanneer ze worden vastgegrepen niet allemaal hetzelfde over denken.

Niet alleen blijft het hek altijd voor de helft geopend, ook 's nachts – en waarschijnlijk bestaat er geen sleutel meer van – maar ook staat een groot deel van het jaar de deur met het raam van de eerste ochtenduren tot zonsondergang open en onthult hij een grote kamer waar zich bovendien de twee ramen bevinden die er dicht tegenaan liggen.

We moeten deze ruimte goed observeren want dit is zo te zeggen ons centrale decor, het toneel van handeling.

Een grote kast van goed notenhout, als je binnenkomt tegen

de linkermuur, hoog en breed, maar glad en zonder versieringen, lijkt natuurlijk op een kleerkast; terwijl in het eerste stuk van de voorwand, dicht bij het raam, een console, ook van notenhout en met een grote spiegel met houtsnijwerk, ons meteen doet denken aan een ontvangstsalon; en daarnaast, aan dezelfde muur, brengt een ladekast met een wit marmeren blad je op gedachten aan een slaapkamer; terwijl een lage en zeer ruime sofa aan de achterwand niet doet denken aan een badkamer, maar aan een salon, ook voor ontvangsten met veel intimiteit en gezelligheid; totdat in het midden een vierkante tafel van gewoon hout, heel groot en met gedraaide poten, waarboven in het midden een oude door kaarsen omgeven petroleumlamp met eronder drie elektrische lampjes, ons in de droom een patriarchale familie van twaalf personen laat zien, gezeten aan dampende schalen. Boven de sofa hangt een tweede grote spiegel in een vergulde lijst, en boven de ladekast een schilderijtje dat tegen een achtergrond van huiveringwekkend donkergroen een verschijning van een geheel witte, stralende Jezus toont, die nadenkend en vriendelijk staart naar een rimpelloos meer bezaaid met waterlelies. Onder de ramen aan weerszijden twee kleine tafeltjes, een rond en een ovaal.

Bij het bizarre aanzien van deze encyclopedische ruimte zou het niet gemakkelijk zijn prognoses of astrologische veronderstellingen naar voren te brengen als er niet één element was dat er opeens het ware wezen van onthulde. Op de sofa en op de tafels, op de console en de ladekast, op de leunstoelen en de stoelen die het meubilair completeren, op dozen, grote en kleine, overal waar iets neergelegd kon worden, zien we hetzelfde: stoffen in stukken en coupons, hele lappen, gestreept, uitgespreid of opeengehoopt, mousseline, voiles, crêpe, tule, linten, lintjes, band, zijde, wit of in lichte kleuren en minder vaak in heldere kleuren; en ook al staan er heel wat meubels van alarmerende proporties, in de ruimte die overblijft rond de tafel of tegen de vrijgelaten muur zijn borduurramen met de voorkant naar de muur gezet of tentoongesteld, in alle richtingen gekeerd en van elk formaat, sommige bespannen met een wit doek, wat de kamer het aanzien geeft van een theater voor of na het schouwspel en, daar kun je je niet in vergissen, de aanwezigheid onthult van actieve, nijvere borduursters. Maar om te preciseren wat hun werk is en hun ware specialiteit waardoor ze wijd en zijd een zeer goede naam genieten en een degelijke reputatie, moet ik zeggen dat de gezusters Materassi officieel, zoals in het briefhoofd van hun facturen staat te lezen, 'linnennaaisters' zijn:

GEZUSTERS MATERASSI

LINNENNAAISTERS – BRUIDSUITZETTEN

Bij die in het zomerseizoen altijd openstaande deur met het raam, of in het strenge jaargetijde achter de gesloten ramen met een stoof onder de voeten als enig comfort, zitten ze tegenover elkaar gebogen over de stoffen, en kijken ze alleen op of benaderen ze elkaar om instemming te vragen en te overleggen, van de eerste ochtenduren tot de avond, wanneer ze boven hun borduurraam bij het afnemende zonlicht ter hoogte van hun hoofden twee zeer sterke lampen laten zakken die overdag als fruit hoog boven de tafeltjes voor de ramen hangen; of ze staan aan de grote tafel, zien erop toe dat de schaar de juiste koers volgt, concentreren zich op het knippen; of ze zitten met gebogen hoofd aan de twee tafels onder de ramen om een ontwerp te maken.

In de tijd waarin dit verhaal begint hadden Teresa en Carolina, de twee gezusters Materassi, de leeftijd van vijftig jaar bereikt, met onderling een jaar verschil; ze zaten, om precies te zijn, schrijlings op die leeftijd, want ze bevonden zich aan weerskanten van de vijftig.

Teresa was, met haar solide lichaamsbouw en haar vrij grote postuur, een sterke, wilskrachtige vrouw, en al was aan haar gelaatsuitdrukking en haar gedrag vaak te zien hoe hard ze werkte, ze verborgen altijd dat ze vermoeid was. Haar nog glanzend zwarte haar was eenvoudig gekapt en bijna strak om haar hoofd getrokken, het gaf hier en daar een paar witte draden te zien, vooral bij haar slapen. Haar zwarte ogen, groot en diepliggend, waren omringd door donkere wallen, geleidelijk overgaand in de huid van haar gelaat, die eerder droog was dan verlept, en van olijfkleurig in grijs en stoffig was veranderd. Alles bij haar wees op de moeite die een moedig maar moeilijk bestaan haar kostte, en op een vrouwelijkheid die was begraven als een kortstondige vreugde of een luxe die ze zich niet kon veroorloven. Vrouwelijkheid die alleen op korte momenten van rust terugkwam en die haar niet was ontnomen door noodzaak, maar door een gewoonte van heel diep nadenken en werken die regel was geworden. Meer dan fysieke kracht viel bij deze vrouw de morele kracht op die haar steunde.

In tegenstelling tot haar zus had Carolina haar uiterlijke

vrouwelijkheid behouden, die bij het verwelken van haar uiterlijk en door haar leven in afzondering als het ware zo was geaccentueerd, gesublimeerd, dat het iets smachtends en gemaniëreerds kreeg. Al was ze het nauwelijks, ze leek veel kleiner dan haar zus, tengerder, maar vooral leniger, en ook wanneer ze gespannen met een heel precies werk doende was, bleef haar lichaam een slangachtige souplesse behouden, waarbij ze vaak toegaf aan het verlangen om haar middel in te trekken, zich ergens te betasten, zichzelf te voelen, zich uit te rekken om weer soepeler te worden, haar denkbeeldige, tijdelijke frisheid en lenigheid te herstellen; zodat het leek alsof al haar handelingen of uitdrukkingen door spelden werden bijeengehouden. Vooral richtte ze zich op en verwrong ze zich wanneer er iemand binnenkwam, temeer naarmate die belangrijker en achtenswaardiger was; waarbij haar zus de mensen recht in de ogen keek, niet hooghartig, maar met de zekerheid van iemand die eraan gewend is zaken te doen en aandachtig te luisteren om vlug te begrijpen en begrepen te worden. Carolina gedroeg zich zoals bloemen op hun steel wanneer de zon 's ochtends verschijnt, of wanneer hun vorm zich weer herstelt na stormvlagen. De souplesse van haar lichaam, die kunstmatig was, maakte dat ze fragiel leek, maar ze was heel sterk, zoals struiken die door geen wind gebroken kunnen worden doordat ze in alle richtingen kunnen buigen. Ze had kastanjebruin haar met een zweem van wat blond leek, overvloedig en volumineus, in een onregelmatig, onrustig aandoend kapsel, wat haar dwong tot bewegingen van een gekunstelde, smachtende gratie. Al waren de zilverdraden op haar hoofd talrijker dan bij haar zus, ze vielen slechts op van heel nabij, en dan versmolt het nieuwe zilver met het oude goud. Haar zeer lichte ogen, die niet zozeer blauw waren als wel lavendelkleurig, waren twee bleke schijven zonder levendigheid en drukten slechts heel vaag een wil uit, ze keken je aan zonder diepte, en hun blik, die vergezeld ging van een glimlach om haar timide, volle lippen, gaf je de indruk dat ze naar zichzelf keek in een spiegel die, niet uit bescheidenheid maar om er zelf volledig van te genieten, voldoening over haar schoonheid en superioriteit vasthield. Haar gelaat was bleek en zacht, van een bleekheid en zachtheid die het gevolg waren van hard werken. Ze verschilde niet alleen van haar zus door die uiterlijke vrouwelijkheid, vergeleken met haar leek ze ook jaren jonger, al scheelden ze maar één jaar.

Het toeval en meer nog hun lotgevallen en om precies te zijn die van de familie, hadden hen als oude vrijsters onlosmakelijk met elkaar verbonden; eerst hadden ze de ruïnes van die familie omheind, daarna gestut, en vervolgens hersteld op een wijze die een plechtige lofzang verdiende.

Het door hen bewoonde pand was een oud herenhuis, het kon geen villa worden genoemd en ook geen armoedig huis, zowel door de omvang als door de indeling van de kamers; en in het verlengde ervan, maar met een afzonderlijke toegang door een speciaal hek, had de pachter van een grote en zeer vruchtbare boerderij die hun eigendom was, zijn huis, zijn optrekken en stallen. Aan de straatkant vormden binnen de kloostermuren de twee eerder beschreven vleugels van woningen samen met de achterkant van hun huis met een ruime binnenplaats, schoon en bescheiden, waaraan in totaal twaalf families woonden van nette, fatsoenlijke kleine lieden, kantoorbedienden, gegoede arbeiders, bij wie je geen armoede of ongeregeldheden aantrof.

Het zal geen kwaad kunnen om een paar woorden te wijden aan de beschrijving van dit bezit en dit geheel, dat bekwaam was opgebouwd door de grootvader van vaderskant van onze gezusters, die destijds rentmeester in dienst van een illustere familie was geweest en door te sparen en een sober, werkzaam leven te leiden eerst het huis met de boerderij had gekocht en er zich had gevestigd en daarna, met de opeenvolgende opbrengsten, ernaast in drie fasen de grote huurkazerne had gebouwd, waarvan hij een sympathiek en aanzienlijk bezit had gemaakt.

Het geval wilde echter dat de enige zoon van deze uiterst integere, hardwerkende landman, de vader van onze borduursters, niet in de voetsporen trad van zijn wijze vader en diens opbouwende werk, maar er behagen in schepte geheel andere wegen in te slaan: en dat nota bene niet alleen met de goedkeuring of de toegeeflijkheid van zijn vader maar, sterker nog, tot diens innerlijke, diepe voldoening. Opgegroeid als hij was in overvloed en welvaart die steeds meer toenamen tijdens zijn vroege jeugd, was hij de vreugde en trots van de oude boer die op rijpere leeftijd deze enige zoon had gekregen en zichzelf bijna tiranniek elk werelds genoegen had ontzegd, en de ambitie en tegelijk de zwakheid had om zijn zoon heel anders en – alsof de wijsheid voor hem, die er ononderbroken naar had geleefd, niet een principe was geweest – andersom te zien opgroeien: frivool, onnadenkend, grillig, spilziek, zonder werklust. En allengs werd hij, toen hij een man werd, steeds begeriger naar alle genoegens die zijn tijd kon bieden. Alsof er een wedstrijd was georganiseerd tussen de zoon en de vader, de eerste in het uitgeven, de ander in het betalen. En hoe laakbaarder het gedrag van de zoon werd, des te meer leek het de vader een geheim en onuitgesproken genoegen. Totdat de zoon na de dood van de vader, die de laatste tijd van zijn leven de ernst van zijn fout tegenover zijn zoon had kunnen peilen zonder hem in te dammen, zo losbandig leefde dat hij er invalide van werd en nog niet oud stierf na vijf droevige jaren van toenemende hulpeloosheid, een vrouw naliet die hem maar kort overleefde en vier dochters, en een bezit dat zo bezwaard was met hypotheken dat de familie het ternauwernood kon gebruiken als woning.

Als gevolg van deze losbandigheid van hun vader en de neerslachtigheid, het verdriet van hun moeder, een zachtmoedig en onderdanig schepsel dat een leven van opoffering en smart had geleid, van vernederingen die haar uiteindelijk onverbiddelijk treurig maakten, groeiden de dochters, gewend aan de hardheid van het leven, aan strijd, en overladen als ze waren met verdriet, verstandig en rustig op tot arbeidzame vrouwen, zonder enig streven naar vreugde, alsof ze geen ander gebod hadden gehoord dan dat ze moreel en materieel het kwaad van hun vader moesten goedmaken.

Toen de man aan zijn laatste ogenblikken was gekomen en woedend was vanwege zijn volledige ondergang, had hij in het diepst van zijn ziel geen nederig of berustend woord kunnen vinden en toen zijn gezichtsvermogen in het aanschijn des doods al was verduisterd, riep hij tegen zijn vrouw, terwijl hij haar wegjoeg van zijn bed: 'Jij, slet, jij maakt het voor mij donker.' Dat was het afscheid van de echtgenoot en de vader.

Teresa en Carolina hadden samen in hun vroege jeugd te Florence de school bezocht van een befaamde lerares in luxe lingerie en van meet af aan speciale aanleg vertoond, eerst voor het knippen en naaien, daarna voor het ontwerpen en borduren; totdat ze zich kort na hun twintigste in hun huis vestigden, waar ze een nieuw leven opbouwden en zorgden voor hun arme, invalide vader en de ondergang van de familie aan de rand van de afgrond tot stilstand brachten. Ze waren nog geen dertig toen hun vader stierf, en al op weg omhoog naar dat wat hen tot een bewonderenswaardig voorbeeld voor de anderen zou maken en hun zelf de meest legitieme innerlijke bevrediging zou schenken.

Alleen achtergebleven konden ze, na een paar jaar van onophoudelijk werken en gesteund door de raad van een paar flinke, belangeloze personen, met grote inspanning een eerste en moeilijkste begin maken met het aflossen van de hypotheken op de huizen en de boerderij, een bevrijding die na die eerste stap steeds sneller en gemakkelijker ging, totdat ze die als vanzelf weer in hun bezit kregen.

De echte naaister was Teresa en voortaan ging ze, waar het om dat soort werk ging, door voor de beste, met de grootste reputatie van de stad; zodat iedereen haar op die zo afgelegen plaats kwam opzoeken, en ze voortdurend werk moest weigeren. Er was geen jongedame van rijke, nobele huize, dochter van een industrieel of zakenman, die niet in haar uitzet, al kon ze onmogelijk alles krijgen, minstens een paar dingen wilde hebben die uit die handen kwamen die befaamd waren geworden; uitzetten werden een jaar of twee jaar van tevoren besteld, en voor over minder dan zes maanden namen ze geen opdrachten aan. Het meest verbazingwekkend om te zien was hoe in dat verre, bescheiden hoekje van het platteland de modes zonder vertraging arriveerden, en hoe in de broedplaats van die bizarre kamer, door die vrouwen die op hun lichamen niet de geringste en vaagste vermoedens van mode en élégance toestonden, de nouveautés werden aanvaard, bekritiseerd, in overweging genomen, ontwikkeld, gecorrigeerd, met een heel fijne intuïtie van wat passend was en van goede smaak getuigde.

Carolina borduurde de lingerie en kwam haar zus te hulp bij het omvangrijkste werk dat een snelle opbrengst garandeerde, ze specialiseerde zich in het uitvoeren van datgene wat van zo'n charme en finesse was, van zo'n virtuositeit op haar gebied, dat ze de meest kritische kenner versteld deed staan. Niets op haar terrein was haar onbekend of kon ze niet perfect uitvoeren, of namaken nadat ze het eenmaal had gezien, zodat ze kant, oude voiles en borduurwerk uit alle perioden kon beoordelen en herstellen. Terwijl haar zus de wil was, de ordenende geest, was Carolina de kunstenares. Zoals haar zus vanaf haar eerste meisjesjaren had laten zien hoeveel aanleg ze had voor het snijden en naaien van linnengoed, zo had zíj aanleg getoond voor versiering, bekwaamheid in het ontwerpen, kleurgevoel. Haar bijzondere specialiteit was het borduren met zijde en gouddraad: paramenten, vaandels, wimpels, vlaggen. Dat verklaart de verschijning bij dat hek van priesters en van deftige vrome dames, die uit de auto kwamen wanneer ze de kerk een schenking wilden doen, en dat leverde in dat genre dermate grote wonderen op dat ze de vergelijking konden doorstaan met de beste exemplaren die te bewonderen zijn in musea en galeries en die zij vanaf haar adolescentie met buitengewoon talent had bestudeerd. Wanneer Carolina een werk moest voltooien, een parament voor priesters, een wimpel, een patriottische vlag, liet Teresa de hemden en directoires staan, nam ook zij goud en zilver op en hielp haar zus met de nederigheid van een leerlinge, van een uitvoerster; en evenzo hielp Carolina haar zus bij een belangrijke uitzet waar het om modellen ging die een passende decoratie behoefden.

Zoals ik al heb gezegd, weigerden ze elke dag werk of namen ze het aan op eindeloos lange termijn en hadden ze ook nooit een school willen beginnen of, wat nog beter zou zijn en door iedereen werd verlangd, willen verhuizen naar Florence om daar een groot atelier op te zetten. Behalve een paar jonge meisjes uit de omgeving, meestal bij hen inwonend, wie ze les hadden gegeven als iemand uit de familie, of een vertrouwde arbeidster die ze lieten komen wanneer ze ten einde raad waren, hadden ze geen andere hulp gevraagd, en wat een verhuizing naar Florence aanging, daar dachten ze niet over, aangezien iedereen hen kwam opzoeken waar ze geboren waren, waar ze altijd gewoond hadden. Dit vormde het voornaamste geheim van hun succes, al het werk kwam geheel uit hun ervaren handen en was in alle opzichten gelijk, onberispelijk, wat hun grenzeloze moeite kostte.

Vroeger, toen dat soort relaties nog bestond, bevond zich onder hun cliëntèle een enkele bekende, illustere bijzit, een categorie die ik eerder ben vergeten omdat ik haar ondefinieerbaar en van uiteenlopende aard vond, maar die juist heel geschikt was voor onze gezusters omdat deze vrouwen kwistig omgingen met zeer verfijnd ondergoed zonder op de kosten te letten aangezien ze gemakkelijk over een overvloed aan inkomsten konden beschikken. Bestaan er ook nu nog zulke bijzitten? Dat is natuurlijk de vraag. Misschien wel, wie weet. Maar nu ze op bescheidener voet moeten leven, vallen ze niet meer zo op als toen; andere tijden, andere zeden: misschien geven degenen die hen onderhouden weinig geld uit en zijn ze er minder happig op om zich met hen te vertonen. Vaststaat dat een dergelijk vertoon van luxe een vrucht is uit een ander seizoen. Het was wel gebeurd dat dames, kwezels en zelfs priesters er zo een tegenkwamen in het salon-atelier annex winkel, de laatstgenoemden voor de paramenten van de geest, de ander voor die van het fragiele lichaam, en om haar eindeloze broosheid almaar beter te laten uitkomen verkoos zij heel fragiele en doorschijnende. Onder dergelijke omstandigheden bleef Teresa onaangedaan en beheerst en verloor ze één bepaald ding nooit uit het oog: het belang van haar zaak. Carolina bleef in die ongewone situatie voortdurend nerveus in beweging. Alsof de anderen daar alleen maar waren om haar te bewonderen. De dame werd bij zo'n contact ontwijkend, hooghartig, verstrooid en vooral bijziend, zo bijziend dat ze de kleinigheid die de andere klant vlak bij haar was, niet kon onderscheiden. Maar de kwezel sloot zich meteen af als een egel die een bol van stekels vormt; daarna verdween ze. En de priester, die misschien dacht dat de Heer haar hart op een dag zou raken, observeerde haar welwillend met het oog op die ommekeer.

Sommige ontmoetingen vormden een hoofdstuk apart in de geschiedenis van onze gezusters.

Maar het interessantste hoofdstuk bestond in een reis naar Rome, wat toentertijd een dermate opzienbarende gebeurtenis was dat het hele dorp op zijn kop stond; de hele buurtschap Santa Maria bleef er maandenlang over praten.

Omdat ze voor een curiekardinaal een kazuifel hadden vervaardigd die bewondering had gewekt tot in de antichambres van Zijne Heiligheid werden de twee gezusters er via de aartsbisschop van Florence van op de hoogte gesteld dat de Heilige Vader hen in een bijzondere audiëntie wilde ontvangen, met een paar andere personen.

Het bericht bracht de hele buurt in opschudding. Van de pastoor tot de laatste parochiaan was het een komen en gaan bij de deur met het raam waar de vrouwen doorwerkten met het hoofd vol van hun reis. 'De Materassi's naar Rome! Ontvangen door de paus!' Iedereen wilde weten of ze zouden gaan en wanneer, maar vooral hoe ze zich zouden kleden, want iedereen wist dat ze speciale kleding nodig hadden om toegelaten te worden in het bijzijn van de paus.

In die dagen had ook de sterke Teresa haar met zoveel volharding veroverde en gehandhaafde kalmte verloren. Carolina kreeg huilbuien en bijna angstaanvallen. Ze voelde dat haar benen haar op het laatst niet meer overeind zouden houden en dat ze daar alleen zou aankomen om te vallen. Ze leed aan hersenschimmen, kon niet meer slapen, had geen eetlust en zelfs geen werklust meer. Om zich tegen die opwinding te verzetten besloten ze een geschenk voor de paus mee te brengen, een stool waaraan ze samen werkten, zonder een moment op te houden, dag en nacht, met gevoelens waardoor ze de hele maand die hen scheidde van het vertrek werden gekweld.

Carolina tekende het ontwerp van een gestrenge schoonheid, dat aan de rechterkant culmineerde in een Christus aan het kruis, en links in een heilige Petrus bij het consacreren van de hostie.

Een maand lang spraken vrouwen en meisjes in de buurt over niets dan de stool en het vertrek. Zou het ze lukken, ook al werkten ze bijna de hele dag en nacht? Hoe zou Christus worden? Bloed uit zijn wonden? En wat het moeilijkst was, het gelaat van de heilige Petrus met zijn handen die de hostie op borsthoogte hielden bij de consecratie? Alsof ze het allemaal zelf moesten uitvoeren.

Die stool kon met recht het meesterwerk van de gezusters worden genoemd.

Door de overmatige spanning viel Carolina die maand twee kilo af; en toen Christus af was, en aan de andere kant de Heilige met grote ogen die staarden naar de hemel, vervaardigde ze met eigen handen de hostie, die ze, omdat het een geheel witte schijf moest zijn die de figuur die er stil en plechtig achter stond te zwaar kon maken, bij het werk met de naald een zo onstoffelijke lichtheid gaf dat de hostie verscheen met de mildheid van opstijgende damp.

Vergezeld van een prelaat uit Florence arriveerden ze op een junimorgen vol ootmoed met tien, twaalf anderen bij het apostolische paleis, met een zon als een klaroen aan de egale intens blauwe hemel; ze sidderden als verschrikte duiven, schommelend in een huurrijtuigje dat over de keien van het plein huppelde als over de zomerbedding van een rivier, gekleed in het zwart, met een voile tot op hun voorhoofd, en hoe dichterbij ze kwamen, des te meer voelden ze hoe ze werden opgeslokt door de muil van dat heilige gevaarte.

Ze werden binnengeleid met een andere groep die ook werd vergezeld door een prelaat, en tezamen met een groep priesters zonder begeleiding. In totaal niet meer dan vijftig personen. Ze werden binnengebracht in de Sala delle Benedizioni, waar ze wachtten op het moment dat de deur openging waaruit de paus zou moeten komen, en waarnaar allen met ingehouden adem staarden.

Opeens ging de deur open met zo'n gemak dat het leek alsof die van karton was, en kwam er een bundel licht uit de andere zaal, die in de stralende zon stond. En daar verscheen Zijne Heiligheid, met eenzelfde lichtheid als Carolina de hostie in de handen van de heilige Petrus had kunnen geven. Het was Pius de Tiende, en het was de junimaand die voorafging aan het uitbreken van de Wereldoorlog; een paar dagen later hield dat treurige hart op met kloppen. De heilige grijsaard, met zijn plukje grijze haren die uit zijn kalotje staken, zijn gezicht rood en glimlachend van vaderliefde, ging in zijn sneeuwwitte gewaad langs elk van zijn in een halve cirkel knielende bezoekers, een voor een, zei tegen ieder een paar woorden en schonk hun zijn allerhoogste aardse zegen. Toen de prelaat hem zei dat zij de borduursters uit Florence waren, die van de stool die ze Zijne Heiligheid hadden geschonken, nam hij hun handen teder tussen de zijne om ze te zien en zei hij tegen beiden: 'Knap, heel knap.' De stakkers, die daar geknield zaten, konden alleen maar huilen, maar toen Teresa de moed vond om zich uit te spreken terwijl de Heilige Vader haar voorhoofd streelde en zijn apostolische zegen gaf, durfde ze te zeggen: 'Voor de ziel van onze vader! Voor de ziel van onze moeder!' En de paus glimlachte nog duidelijker en knikte instemmend zodat zij, nu het ijs eenmaal gebroken was, doorging: 'Voor onze zus in Ancona! Voor die in Florence! Voor alle inwoners van ons dorp!' En nog meer begon de paus te knikken om duidelijk te maken dat zijn zegen voor allen was. Carolina was niet in staat geweest haar mond te openen, wel had ze met grote bewondering geluisterd naar wat haar zus had kunnen vragen, maar toen ze haar mond eenmaal had geopend, barstte ze uit: 'Niobe!' Waarop de paus, nog breder glimlachend, zodat hij zijn tandeloze rode mond toonde, het hoofd van Carolina in zijn handen nam, zoals je doet bij een kind, en 'Voor iedereen, voor iedereen' tegen haar zei alvorens verder te gaan.

Ze waren vijftig in de tijd dat dit verhaal begint, om precies te zijn in het jaar negentienhonderdachttien. Nu ze het toppunt van hun professionele leven en van al hun geheime en uitgesproken aspiraties hadden bereikt en sinds een paar jaar weer in het volledige bezit van hun eigendommen waren, waarvan de opbrengsten hadden kunnen volstaan om hen royaal te laten leven, bleven ze even koortsachtig doorwerken als in hun treurige uren; en omdat ze zich niet eens een ander leven in het vooruitzicht stelden leek het alsof ze niet in de gaten hadden wat een wonder er door hun handen was verricht en ze niet uit konden zijn op rust en een legitieme status. Ze hadden het stadium bereikt waarin ze geld konden ophopen zonder het zelfs maar te merken, en zonder de waarde en de lusten ervan aan te voelen, zowel als gevolg van hun werk als omdat ze van de opbrengsten niets uitgaven. Je zou kunnen zeggen dat hun werk, nu ze eenmaal voor de kar waren gespannen, hen voorttrok zonder dat ze zich los konden maken; iets waaraan ze nooit gedacht hadden, zoals ze er ook geen moment aan hadden gedacht afstand te doen van die leefwijze, het ritme te vertragen om van een paar uur rust, welzijn en kalmte te genieten, zich wat vertier te veroorloven, een reis, minder intens en absorberend werk te ondernemen: dat het hard was, was essentieel, het middel was doel geworden. Als deze gedachte in hun hoofden was opgekomen, hadden ze de leegte vóór zich gevoeld, hadden ze zich voor het eerst ongelukkig gevoeld en zou het zijn alsof alles zou zijn afgelopen wanneer ze hun doel bereikt hadden en met lege handen hadden gestaan.

Alles was daar in die ruimte die ik beschreven heb, in de chaos van stoffen, dozen, scharen en naalden; in de indrukwekkende auto's die stopten bij het hek, in die bezoeken van rijke en belangrijke mensen, in hun aanbevelingen en verzoeken om te worden bediend. Onvermoeibaar volgden ze die weg, als het ware voortsnellend in plaats van de pas in te houden. Daar lag hun doel, waarbij ze de wereld hadden vergeten en ook waren vergeten dat ze vrouwen waren. Het waren twee versteende meisjes, van een vrouwelijkheid die alleen een ervaren waarnemer kon opmerken op de schaarse momenten dat ze vaag opflakkerde als vuur uit nagloeiende as dat daaronder weer verdween wanneer die bleke, bedrieglijke verschijning voorbij was.

Er woonde bij hen een jongere zus, Giselda, veertien en vijftien jaar jonger, en die had het omgekeerde drama meegemaakt. Van de vier zusters was zij het aantrekkelijkst geweest en bijna mooi; ze had niet de familietragedie in de donkere periode gekend, want toen was ze nog te jong om deel te hebben aan het verdriet, en ze was in de bloei van haar leven toen haar zusters, die alleen waren gebleven, op virtuoze wijze waren begonnen aan de wederopbouw van hun bestaan. Ze had praktisch geen enkel vak geleerd, want haar zusters wilden zich liever niet met haar bezighouden door tijd van hun werk af te nemen; ze riepen ook niet haar hulp in wanneer ze zich overbelast voelden, hetzij omdat ze niet tevreden waren over wat zij kon doen, hetzij om zich zelf sterker te voelen. Ze lachten goedmoedig om haar onhandigheid en eisten van haar slechts gemakkelijke taken bij wijze van tijdverdrijf. Naar Florence gaan om boodschappen te doen bij leveranciers en klanten, antwoorden over te brengen en berichten door te geven, het voltooide werk af te leveren; dingen die Giselda perfect uitvoerde omdat ze niet verlegen was maar openhartig, levendig en intelligent. Ze toonden zich ook niet jaloers over haar door iedereen opgemerkte jeugdigheid en charme. Want ze hadden haar altijd meer als een dochter beschouwd dan als een zus en waren trots op dat gevoel en hun ruimhartigheid tegenover haar. Totdat voor die uit het leven verbannen wezens een onverwachte maar toch heel natuurlijke gebeurtenis hun liefdevolle gevoelens opeens veranderde in jaloezie en wantrouwen.

Giselda was twintig en in de volle bloei van haar jeugd toen ze haar zusters op een dag liet weten dat ze verloofd was en wilde trouwen. Die keken op van hun lappen stof en voordat ze haar aankeken wisselden ze met elkaar verbijsterde, onthutste blikken, stuurloos als ze waren bij de aankondiging van iets wat alleronwaarschijnlijkst was en in wezen onaangenaam. Ze zei dat ze zich had verloofd met een jongeman uit de hogere kringen die rijk, knap en elegant was; en dat ze hem mee naar huis wilde nemen om hem voor te stellen aan de familie. Die aankondiging, die de jonge vrouw met een zekere overmoedige en uitdagende triomf had gedaan, volstond om een afgrond van ijs tussen de drie vrouwen te vormen; het zaad was gezaaid van een rivaliteit die bestemd was om te ontkiemen en altijd voort te leven. En Giselda, die met haar vrouwelijke instinct de slecht verholen wrok in het hart van haar zusters had aangevoeld, ging geen zoete broodjes bakken om hen te kalmeren door haar voornemen in hun ogen te bagatelliseren of voor te stellen als heel onzeker, door zich zwak te tonen en hun raad en hulp in te roepen, maar sloeg juist een toon van zekerheid en superioriteit aan die haar de overwinning schonk. Zodat de gevoelens van de een de verbittering van de anderen verhevigden. Omgekeerd liepen die van hen tegenover haar, hun bedenkingen en rivaliteit, uit op een uitbarsting toen ze hoorden dat de jongeman die zogenaamd rijk, knap en elegant was en uit de hogere kringen afkomstig, de minst aangewezen persoon was voor een goed huwelijk en om in de toekomst de stichter van een gezin te worden. Integendeel, het betrof een slecht sujet, losbandig, arrogant, niet in staat tot werken, een die altijd een libertijns en gewetenloos leven had geleid en voor wie het huwelijk alleen maar een nieuw avontuurtje kon betekenen. Van alle kanten kwamen negatieve berichten. Maar zoals we al zeiden, de gevoelens van deze vrouwen onderling hadden al een slecht uitgangspunt. Toen de zusters hun heimelijke vrouwelijke wrok opzijzetten en het haar openhartig wilden afraden in haar eigen belang en zich beriepen op het verdriet waarvan zij van kindsbeen af getuigen en slachtoffers waren geweest omdat het lot hun een slechte vader had gegeven, hield Giselda hun goede raad voor jaloezie die ze om gelijk te krijgen trachtten te verbergen onder het mom van voorzichtigheid en wijsheid, en voor de haat van oude vrijsters jegens een gelukkig meisje. Bovendien verkeerde deze verloofde niet in dezelfde omstandigheden als hun vader, wiens eigen vader zo lang vastbesloten was geweest om diens losbandigheid te dulden als iets om trots op te zijn en die hem vervolgens een bezit naliet om op te souperen: toen had zijn familie hem na eindeloze strijd en pijn aan zijn lot overgelaten.

Toen Giselda getrouwd was en het na vijf jaar huwelijk, die haar een paar maanden geluk schonken, al uitkwam wat voorspeld was en ze voordat ze het opgaf alle onvrede, alle bitterheid, ook honger had verdragen, waarbij haar trots was geknakt en haar keel gepijnigd door het verdriet, stortte ze haar hart uit bij haar zusters; nadat zij beetje bij beetje haar confidenties hadden aangehoord, kwam er een eind aan hun wrok. Toen ze gelukkig en sterk was, haatten ze haar, toen ze ongelukkig en hulpeloos was maakten ze het weer goed met haar en schonken ze haar wederom hun edelmoedigheid en genegenheid.

Na vijf kommervolle jaren vroeg Giselda onderdak bij haar zusters en kwam ze voorgoed terug onder hun dak, terwijl haar man uit de stad verdween zonder ook maar een spoor achter te laten. De vrouw die twintig jaar lang in dat kommervolle huis zorgeloosheid en geluk had belichaamd, vertegenwoordigde er nu het verdriet. Toen ze terugkwam, was ze somber en zwijgzaam, uitgebloeid, verwelkt, en had ze alle charme verloren, haar kleur, haar expressiviteit; alsof ze, nog meer dan haar desillusie en haar nederlaag, haar in haat veranderde liefde koesterde jegens de man door wie ze te schande was gemaakt en verworpen. Ze was verhard, haar lippen kenden alleen een bittere of ironische glimlach, en ze kon ook niet haar wrok verbergen jegens haar triomferende zusters, die gelijk hadden gehad en met wie ze alweer tien jaar samenwoonde. Ze woonde niet bij hen als een meesteres, want alles was van hen, en had ook niet meer het recht dat haar zorgeloosheid en vrolijkheid haar destijds hadden verleend; maar ook niet als een dienstbode, want ze waren haar weer goed en met respect gaan behandelen en wat ze haar opdroegen vroegen ze haar vriendelijk, wat voor haar geknakte trots een nog grotere vernedering betekende. Haar positie was onecht, onecht was de teneur van haar leven, onecht was het zoals ze zich bewoog en sprak: een misplaatst schepsel dat niet zelf haar leven opnieuw kon opbouwen en haar brood verdienen.

Teresa en Carolina waren met hun sentiment jegens hun arme, ongelukkige zus vergeten dat ze ooit begeerd was geweest door een knappe, avontuurlijke jongeman, zo een die alle meisjes van alle leeftijden ’s nachts in hun fantastische dromen zien verschijnen (iets waarvan ze die dag niet bijzonder gecharmeerd waren), en dat zij door misrekening had gemeend hem tot de hare te maken en voor altijd van hem te zijn tegen de zin van iedereen en ondanks alle waarschuwingen en voorspellingen. Het geknars van de onderlinge wrijving had verzacht moeten worden door de ramp die haar was overkomen, en meer nog door alles wat de arme vrouw had moeten verduren voordat ze zich gewonnen gaf, zodat ze de kracht had gevonden om haar hart te openen omdat ze niet meer de kracht had om te lijden. Ze had het stadium van de zelfverloochening en haat bereikt die haar gesloten, bleke lippen lieten doorschemeren.

Ze voerde de administratie van de huizen; haar ongenoegen en verbittering kwamen goed van pas bij het administreren zonder toegeeflijkheid, zonder uitstel te verlenen voor de betaling van de bescheiden huur van minder fortuinlijke huurders die dikwijls werden gekweld door tegenspoed en ziekten; en ook bij het weigeren van onderhoudswerkzaamheden waarom zij te lichtvaardig vroegen. Ze voerde ook de administratie bij de illustere cliëntèle wanneer die niet altijd illuster was als het op betalen aankwam. Ze administreerde de boerderij, want boeren moeten in ieders belang behoorlijk worden geleid en in de gaten gehouden; ze hield de boekhouding bij van de melk, van de groenten die bijna elke ochtend naar de markt in Florence werden gebracht; want op die boerderij waren dat soort producten belangrijker dan de beperkte oogst aan graan en wijn, een wijntje dat niet erg sterk was, om niet te zeggen slap. Bij al deze mensen die de macht van hun weldoensters belichaamden, luchtte Giselda het ongenoegen dat ze koesterde jegens haar zusters omdat ze het niet rechtstreeks kon uiten, want in hun kalme superioriteit zouden ze haar hebben uitgelachen en nog meer vernederd; onbewust lachten ze er heimelijk om, want dat ongenoegen kwam hun goed van pas. Ze ging naar Florence voor de noodzakelijke boodschappen en bestellingen, zodat haar zusters geen enkele reden hadden om het huis uit te gaan; net zoals zij als meisje altijd gedaan had. Maar hoe anders was het humeur waarin de stakker nu door de straten van de stad liep! Om niet nog verbitterder te raken, wilde ze zich niet eens meer haar meisjesjaren herinneren, die haar nu heel ver weg leken. In huis deed ze het minder zware werk, ze deed de kamers, de hare en die van haar zusters, hield de bovenverdieping bij en beneden de ontvangstsalon; maar nooit ging ze bij haar zusters zitten werken, ze hielp zelfs niet met strijken wanneer het werk klaar was; ze konden best een uur eerder opstaan of een uur later naar bed gaan om met eigen hand die delicate taak te verrichten, alsof het vaststond dat ze met haar hulp niets konden aanvangen. Zij minachtten haar als werkster en zij minachtte, zonder het te laten merken, het werk waarin ze hen zag afstompen en dat ze bij gebrek aan beter tot een religie hadden gemaakt.

Voor het ruwere werk was er Niobe, de oude dienstbode, die in het Vaticaan door alle confusie bijna vergeten was en voor wie de paus had geglimlacht en een speciale zegen had gegeven. Oud bij wijze van spreken, want ze was van dezelfde leeftijd als de zusters die ze al twintig jaar diende, maar omdat ze alle persoonlijke verlangens had opgegeven, kon je haar vijftig jaren met gemak voor zestig houden.

Niobe was goed en hartelijk, en haar mond waarin wel veel tanden ontbraken glimlachte altijd. Ze had weinig haar, dat grijs was en dat ze, omdat ze geen eenvoudiger kapsel kon bedenken, over haar hoofd en slapen had getrokken, zoals gebruikelijk is bij vrouwen die zwaar werk doen. Omdat ze klein en gezet was en met de jaren dik en bijna vormeloos was geworden, dansten haar rondingen log, maar zonder dat er leed of luiheid uit sprak. Geen woord, daad of slecht humeur kon haar beledigen, en als een brave ezel liet ze haar schouders zakken omdat ze wist dat ze bestemd was om lasten te dragen, en die droeg ze zonder een klacht of een blijk van opstandigheid of vermoeidheid. De gezusters behandelden haar weliswaar neerbuigend om haar fysieke ellende en haar passieve goedheid, maar ze waren oprecht aan haar gehecht.

Ook Niobe had een ongewone voorgeschiedenis, waarvan de buitenwereld slechts een deel kende; niet omdat die buitensporig dramatisch was, integendeel, ze was juist heel natuurlijk, maar omdat haar meesteressen wilden dat die dramatisch was en de vrouw zich, om hen tevreden te stellen, dankbaar had betoond vanwege zoveel vergevingsgezindheid, waarvan ze zich bedienden voor een vriendelijke, vertrouwelijke vorm van chantage die zich tijdens een gesprek uitte in een kuchje, een glimlachje of een paar toespelingen die zij als enige van de aanwezigen kon vatten. En hoe miserabel ze ook was, ze glimlachte eigenlijk meer om hun gêne dan om haar eigen daden en ze vond het helemaal niet erg dat ze werd gechanteerd en was volkomen bereid om alles uit de doeken te doen als ze dat hadden gewild.

In haar dorp in het Valdarno was de arme Niobe, dochter van straatarme mensen, genoodzaakt om inwonend bij boeren op het land te werken of als dienstmeid haar brood te verdienen, en daar raakte ze op haar vijftiende in gezegende omstandigheden, zoals men dat noemde, ze werd moeder gemaakt door een boer die getrouwd was en niet meer zo heel jong. Daarna werd Niobe, toen dat feit was verdonkeremaand, zoals dat heet, in dienst gedaan in Florence. Verdonkeremanen wil in dit geval zeggen er in bedekte termen over spreken totdat ieders nieuwsgierigheid is bevredigd, en die is in bepaalde plaatsen niet snel bevredigd wanneer men er geen ander feit voor in de plaats heeft, en dat schenkt wel een duizendmaal groter genoegen dan als men het hardop zegt, zoals onbelangrijke of oninteressante dingen. Dit was het bij iedereen bekende feit waarvan allen haar complete absolutie gaven, met een aanhangsel van verwensingen en verwijten aan het adres van de sater, de schandelijke, verachtelijke kerel die een onwetend, onschuldig meisje had misbruikt. Maar het andere deel, dat in het dorp alleen door de Materassi's werd bewaard en dat ook Giselda niet kende – die zich overigens aan Niobes doen en laten nog minder gelegen liet liggen dan de twee oude vrijsters zich konden voorstellen –, was dat toen Niobe eenmaal in Florence was en in een odyssee van dienstbaarheid van huis naar huis trok, haar buik tegen haar drieëntwintigste, net als acht jaar eerder door rurale oorzaken in haar dorp, nu vanwege urbane of zo u wilt inurbane oorzaken, in omvang toenam en in dat discrete halfdonker bleef waarin ook wij haar maar liever laten. Voor de eer van de familie moest dit tweede feit een geheim blijven aangezien de dorpelingen, die haar als vijftienjarige al hadden overladen met een overdaad aan menslievendheid en toegeeflijkheid, eenmaal geconfronteerd met haar tweede val zich heel anders gedragen zouden hebben; want niemand kon Niobe een *bis* toestaan, nu ze eenmaal ervaren was in de geheimen van het leven en op een volkomen verantwoordelijke leeftijd. En dat niet alleen, want waarschijnlijk werd daarmee ook de eerste verleider van een groot deel van zijn verantwoordelijkheid verlost, nadat op zijn schouders, al had niemand het gemerkt, de veroordeling en de vloek van de smaad waren blijven rusten.

De naakte waarheid is als volgt: dit eenvoudige schepsel, onhandig en miserabel, had van nature een sterke sensualiteit, die vroegtijdig was ontwaakt en onderhuids was blijven broeden. Afgetobd als ze al was voor de tijd van de stofdoeken en het zware dienstbodewerk, was ze een gemakkelijke prooi voor mannen, met haar blik waarin nog een doelloos verlangen schitterde, en onthulde ze aan het ervaren oog dat haar fysieke verval, haar goedheid en een diepe wijsheid hadden gemaakt dat ze geen illusies meer koesterde, maar niet zo dat ze niet om zich heen keek; de heftigste en enige uiting waarmee de zondares haar hart luchtte was een extatische lach, die ze niet kon beheersen, of een onweerstaanbare kreet die ze niet kon inhouden en die steeds dezelfde was: 'God, wat een mooie bruine!' wanneer ze een jonge, sterke man met bruin haar zag of hoorde noemen. Blijkbaar waren mannen met bruine haren haar kracht en haar zwakte geweest.

Bij die kreet, die haar meesteressen vrolijk duldden, wierp Giselda de dienster een blik van kwaadheid en afkeer toe en trok ze een neus op die veranderde in een ijskoud lemmet. Een 'mooie bruine' had ook haar heel wat tranen gekost en haar trots te zeer vernederd om hem met sympathie en bewondering te horen noemen. Ook tegenover de arme Niobe hadden de bruinharigen zich niet goed gedragen, maar toch was zij niet in staat wrok tegen hen te koesteren, en als een roos die te midden van ruïnes opbloeit gloeiden haar levendige ogen wanneer ze ze zag of ze zich slechts herinnerde.

Teresa glimlachte vanuit de hoogte, half discreet, half geamuseerd, en Carolina voelde zich bij dat vertoon van vrolijkheid afglijden in een vreemd soort smachten dat ze, niet wetend wat het was, trachtte te verbergen en dat vanuit haar keel steeds verder omlaag daalde en haar lichaam deed kronkelen. Maar al wist ze dat smachten te verbergen, het lukte de arme stakker niet om te verhullen welke weg het aflegde.

De twee borduursters gingen nooit weg uit hun arsenaal, waar alle anderen zich op eerbiedige en voorzichtige afstand bewogen als de planeten rondom de zon: de dienstbode en de zus, de dorpelingen die hen kwamen groeten – tot wie ze een aanzienlijke afstand wisten te bewaren en wie ze antwoord gaven zonder op te kijken van de stof, hoofs en ingehouden als twee koninginnen vanaf hun troon. En wie een kind op de arm had, durfde niet verder te komen dan tot de tweede trede voor de deur en vertoonde zich als aan de voet van een altaar; en het kind mocht alleen met zijn handjes wuiven, want de moeder legde het bij dat wuiven ontzag en stilte op.

De gezusters zagen uit naar de korte bezoekjes die de buren aan hun deur brachten, waarbij die zich eerbiedig gedroegen en hen op de hoogte brachten van heel wat dingen die hen in een opgewekte stemming hielden zonder hen af te leiden: smakelijke nieuwtjes, primeurs, verliefdheden op komst, relaties die hechter werden of vanzelf afliepen, verlovingen die op hun bekroning vooruitliepen door een flink voorschot op het kapitaal te nemen, wat na verloop van een paar maanden niet gemakkelijk verborgen kon blijven; roddels waarbij zij met waardigheid deden alsof ze er een eind aan wilden maken, na wel eerst nauwkeurig te zijn ingelicht. Schoondochters stortten hun hart uit over hun schoonmoeders, die zelf niet zuinig waren met uitvallen aan hun adres. Tussen de strijdende partijen namen de gezusters meteen de rol in van vredestichters; terwijl ze deden alsof ze het onbelangrijk vonden, merkten ze op wie wegbleef of te zelden op bezoek kwam; ze vroegen of die en die soms ziek was, zich niet goed voelde, en hoe het toch kwam dat ze zich al zo lang niet had laten zien. Af en toe verscheen aan de rechterdeur, achter in de salon, Niobe vanuit de keuken, tussen twee bezigheden door, en bleef ze luisteren, gaf zwijgend commentaar, of vroeg naar een bijzonderheid, bevestigde het verhaal, voegde er een eigen nieuwtje aan toe en oordeelde op haar vertrouwde toon van laat maar waaien: 'Wind je niet op, het leven is kort...' Waarbij de gezusters opkeken en een begrijpende blik wisselden: *in haar tijd had ze het te veel laten waaien, en hoe het leven was, wist ze best.* Maar afgezien van deze schertsende intermezzo's leek het alsof de vrouwen tijdens hun werk seksloos waren, en wat er met de anderen gebeurde, was van een andere orde, en daarover spraken of schertsten ze onpartijdig. Hun oordelen en opmerkingen waren altijd gul en toegeeflijk, zonder een schijn van medeplichtigheid, maar kwamen over strenge lippen. Zodat allen hen met recht en zonder uitzondering beschouwden als vrouwen van een legendarische en onwaarschijnlijke deugdzaamheid.

En wanneer het geronk van een stoppende auto te horen was terwijl een jonge vrouw uit het dorp daar stond te praten, verdween de arme bezoekster als mist voor de zon, en als ze niet op tijd had kunnen vluchten omdat ze haar kind aan de borst had, drukte ze zich tegen de muur en boog ze eerbiedig voor de illustere bezoekster. Die buiging beantwoordden de babbelende dames met een lach.

Om ze als vrouwen te zien moest je hen ver van hun werk verrassen, buiten die kamer die ze had doen verdorren. Wat heel moeilijk was omdat ze, al waren ze godsdienstig, de zondagsrust maar half eerbiedigden.

Op zondagochtend glipten ze bij de tweede klokslag met een sjaaltje om hun hoofd en in hun dagelijkse kleren onder een zwarte cape weg naar de vroegmis; daarna bleven ze tot na enen aan het werk totdat Niobe hen kwam roepen om aan tafel te gaan. Na het middageten gingen ze de trap op naar hun kamer en daar sloten ze zich op en besteedden ze zonder er zich van bewust te zijn de hele middag aan het opdelven van hun vrouwelijkheid.

Ze begonnen met hun persoonlijke verzorging, die de andere ochtenden werd verwaarloosd of te haastig uitgevoerd: hun ondergoed verschonen, dat van een kloosterlijke gestrengheid getuigde en dat ze buitenshuis lieten naaien door een grove arbeidster, zonder een model aan te geven en ook zonder ook maar iets af te spreken over de uitvoering: ze wisten niet wat het was, een hemd voor zichzelf maken, en hadden er nooit over gedacht hun lichamen te sieren met hun eigen geraffineerde kunst. Misschien zouden ze een kruisteken hebben geslagen bij die gedachte.

Als je hen had horen praten tijdens deze bezigheden, zou je gezegd hebben dat het twee andere vrouwen waren, niet die van de salon vol stoffen en borduurramen op de benedenverdieping, en dat er een eind was gekomen aan hun verstandhouding; je hoorde dat ze het oneens waren en niet meer hartelijk en attent zonder reserves, maar in staat tot kritiek op elkaar, en ook tot ironie, misschien wreedheid; waarbij de een haar persoonlijkheid liet zegevieren over de ander, zodat je rustig kon concluderen dat deze bijzondere, voorbeeldige, sterke, deugdzame en constructieve vrouwen, die in hun gezamenlijke belang een lichtend voorbeeld van volmaakte harmonie waren geweest, wanneer ze eenmaal ver van hun werk waren, hier het lot gingen delen van alle andere zusters van deze aarde, allerminst inschikkelijk en nederig, maar juist opstandig, treiterig, roddelend, ongemanierd, bleek van jaloezie ten opzichte van elkaar – maar die elkaar daarbij liefhadden en zusters bleven.

Ik weet niet of er even vaak pleidooien zijn gehouden voor dit soort relaties als voor andere, ik hoop van niet en ik denk het ook niet: en niet om de praktische reden dat er voor mij dan wat ruimte zou overblijven om er naar behoren een poging toe te wagen, maar omdat schrijvers zich in veel gevallen te zeer door de heersende opvattingen laten meeslepen, en in dat geval zou je nodig de ondankbare taak op je moeten nemen om een en ander recht te zetten, waardoor je er misschien overdreven tegen ingaat; maar als het terrein braak ligt kun je vrijuit ademen en in alle rust te werk gaan.

Wanneer deze persoonlijke verzorging was voltooid, door de een aan de ene en de ander aan de andere kant van de lage, ruime kamer – die destijds van de grootouders was geweest en hun als kinderen na hun dood was toegewezen, en waarin op vier poten van notenhout een tweepersoonsbed stond dat nog iets van kuisheid behield en meer dan heilige kuisheid, ik zou durven zeggen dat het iets weg had van een altaar, – begonnen ze de kast en de commode te openen met klaarblijkelijke ergernis omdat ze elkaar moesten tegenkomen bij bepaalde handelingen, vooral bij de commode, waar elk twee laden had, en omdat Caroline de twee laagste had, toonde ze openlijk haar misnoegen vanwege die vernedering. Of wanneer de een erheen ging en zag dat die van de ander openstond en haar in de weg zat, sloot ze deze bruusk, ongemanierd en bijna woedend met een harde klap.

Waren dit dezelfde vrouwen die een eenheid leken te vormen in de kamer gelijkvloers? Die aan elkaars lippen hingen? Die voor elkaar opzij gingen? Die elkaar voortdurend hun diensten aanboden en verleenden? Zelfs bij het zoeken naar een naald of een draad, bij het oprapen van een klosje? Die elkaar ijverig hielpen bij het speuren naar iets wat zoek was geraakt en elkaar zo toegewijd waren omdat dat nodig was voor hun gemeenschappelijke succes? Wat waren hun ware gevoelens, die welke ze uitten in hun arsenaal, of die ze elders toonden, in de zeldzame tussenpozen wanneer ze twee willekeurige vrouwen werden?

Ze begonnen uit de kast en de commode mythologische dingen tevoorschijn te halen en er weer in te stoppen, kleren van vele jaren geleden, schoenen, strikken, voiles, kraagjes en manteltjes die ze als meisjes hadden gedragen, of die veertig of zestig jaar eerder van hun moeder of grootmoeder waren geweest en deel hadden uitgemaakt van hun bruidsuitzet; of die daar god weet hoe terechtgekomen waren. Jasjes met pailletten, bolero's van pluche, haarspelden en kammen waarvan ze zich niet eens herinnerden waar ze vandaan kwamen; het was niet meer te achterhalen, want ze dateerden van heel lang geleden. Voorwerpen die niemand ter wereld zou durven dragen en die op het moment dat ze zich ermee versierden in hun ogen van beslissend belang waren; ze verfraaiden zich ermee alsof ze rijk en modieus waren en de mensen in extase konden brengen. Dat maakt overduidelijk dat ze niet alleen buiten het leven stonden, maar ook zonder meer buiten de tijd.

Nadat ze hun middel en hals hadden versierd met strikken, hun boezems met wat andere frutsels, hun hoofden met haarspelden en glinsterende kammetjes, begonnen ze als om strijd hun gelaat te bepoederen, alsof ze het deden om elkaar uit te dagen door zich beter en meer te bepoederen; en wanneer ze eenmaal waren gepaneerd als vissen die gefrituurd moesten worden, en nadat ze talloze grimassen en pirouettes hadden gemaakt voor de spiegel en hun uiterlijk dat ze na zeven dagen terugzagen aan alle kanten hadden geobserveerd, gingen ze met de ellebogen tegen elkaar voor het raam zitten, waarbij ze hun armen keurig op de vensterbank lieten rusten.

Wat was hun gespreksstof? Bij een willekeurig ander stel oude vrijsters zou dat gemakkelijk te raden zijn, maar bij hen... wie zou het kunnen zeggen? Wel, u zou het nooit geloven, maar ook deze keer is het raadsel gemakkelijk op te lossen, ook hun gespreksstof was de liefde. Het raam van hun kamer was het enige in huis dat uitzag op de straat, een straat die, zoals we weten, over korte afstand leidt naar bekoorlijke, aantrekkelijke heuvels zoals die van Settignano, die dichtbevolkt zijn, of verder weg die van Vincigliata, waar niet veel huizen of villa's staan en waar rondom het kasteel een royaal bos staat met droge, wilde vegetatie die opschiet tussen de rotsen en de stenen, en dat openligt voor wie erlangs komt en gastvrijheid biedt met veel kleine oneffenheden van het terrein, en vooral verlaten of nog in gebruik zijnde steengroeven die zo geschikt zijn voor de liefde en alle zoete genoegens waarmee die gepaard gaat. Zodat op zondagen over die straat, onder het raam van onze gezusters, een processie van paren en paartjes langskwam die daarheen onzeker en bangelijk, of alleen maar verlangend op weg waren. U moet niet denken dat die paren allemaal bestonden uit jonge, mooie of althans frisse mensen die uit wandelen gingen in de uitbundige bloei van hun twintig jaren, hun jeugd die ongemerkt veel blijdschap schenkt en over hun pad zaait, maar er waren er van alle soorten en alle leeftijden, en soms van een figuur en een zo overmatige omvang dat die alleen maar wat verdraagzaamheid vereiste en voor veel plezier zorgde, want liefde, van welke soort ook, is nooit treurig.

Aan dat raam bleven ze tot het donker werd en nog langer, en spraken ze over een niet-bestaand amoureus verleden dat ze, geïnspireerd en gesteund door de langskomende paren, tot in het absurde opbliezen, en zo benadrukten dat het een wedstrijd leek. Een niet-bestaand verleden omdat iedereen hen had afgewezen of niemand hen had begeerd – laten we elkaar goed begrijpen, ze waren niet lelijker dan veel anderen die een man vinden, en gezien hun omstandigheden en dat werk dat zoveel opbracht hadden ze ook op hun vijftigste beiden een partij kunnen vinden; het was hun absolute verstrooidheid waardoor ze oude vrijsters waren gebleven, ze waren hun trots en prestige op iets anders gaan baseren. Het was uitsluitend hun eigen schuld, en niet omdat, zoals Giselda honend mompelde, zelfs de duivel hen, henzelf en hun omstandigheden, niet had gewild, want een stakker zouden ze niet hebben genomen en een heer zou hen niet hebben verkozen; onbewust waren ze van de weg geraakt en had niemand hen benaderd, door hun onevenwichtigheid, door hun gebrek aan uitstraling, aan oplettendheid: want niemand zou hebben geweten hoe te beginnen, hoe hun belangstelling te verleggen en voor iets anders te wekken, in de zekerheid dat er geen speld tussen te krijgen was bij hen, die nooit hadden kunnen luisteren, daar nooit tijd voor hadden gehad of stomverbaasd hun schouders hadden opgehaald. Het was niet gebeurd omdat het niet hoefde te gebeuren, ze waren zo dat bij niemand de gedachte was opgekomen met hen te trouwen, alsof ze geen vrouwen waren geweest.

En het mooiste is dat ze de ene mannennaam na de andere uitspraken: Guglielmo, Gaetano, Raffaello, Giuseppe... alsof ze elkaar daarmee om beurten wilden verslaan, hun overwicht wilden vestigen, de ander buitenspel zetten.

Teresa praatte altijd over de zoon van een advocaat die dertig jaar geleden in die omgeving op vakantie was geweest en later de beste advocaat van Florence was geworden. En over een ander, die met groot succes een heel beroemde fabriek van huishoudelijke artikelen had opgezet, waardoor hij rijk en belangrijk was geworden. En over een derde, die naar Amerika was geëmigreerd en daar de miljoenen voor het opscheppen had. Ze voegde er bijzonderheden aan toe en bevestigde dat ze de vrouw had kunnen worden van een van hen, waarbij ze details leverde en uitleg gaf en de redenen omschreef waardoor het huwelijk niet was doorgegaan, alsof het was stukgelopen aan de vooravond van de bruiloft, waarbij ze steeds besloot met de bewering dat het door haar kwam dat het huwelijk niet was gesloten.

Carolina toonde zich in haar verhalen geobsedeerd door de bruutheid van de man; en hoe verder dat idee in haar verleden lag en hoe verder ze zich ervan afkeerde, des te meer werd het in haar maagdelijke fantasie verergerd en werd ze, als ze er alleen maar aan dacht, benauwd en onthutst, alsof die dingen die nooit waren gebeurd de vorige dag hadden plaatsgevonden. Toen ze de zoon van een arts had afgewezen na een hevige ruzie, had deze haar op een avond opgewacht en ruw bij de haren gegrepen en haar in een aanval van woede tegen een muur gesmeten. Ze vertelde dat ze als door een wonder aan de greep van de uitzinnige man was ontsnapt en was flauwgevallen en de hele nacht in angst had gezeten. Ze vertelde precies waar en op welke dag en welk uur de brute agressie en de woedende ruzie hadden plaatsgehad. Er was niets van waar. Haar fantasie had in de loop van vele zondagen een normaal verhaal zozeer vervormd dat ze er een ware gewelddaad van maakte, een schurkenstreek, waarbij ze het steeds erger wilde maken. Zoals waarschijnlijk ook die professionele en industriële successen waarover haar zus sprak tot enorme proporties waren toegenomen doordat ze er telkens een detail aan toevoegde zoals aan een kunstwerk.

Degene die luisterde en wist dat die dingen niet op waarheid berustten of hoezeer ze overdreven waren, bleef bij dat verhaal onverschillig, kil, ontwijkend; maar ze hoedde zich er wel voor de dingen tot hun juiste proporties terug te brengen om de voortbrengselen van haar eigen fantasie niet in gevaar te brengen; en terwijl ze met open mond luisterde trok ze een grimas die afkeer uitdrukte alsof de ander vertelde over smerige of stinkende dingen.

Zo kwamen er in hun gesprekken personen langs die weinig minder dan denkbeeldig waren en familiair werden: hypothetische mensen die daar op vakantie waren geweest of langs waren gekomen en die ze nauwelijks kenden, maar die wel beschikten over een formidabel talent en dito energie, ze waren sterk en ondernemend of bruut en woest, en tientallen jaren geleden waren ze verdwenen, allen onderweg naar kolossaal succes als het met hen niet afliep in een beestachtige daad. Gevoelens, verlangens, tederheid, ze waren er niet tevreden mee als ze niet leidden tot dat doel.

Totdat Carolina zich als slotnummer herinnerde dat ze met ieders instemming zou trouwen met een jongeman die goed en aardig leek, maar toen kwam een huisvriend van haar moeder melden dat de uitverkoren jongeman een zeer ernstig gebrek had, zo een waarvan een goede burger de familie of als dat niet kon de kerk op de hoogte moest brengen. De kerk noemt dat canonieke beletselen, een reden waarom het huwelijk drie opeenvolgende zondagen moet worden aangekondigd, en iedere parochiaan die ervan weet zich voor het sluiten van het huwelijk in dit geval moet uitspreken: zo'n gebrek waarover men niet kan spreken, maar dat niet zo ernstig had hoeven zijn als niet alle mannen uit de streek, en ook veel vrouwen, de oudste en meest ervarene, erom gingen lachen. Een gebrek waarover eerst werd gesproken in geheimzinnige toespelingen en uiteindelijk met gelach, en waardoor de stakker geen vrouw kon huwen. En ook hiervan was helemaal niets waar. De man in kwestie had vijfentwintig jaar eerder daar in de buurt gewoond, en de mensen uit de omgeving hadden erover gefluisterd en gelachen zonder dat gemakkelijk was uit te maken waarop ze zich baseerden, maar hij had nooit de geringste relatie met Carolina gehad, ook al had ze hem net als iedereen gekend; het was haar fantasie die haar ertoe bracht zijn slachtoffer te worden en als door een wonder aan een fatale omhelzing te ontsnappen.

Haar zus liet haar maar praten en geleidelijk ging ze in plaats van kil en onverschillig te blijven haar bijdrage aan het verhaal leveren, knikte ze om de ander aan te sporen bij haar beschrijving. Ja, als haar zus een man moest hebben, was het die en die: die leek ze haar te gunnen, ja, ja, laat hij haar maar flink aftuigen.

De waarheid is dat beiden de mannen alleen kenden van horen zeggen, van heel ver en vaag horen zeggen. Het was niet gemakkelijk, denk ik, er nog twee te vinden die ze slechter kenden.

De paartjes kwamen in zo'n innige omhelzing langs dat het leek alsof het van de kou kwam, maar ze hadden het warm, kokendheet; ze omklemden elkaar alsof ze nooit genoeg warmte konden krijgen, ook in het heetst van de zomer. Allen wierpen ze een vluchtige blik op de twee die hen zelfverzekerd observeerden en de vrouwen meestal lelijk, onsympathiek en slecht gekleed vonden. Maar ze waren toegeeflijk tegenover de mannen en bereid toe te geven dat hun figuur en gelaat en hun manier van lopen of desnoods alleen hun ogen, tanden, haren, stem en goed passend pak hun goedkeuring wegdroegen. En wat voor hen altijd onverklaarbaar bleef, een waarachtig mysterie, was dat een knappe, althans sympathieke, althans elegante jongeman verliefd had kunnen worden op een meisje dat geaffecteerd was, aanstellerig, een aangeklede stok, met een ouwelijk gezicht, een pruimenmondje, een droogrek, met een boosaardig of onaangenaam gezicht. 'Hoe kunnen ze op sommige vrouwen verliefd worden?' concludeerden ze samen. Als het om de vrouwen ging, waren ze meedogenloos. Ook als ze mooi waren of charmant om te zien wilden ze bij hen een klein gebrek vinden om ze te kleineren, te vertrappen, tot stof te maken: op zijn minst waren ze slecht. En dan te bedenken dat zij gedwongen waren hun hemden en directoires te naaien. En hoe goed deden ze dat, met die onovertroffen verfijning, dat raffinement, die chic, waarbij ze de personen en hun afgunst vergaten, waardoor ze ze anders verkeerd, veel te groot hadden uitgevoerd om ze lelijk te maken, lomp en belachelijk.

'Wie knap is krijgt een lelijkerd, dat is bekend.'

'Hoe heeft hij die takkenbos kunnen vinden.'

'Wat een smoel, ze gaat hem natuurlijk bedriegen.'

'Die onschuldige ogen bedotten Christus en de Heiligen.'

'Heb je gezien wat een kinnebak?'

'Ze is gammel, ze lijkt wel een haspel.'

'Ze heeft lippen waarvan je een stoofschotel kan maken.'

'Zag je wat een lelijke handen?'

'Zal wel een keukenhulpje zijn.'

En als het onmogelijk was er een af te breken die werkelijk charmant was: 'Ze is natuurlijk helemaal opgeverfd, was haar gezicht en zeg me wat er overblijft.'

'Ik zou haar 's morgens wel eens willen zien, wanneer ze uit bed komt, wat een type.'

Het was een litanie tegen de vrouwen en een welwillende blik naar de mannen, bij wie ze, of ze knap waren of lelijk, altijd iets bewonderenswaardigs vonden.

En de vrouwen die voorbijkwamen hielden, zonder uitzondering, vaak een lach in, of hielden die, nog vaker, niet eens in wanneer ze in lachen uitbarstten bij wat ze zagen: want het was werkelijk moeilijk om te kijken zonder te lachen wanneer ze hen zo uitgedost aan het raam zagen. Alleen de mannen, die in beslag genomen waren door hun eigen zaken, namen geen notitie van hen, al zagen ze hen; of wanneer ze gedwongen waren notitie van hen te nemen, was het epitheton 'heksen' de enige vrucht van hun vluchtige belangstelling. En ze beschouwden hen als twee oude dwazen die er op respectabele leeftijd mooi en meisjesachtig wilden uitzien; niet wetend hoeveel inspanning en zweet waren voorafgegaan aan de weinige uren van een dermate bescheiden ontspanning en hun treurige, bizarre terugkeer naar de vrouwelijkheid. Maar zijzelf waren zo ingenomen met zichzelf en hun genoegen dat ze dat ongunstige oordeel niet eens opmerkten.

Alleen hun huurders groetten hen attent, kwamen hun respect betuigen onder het raam, bleven even staan praten bij het naar buiten of weer naar huis gaan. En de twee antwoordden van bovenaf, niet zoals op andere dagen zonder hen ook maar aan te kijken, maar met deftige buiginkjes, bijna alsof ze twee dames waren in een loge van de opera of het theater; en omdat ze hen altijd zo hadden gezien merkten ze niet meer op hoe bizar hun hoofdtooi was of zeiden ze dat de stakkers zo gekleed waren omdat ze niet eens wisten wat ze aanhadden en wat ze eigenlijk aan moesten hebben; en sommigen herkenden bepaalde dingen die hun grootmoeder of moeder tientallen jaren geleden had gedragen.

Het raarste is dat boven het raam waar ze achter stonden de muur niet eindigde bij een dak, zoals bij alle huizen in die streek, waar daken de dorpen en steden hun karakter verleenden, maar in de horizontale lijn van een glad, wit muurtje zoals van een Arabisch huisje in Tripoli of Bengasi, wat werkelijk ongewoon was, en daarop stonden twee terracotta vazen met twee onverwoestbare agaven die niet konden groeien, als aftandse kinderen, wat het lachwekkende versterkte en een dubbelzinnige kleur verleende aan het zondagse tafereel.

Wanneer ze bij het aanbreken van de maandagmorgen weer in hun atelier waren gekomen, met een wit schort en brillen met dikke glazen, waren al het vertier en alle genoegens van de feestdag zo volkomen vergeten als maar mogelijk was, dan waren ze twee andere vrouwen: ze droegen geen tierelantijnen of versierselen en ook geen spoor van het poeder op hun gezichten, het was alsof ze een toneelstukje hadden opgevoerd.

Dat was hun leven, hun hele leven, ze hadden zich daaraan geheel gegeven en zich verwijderd van het andere, het ware leven, dat voortaan voor hen een komedie was waar niets echt aan was.

Wie had kunnen denken dat vrouwen die gevoelig waren voor de elegantste vrouwelijke mode op het gebied van ondergoed van secundair belang, maar niet van secundaire verfijning en geringere moeilijkheid, vrouwen die er de meest delicate subtiliteiten van konden aanvoelen en die dames gekleed in de meest exquise mode van hun tijd zagen langskomen, een middag konden doorbrengen aan dat raam dat uitzag op een landweg, en daarbij zo pittoresk opgedirkt waren met frutsels dat ze wel twee komedianten leken, en in hun conversatie zo ver verwijderd leken van de werkelijkheid waarbij ze zo nauw betrokken waren?

En ook van iets anders, dat ook van groot belang was, hadden de stakkers zich onthouden zonder het ook maar te merken. Hoewel geboren en getogen op het platteland, en eigenaressen van een groot en vruchtbaar erf dat ze tegen een hoge prijs hadden terugverworven, hadden ze toch niet de minste interesse of passie voor het land, beschouwden ze het werk dat het met zich meebracht als smerig en minderwaardig en verachtten ze het. Dit kwaad hadden ze grotendeels geërfd van hun vader, die, in welstand geboren als zoon van een authentieke landman en gefascineerd door de luister van het stadsleven, van kindsbeen af zijn eigen welstand had veracht en voor minderwaardig gehouden, zij het dat zijzelf het fortuin, toen dat niet meer in handen was van de wijze grootvader, met hun voorbeeldige rechtschapenheid hadden hersteld. Of moeten we misschien ook deze keer de verantwoordelijkheid leggen bij het werk, dat elke andere mogelijkheid en energie had opgeslokt en hun voor de rest van hun leven alleen maar schimmen en afval had overgelaten?

Teresa vond het tijdverspilling om haar eigen grondbezit te bezoeken of te beheren; en als Fellino, de pachter, haar moest spreken over aangelegenheden van de boerderij, antwoordde ze hem beslist dat hij zich maar tot Giselda moest wenden want zijzelf kon zich daar niet mee bezighouden, ze had het te druk; terwijl hij natuurlijk liever rechtstreeks met de eigenares te maken wilde hebben.

Carolina kreeg nooit enig verzoek van Fellino, want hij wist heel goed dat zij niet naar hem wilde luisteren en hem door een verschrikkelijk gedraai zonder een woord te zeggen te verstaan had gegeven dat zij behoorde tot een wereld die niet precies die van kool en wortelen was, dat hij haar niet moest lastigvallen met dergelijke grappen.

Maar Giselda had een onmogelijk karakter en was absoluut niet geïnteresseerd in de zaken die ze moest beheren, het hing van de dag en de maanstand af of zaken werden geregeld of afgewezen, zonder reden en met ernstige schade eindeloos uitgesteld, waarbij ze de boer en het land de last van haar slechte humeur en hardheid liet verduren. Al stortte de wereld ineen, geen mens was in staat haar van een beslissing af te brengen, ook als die een klaarblijkelijke en kolossale blunder opleverde.

Ook een ander probleem dient te worden vermeld. Omdat het een boerderij was waar vooral groente werd verbouwd, was het nodig het land geregeld te bemesten, en toen de oude boer had besloten huurkazernes achter zijn huis te laten bouwen, had hij bedacht, zoals iedereen natuurlijk, dat twaalf gezinnen die een – zij het bescheiden – huur betaalden, aan het eind van het jaar een allerminst verwaarloosbaar bedrag aan geld opleverden; maar hij had tegelijk aan iets anders gedacht waaraan niet iedereen had kunnen denken, en dat was dat twaalf doorgaans productieve gezinnen ook ongemerkt een tweede soort huur zouden betalen, een huur die door bepaalde buizen naar bepaalde opslagruimten zou stromen die hij vakkundig had laten bouwen; de kiesheid verbiedt om dit bij de naam te noemen, maar daar veranderde het via de kool en de wortelen snel in schitterende, klinkklare rijkdom. Hij was een man van het land en over bepaalde dingen praatte hij met onmiskenbare eenvoud, onomwonden, zonder zijn neus op te halen of een scheve mond te trekken zoals destijds zijn zoon en daarna zijn kleindochters deden. Zodat Fellino wanneer hij al die godsgeschenken over de voren van het land moest verspreiden, nooit een geschikte tijd kon vinden om dat te doen, want zijn prikkelbare bazinnen raakten buiten zinnen van woede en voerden aan dat er elk moment dames konden aankomen, hertoginnen, markiezinnen, gravinnen, gemijterde prelaten en bijzitten. Ook omdat zijzelf de stank evenmin wilden ruiken, al behoorden ze niet tot die hogere sferen. En er was geen uur geschikt, want in de lente en zomer, wanneer er een enorme behoefte is aan groente, was er ook een enorme behoefte aan hemden en directoires en waren ze heel goed in staat al om drie uur aan het werk te gaan, terwijl de verschoppeling van de absurdste momenten gebruik moest maken: bij maanlicht, of stiekem op zondagmiddag terwijl de twee bazinnen aan het raam aan de straatkant waren om goede sier te maken. Totdat de stank hun neuzen bereikte en ze woedend werden, razend, en alle strikjes en lintjes van hun uitdossing ernstig in gevaar brachten, maar dan had Fellino zijn werk al gedaan.

De boer had zijn eigen toegang in een zijstraat, en o wee als er iets langskwam voor hem, of voor het huis van de eigenaressen belandde, of als iemand van de familie bij vergissing om een kortere weg te nemen of om een andere reden gebruik had gemaakt van hun hek, dat overigens heel bescheiden was en slecht onderhouden, maar waar de dames doorheen moesten. De vrouwen uit de huurkazerne werden wel in hun aanwezigheid geduld, en dat werd zelfs openlijk aangemoedigd, ze glimlachten vriendelijk wanneer een binnenkomende dame hen op de vlucht dreef, maar het was de boerenvrouwen, als mensen van een minderwaardig ras, verboden zich voor hen te vertonen.

Ze haatten de geur van het platteland, ontweken de kippen, waren doodsbenauwd voor de runderen, keken met minachting of medelijden naar een werkpaard en vonden de muilezel een onfatsoenlijk dier.

Wanneer ze bij de druivenoogst eind september tegen de

avond op het land verschenen tussen de druivenplukkers, groetten hun huurders en andere buren die de boer daarvoor had uitgenodigd, hen allen eerbiedig, en degenen die het meest vertrouwd waren liepen hen tegemoet om hun rechtstreeks respect te betuigen. Ze verlieten zelden het pad waarover ze zich met moeite voortbewogen, vooral Carolina, en als ze een paar passen over de aarde liepen konden ze elk moment vallen en moest iedereen komen toesnellen om hen overeind te houden. Ze lieten een paar trossen in een mand vallen, als een ritueel van inferieure aard waarvoor ze zich verwaardigden te bukken, en omdat ze zichzelf en de mand niet overeind konden houden ruimden ze bijna meteen daarna en kennelijk opgelucht het veld, waarbij iemand aanbood de mand voor hen te dragen en hen te volgen als een sleepdrager, en keerden ze terug naar hun rijk, waarbij ze eindeloos de aarde van hun schoenen bleven wassen en wat vuil verwijderden dat zich onvermijdelijk aan hen had gehecht: daarmee lieten ze duidelijk zien dat ze zich niet wilden bezighouden met bepaalde lastige en niet erg schone taken, en ze vluchtten terug naar de beschermende schoot van Niobe, die hen met open armen opwachtte bij hun terugkeer van hun moeilijke expeditie.

Ook sloegen ze de uitnodiging af om deel te nemen aan het avondmaal en het gebruikelijke oogstfeest, waarbij de boeren zich overgaven aan gezonde, eenvoudige genoegens gekruid met pikante grappen en grove taal. Met de smoes dat ze de volgende ochtend vroeg op moesten vertoonden ze zich niet. Ze wilden maar al te graag laten merken dat zij een wereld vormden die met die van de boeren niets gemeen had, alsof ze uit de rib van een koning kwamen.

Carolina, die absoluut niet in staat was om op de aardkluiten te lopen, viel uiteindelijk en veroorzaakte daarmee opschudding en hilariteit, en deed helpende handen toesnellen, en als ze vanaf het pad een rijpe perzik of een vijg binnen handbereik zag hangen, greep ze die meteen en hield hem alvorens hem te plukken een paar seconden vast zodat het leek alsof ze hem niet wilde betasten maar uitpersen, waardoor ze niet liet blijken dat ze wilde voelen of het fruit rijp was maar hoe verstoord ze was door dat contact dat ze even wilde onderhouden, waarbij ze haar ogen half sloot en zich overgaf aan de schok en het fluïdum dat vanuit de vrucht door haar lichaam trok. Totdat ze bijkwam uit haar vluchtige verstrooidheid en besloot het te plukken om het op te eten of het, wat gemakkelijker was, na het te hebben geplukt met een gebaar van afkeer weg te gooien.

Nu ik om te beginnen de energie, de deugd en het harde werken van deze vrouwen naar behoren heb beschreven met de details die ik nodig vond om u een duidelijke indruk te geven van hun aard, denk ik dat het goed is dat u nu iets weet over hun korte pauzes, hun uren van ontspanning, die zo wonderlijk en zeldzaam waren, en tegelijk over hun zwakten, die hun deugden niet in de schaduw stellen, maar hun juist menselijkheid verlenen omdat ze anders niet sympathiek en ook niet echt zouden lijken, maar dor, kunstmatig, saai en onecht.

Eén enkele dag per jaar lieten ze hun werk in de steek, niet omdat dat hun was bevolen, maar voor hun eigen genoegen: om op de feestdag van de heilige Franciscus naar de jaarmarkt van Fiesole te gaan.

Ze koesterden voor de heilige der armen een bijzondere voorliefde, en hij was zozeer aanwezig in hun gedachten dat ze hem beschouwden als iemand die in hun midden leefde en die ze konden liefhebben zonder dat instinctieve gevoel, dikwijls angst, dat heiligen inboezemen. Hij was de heilige naar hun hart, met wie ze spraken als met een vriend of een broer, en zagen hem eerder naast zich dan ver weg op een altaar. En Carolina, die gebruik had gemaakt van haar vaardigheid in het in zijde afbeelden van alle heiligen en bijna haar adem inhield vanwege de verhevenheid van haar taak toen ze de 'poverello' van Assisi portretteerde, was vol vertrouwen blijven glimlachen, en terwijl ze hem beetje bij beetje zonder goud of zilver uit haar naald zag komen op het doek was ze tot tranen geroerd en even later tot een lach; en de hele tijd had ze met hem gesproken als met een kind dat ze in haar handen op schoot had.

Op zondagmiddag om één uur aten ze na het werk te hebben neergelegd haastig een paar hapjes en kleedden zich met minder opschik dan wanneer ze aan het raam moesten blijven, met minder frutsels maar altijd redelijk overvloedig en vooral met een paar dingen die niets te maken hadden met de heersende mode. Toen het gezelschap bijeen was dat tevoren was geselecteerd uit de huurders van hun voorkeur die vrij waren en wilden gaan, met veel kinderen, soms twintig of vijfentwintig personen, bestegen de goede gezusters de helling om zich naar de jaarmarkt te begeven, daar boven, alsof ze werden achternagezeten of de heuvel wilden bestormen, en haastten ze zich naar een gevaar dat ze werkelijk liepen, zo onervaren waren ze in het te midden van anderen lopen over wegen.

Eenmaal aangekomen bij de luidruchtige, vrolijke menigte, bleven ze twee uur lang in vervoering, verbluft, versuft tussen de karrenvrachten eierkoeken en van stro gemaakte voorwerpen, de prullen, de lekkernijen, de lange rijen gebraden kippen op de kale grond, het trompetgeschal en het geluid van de aardewerken klokken, en waren ze niet in staat een woord uit te spreken of zelfs maar antwoord te geven als men een vraag stelde, en keken ze alleen gefascineerd naar alles en lieten zich door de drukte en het lawaai overdonderen. Er waren het hele jaar geen twee andere uren waarin hun persoonlijkheid dermate verstilde, zelfs niet tijdens de mis. Totdat ze, verdoofd door het lawaai, verdrongen in het gedrang, tegen de avond op de terugweg gingen; daarbij hervonden ze geleidelijk, Fiesole achter zich latend, hun levendigheid van op de heenweg, die door de schittering van het feest was verstikt. Over de Via di Maiano, langs de Salviatino, onder een maansikkel of het laatste mooie avondrood, liet het gezelschap, dat almaar luider riep, lachte en zong, zijn luidruchtigheid, die in Fiesole in twee uren stilte was onderdrukt, de vrije loop.

Kreupel van vermoeidheid, met pijnlijke voeten, op de hielen gezeten door de vrienden en de kinderen die niet meer verlegen waren, hen bij de armen pakten en eraan trokken en ze heen en weer zwaaiden, waardoor ze hen lieten hollen of stilstaan, en hen zelfs brullend van de lach besprongen alsof ze krijgertje speelden, genoten ze van dit intermezzo dat hen net zoals de anderen maakte, zodat zij van orakels veranderden in speelgoed. Terwijl ze op de trompetjes van stro bliezen die ze over hun schouders droegen, en met de koeienbellen rinkelden die ze cadeau zouden doen aan de thuisblijvers, kwamen de gezusters met een laatste inspanning roepend, in triomf, verward en dodelijk vermoeid terug in Santa Maria terwijl iedereen hen tegemoet snelde.

Carolina verloor onderweg steeds iets, minstens een hak, of ze kwam terug met kapotte, opengebarsten schoenen; er was een haakje of een oogje losgesprongen en ze moest haar rok optillen, of een band was stuk die een van haar kousen of haar directoire moest ophouden, ze moest alles vasthouden om niet midden op straat ontkleed te raken.

Ze lieten zich half bewusteloos op de sofa vallen. Omdat er geen benen bestonden die minder dan de hunne gewend waren aan wandelen, liet de kracht die hen tot op het laatst overeind had gehouden hen opeens in de steek toen ze eenmaal thuis waren, en daarna bleven ze een tijdlang uitgeput. Niobe, die hen bij het hek opwachtte en wist wat haar wachtte, was voorbereid op alle eventualiteiten. Toen ze zich eenmaal naast elkaar op de sofa hadden laten vallen en leken op lijken die waren komen aanspoelen na een overstroming, of op een slagveld, of onder het puin gevonden na een aardbeving, wierp zij zich aan hun voeten om hen te verlossen van hun schoenen, aan alle kanten hun kleren los te maken, aan hun hals en aan hun middel; ze stak haar handen onder hun onderjurken, tot hoever is niet bekend, om zich ervan te verzekeren dat ze nog steeds warm waren; ze masseerde hen, ook met *pezzette**, wreef hun polsen en slapen in, er kwamen azijn en kamfer aan te pas, totdat ze zwakke zuchtjes begonnen te uiten, hun ogen weer een beetje openden en zich weer tot leven voelden komen; zuchtjes die gekreun werden terwijl ze bijkwamen en een slokje water aannamen waarin Niobe een paar druppels oranjebloesemolie had gegoten. Heel voorzichtig probeerden ze op te staan om naar hun slaapkamer te gaan, naar alle kanten heen en weer zwaaiend, gammel, en daarbij sleepten ze hun benen achter zich aan als dodelijk gewonde dieren.

En om onze beschouwing te completeren wil ik er een laatste detail aan toevoegen waarvan ik niet weet wat het voor u te betekenen heeft, maar dat voor mij een heel moeilijk te vatten betekenis heeft.

Voor deze vrouwen – die van hun werk een ijzeren discipline hadden gemaakt, hun enige reden om te leven en, zou ik willen zeggen, hun geloof, dat ze alleen in de steek lieten op zondagmiddag om te gehoorzamen aan een gebod van de Heer, en misschien een uur en zonder enthousiasme voor een plechtigheid als de druivenoogst op hun land, en om één keer per jaar een halve dag spontaan naar een traditioneel landelijk feest te gaan dat heel beroemd was in de omgeving, want Fiesole was de koningin van deze heuvels; daarheen hadden

* Pezzetta of Pezzetta di Levante: bombazijnen doekje waarmee vroeger de huid werd ingewreven, glad gemaakt en roodachtig gekleurd. *(Vertaler)*

waarschijnlijk hun moeder en hun vader, en misschien hun grootvader hen als kinderen altijd vergezeld: kalme tussenpozen, gedicteerd door de kalender, die hun werk niet de minste schade toebrachten en bekwaam werden voorbereid, van tevoren waren verdisconteerd en uitgevoerd als een plechtig ritueel –, voor deze vrouwen was er nog iets anders dat heel natuurlijk en onbeduidend leek, maar waarvoor ze het werk heel kort, tien minuten of in het ergste geval vijftien, in de steek lieten, maar altijd alsof ze een bevel opvolgden, een onbekende maar bliksemende oproep waaraan ze gehoorzaamden, en met een overgave die bij hen zo verrassend was dat die iets lomps en brutaals had of niet meer betekende dan de religieuze liefde die we van hen kennen; en daardoor leken ze op priesters die plotseling krankzinnig waren geworden en de voorwerpen wegwierpen die de symbolen van hun geloof waren. Zoals je iemand in de steek laat die je tot in het absurde heeft lastiggevallen of die je niet meer liefhebt, zo lieten ze hun borduurraam in de steek waarbij wij hen hebben leren kennen als voor een altaar.

U moet weten dat niet alleen verliefden naar de mooie heuvels van Settignano en Vincigliata gaan om zich te verstoppen in de bossen, en dat Engelsen erheen gaan om 'Oh, yes!' te zeggen, maar dat ook de regimenten die in Florence in garnizoen liggen er gebruik van maken voor marsen en training: in troepen, zonder al te veel rumoer, bataljons of compagnieën, met trommen of een paar bugels, en niet zelden hele regimenten, met veel fanfare en voorop de kolonel met zijn staf.

Zodra ze in de verte de trommen en, met oren als van wilde dieren, het roepen van de nabije stemmen hoorden, het gestamp van de marcherende soldaten en vaker de eerste voorboden van de liederen die de soldaten buiten de stad altijd zingen, lofzangen op het vaderland, nostalgische en sentimentele liederen, alsof de verspilling van extra energie hun vermoeidheid vermindert – en ze zingen omdat ze twintig zijn en in hun longen nog zoveel energie hebben die eruit moet, en omdat ze in plaats van dubbele energie wel een driedubbele konden inzetten –, dan gaven onze goede gezusters er de brui aan en holden ze zonder uitzondering naar het hek, waarbij ze al hollend draadjes en wat lichte stukjes stof van hun schorten plukten en weggooiden, hun middel en hals strekten, hun haar in orde brachten en almaar iets van hun kleding weghaalden of eraan toevoegden tot op het moment dat de soldaten voor hen langs kwamen defileren.

Carolina liep, haar borduurraam in de steek latend, meteen naar de spiegel boven de ladekast, waar ze trillend van ongeduld een reeks bewegingen uitvoerde die bedoeld waren om haar figuur, onder haar schort, almaar soepeler en slanker te maken.

We moeten toegeven dat de infanteristen bij hen aanzienlijke tegenstand ontmoetten en al waren de gezusters niet echt onverschillig, ze zagen de vijand recht en onaangedaan in de ogen. Al die mannen die er wat lomp uitzagen in hun daagse uniform en gebukt gingen onder het gewicht van hun ransel of op hun gemak voortkuierden, lieten hen volkomen onberoerd, en dan leek het alsof ze kieskeurig sla aan het uitkiezen waren. En ze waren niet zichtbaar onder de indruk, behalve van een enkele goed geklede en jonge luitenant met een rechte, atletische lichaamsbouw.

De situatie werd complexer wanneer het genieafdelingen betrof, die bestonden uit jongemannen uit de betere kringen, de meesten uit de stad, wat bleek uit hun tred, de manier waarop ze keken en glimlachten, zongen, hun soort liederen, de wijze waarop ze een gebaar maakten, een hoffelijk woord zeiden tegen de meisjes of hun een kus toewierpen; hun intelligente, slimme ogen waarmee ze hen beschaafd beoordeelden.

Maar wanneer er een cavalerie- of artillerieregiment langskwam vormde dat het meest opwindende schouwspel. De elegantie en behendigheid van de mannen te paard, de robuustheid van degenen die op de tanks zaten of ze bestuurden, de kanonnen, het gedreun dat ze veroorzaakten, het oorverdovende rumoer; de brede borsten van de kanonniers, hun vierkante schouders en hun rustige aanzien als gevolg van hun macht over deze vernietigingsinstrumenten; zelfverzekerde jongens, mannelijk, goedgebouwd, traag in hun bewegingen, en beheerst in hun gebaren: zij allen, ook degenen van wie je kon zien dat ze van het platteland kwamen, maakten op de vrouwen diepe indruk.

Verbluft als ze hierdoor was, richtte Teresa haar blik op de hoogste rangen, en mat aan hen, als vrouw en als oude vrijster, haar eigen potentieel af. Ze keek extatisch naar een kolonel en niet minder naar een kapitein op rijpere leeftijd maar van een zo viriele kracht dat hij haar door zijn blik alleen al verblindde. Die robuustheid en zelfverzekerdheid, het gezag en de gezondheid die hij uitstraalde, hadden een zachte aantrekkingskracht op haar – want ook zij had geestkracht, en de gedachte dat ze aan haar zijde een andere kracht voelde, niet om zich er passief en bereidwillig aan over te geven maar om er één mee te worden en elkaar wederzijds te achten in een solidariteit die bijna teder was – en noopten haar om zich ergens aan vast te houden, aan een spijl van het hek, aan een muur van het huis.

Maar Carolina, die gevoeliger en verfijnder was, kon de aanblik niet verdragen van die stoere, sanguinische mannen met hun fiere, brutale uiterlijk, die bij het omklemmen van de flanken van hun paard enorme dijen lieten zien, massief als zuilen, en die een air van zelfgenoegzaamheid en gezag uitstraalden, maar vooral van verzadiging en bedrevenheid, zodat er een rilling van schrik over haar rug liep. Haar ogen leden schipbreuk en klampten zich vast aan hun reddingsgordel, de zachte blauwe ogen van een jonge luitenant, die een beetje gesluierd waren door melancholie, of misschien aan de brandende zwarte ogen van een arrogante sergeant, ogen die om wat liefde op deze aarde smeekten, en waaruit de behoefte sprak om de zijne te royaal en zonder berekening te schenken.

En aangezien zich vrouwen en meisjes uit de huurkazerne bij de gezusters voegden, wierpen de voorbijtrekkende soldaten komische of gretige blikken op hen, en die wekten glimlachjes, kreten en gegiechel van de meisjes op, en de kalme, tevreden blikken van de rijke getrouwde en de hartelijkheid van de oude vrouwen; de soldaten riepen complimenten, grapjes, hartstochtelijke of honingzoete opmerkingen, heilwensen, of ze wierpen hun kushandjes toe, lieten het wit van hun tanden zien, en daarmee zaaiden ze onrust, vrolijkheid en verwarring in de groep toeschouwsters; en wel zo gul en uitbundig als dat gaat bij jongens, zodat je je kon verbeelden dat er genoeg van deze goede gaven Gods waren voor allen, ook voor de lelijke, ook voor de oude vrouwen.

Achter de spijlen van het hek, niet direct zichtbaar vanaf de straat, hadden de ogen van Niobe de gloed van hun jeugd hervonden en waren ze groot en schitterend boven haar vormeloze, afgetakelde figuur: zij had geen voorkeuren, niet voor lichamen en ook niet voor rangen, en ze aarzelde niet hen van de eerste tot de laatste recht in het gelaat te kijken; ze bevielen haar allemaal zonder uitzondering, van de kolonel tot de laatste oppasser, en ze kon zich niet weerhouden van een paar persoonlijke uitingen van waardering: 'Wat een ogen! Wat een potige kerels! Wat een schouders! Mijn god, wat een mooie donkere kerel!'

Giselda deed niet mee aan het kijken naar de soldaten, en

als ze bij toeval 's ochtends de kamer van haar zusters schoonmaakte terwijl ze langskwamen, ging ze de kamer uit en sloeg de deur dicht om ook het rumoer niet te horen of smeet ze het raam zo hard dicht dat de ruiten bijna op straat vielen: 'Rotzakken!' siste ze met opeengeklemde tanden. Meer aangevuurd om het spel mee te spelen door degene die zich terugtrok dan door degenen die er zonder weerstand aan deelnamen, wierpen ze haar een spervuur van kreten en toespelingen toe. 'Criminelen! Tuchthuisboeven!' riep ze, zonder zich erom te bekommeren dat haar vijandige houding werd opgemerkt door haar opgewonden zusters, voor wie ze bij zichzelf woorden van afschuw uitsprak: 'Ouwe sukkels! Uilskuikens!' Vanwege een man die haar slecht had behandeld, had ze de oorlog verklaard aan de hele sekse. Ze bezat niet de serene goedheid van Niobe, tegenover wie de mannen – als ze ze een voor een op afzonderlijke momenten beschouwde – zich niet bepaald welwillend hadden gedragen, maar van wie ze, wanneer ze zich hen allen tezamen herinnerde, het gevoel had dat ze zich heel goed hadden gedragen. Ze voelde zich helemaal vertederd en merkte hoe ze diep in haar hart weer jong werd en kwistig met haar charme, alleen speet het haar dat ze zich niet nog slechter hadden gedragen, dat er zo gauw een eind was gekomen aan hun slechte behandeling en dat die niet meer opnieuw kon beginnen. Onverstoorbaar bewaarde ze haar liefde tot hen, haar onvruchtbare verlangen dat haar nog steeds jonge ogen zoveel vreugde en een moment van geluk schonk wanneer ze hen zag langskomen.

Wanneer Teresa en Carolina samen met Niobe weer naar binnen gingen keken ze naar haar en wisselden ze een begrijpende glimlach: om dat wat iedereen wist en om datgene wat zij wisten en de anderen niet wisten, maar nog meer om wat alleen zij in haar eentje wist, en dat moet het belangrijkste zijn geweest, want toen ze de militairen zagen langskomen die voor hen een geheimzinnige, verschrikkelijke soort vormden, wist zij heel goed van welke soort zij waren.

REMO

Zo verliepen de dagen van de goede gezusters in het kalme dorp, als het tenminste een dorp genoemd kan worden, en in het oude huis dat door hun vlijt weer een rustig en veilig onderdak was geworden; totdat een nieuwe gebeurtenis het ritme en de loop van dat regelmatige bestaan kwam verstoren.

Aan het begin van ons verhaal zeiden we dat er vier zusters waren, van wie we er tot nu toe slechts drie hebben leren kennen; laat ons nu eens van de laatste, Augusta, de derde in leeftijd, de levensloop bezien, die niet te lang is en ook niet al te vrolijk.

Hoewel ze een veelbelovende naam droeg, was haar leven nederig en kleurloos. Omdat ze was opgegroeid in tijden van tegenspoed, zes jaar jonger dan Teresa en vijf jonger dan Carolina, had ze bij het openen van haar ogen geen wieg van rozen gezien zoals haar zusters, maar reeds de tekenen van de storm aan de donkere hemel van de familie. En omdat ze ook minder intelligent was dan zij, niet ondernemend en ambitieus, niet mooi en levendig zoals Giselda die na haar kwam, was ze onopgemerkt gebleven te midden van de anderen en had ze zich vanaf haar meisjesjaren aangepast aan een grauw arbeidstersleven in een schoenfabriek, waar ze assemblage tot taak had. Omdat ze geen aspiraties had gekoesterd ten aanzien van haar leven en ook geen illusies over haar persoon, was ze getrouwd met een spoorwegarbeider, een beste brave man afkomstig uit Rome, met wie ze zich kort na hun trouwen in Ancona had gevestigd. En zoals ze eerder door haar gedweeë aard onopgemerkt was gebleven in de schoot van het gezin, werd ze bijna vergeten toen ze ver weg was. Er valt niet aan te denken dat iemand die nooit iets nodig had nu wel iets nodig kon hebben. Haar zusters wisten trouwens dat ze het in Ancona goed maakte, een bescheiden leven leidde en thuis haar huishoudelijke bezigheden afwisselde met haar oude assemblagewerk.

Ze schreven elkaar tweemaal per jaar, met Kerstmis en Pasen, een paar algemeenheden in vrijwel identieke zinnen, zoals van iemand die niet gewend is om brieven te schrijven, en bij wie alle warmte of hartelijkheid wordt getiranniseerd door de problemen die het schrijven diegenen oplevert die er niet vertrouwd mee zijn, tenzij de goedkope retoriek hun te hulp komt met gemeenplaatsen en zinnen die schuimen van hoogdravendheid of druipen van vrome berusting; zinnen die, ook al worden ze aangepast aan de onwaarschijnlijkste omstandigheden, niets te maken hebben met de ware gevoelens van de schrijver. Maar de arme Augusta onderging allerminst de bekoring van de woorden en haar brieven zijn met gemak samen te vatten: 'Beste zusters, ik schrijf jullie om te zeggen dat ik niets te zeggen heb, maar dat ik het momenteel goed maak, evenals de andere gezinsleden, die jullie samen met mij groeten en jullie een goede Pasen toewensen in de hoop dat jullie het even goed maken met de hulp van de Heer.' Bij bepaalde gelegenheden ontbreekt de Heer niet, het is een woord om altijd op terug te vallen en het is voor de frase als de stok voor de wijnrank; het komt vooral op de proppen bij problemen, ook als de problemen zo gering zijn als het op papier zetten van een paar woorden.

Haar zussen antwoordden heel bondig, brieven van anderhalf vel, of als ze er twee vol kregen leed de inhoud aan verstopping en stonden ze tegen het einde vol woorden die ze onnatuurlijk hadden verbreed en vergroot.

Ze begonnen met een verontschuldiging vanwege hun langdurige stilzwijgen en verklaarden dat ze vaker en uitvoeriger wilden schrijven, maar dat dat altijd werd verhinderd door dringende zaken, zodat ze het gezegende werk er de schuld van gaven dat ze zo kort van stof waren en zo weinig van zich lieten horen. En ook dat was maar ten dele waar, want ze hadden liever zeven hemden willen naaien dan er een te bezweten om die twee blaadjes te vullen. Soms nodigden ze elkaar uit of beloofden ze op bezoek te komen, waar het nooit van kwam omdat de een niet weg kon van haar gezin en de anderen niet van hun werk; maar vooral schrokken ze terug voor de lange reis, die ze in hun verbeelding enorm overdreven en waarvan ze een ijzingwekkende bijzonderheid kenden: dat je om naar Ancona te gaan in Faenza moest overstappen. Wat voor plaats zou dat Ancona wel zijn, waarvoor je moest overstappen, als je helemaal niet hoefde over te stappen om naar Rome te gaan? En ze hadden een hekel aan dat 'in' dat onvermijdelijk was wanneer je de plaatsnaam uitsprak. Bij alle andere steden zei je 'te Rome, te Napels, te Milaan, te Turijn, te Genua...', maar bij deze stad had je dat 'in Ancona', dat ze heel precieus uitspraken en dat hun onvermijdelijker leek dan het was, een soort tirannie, het wekte de indruk dat je in een soort val zat als je daar eenmaal was, een ware valstrik waar je niet uit kon komen. En dat zeiden ze op een toon waaruit zoveel verte en treurigheid sprak dat de afstand erdoor werd verhonderdvoudigd, alsof ze hadden gezegd dat je de oceaan moest oversteken om naar Amerika te gaan. Sindsdien had de naam Ancona de magie van New York, van Peking en Calcutta: 'In Ancona!' Tot slot ging die naam vergezeld van een zucht: 'Arme Augusta, waar is ze beland! Geen wonder dat ze nooit op bezoek komt in Santa Maria!'

Slechts eenmaal vond er een levendige briefwisseling plaats: drie jaar na de bruiloft, vanwege de geboorte van een kind. Augusta meldde haar zusters eerst haar zwangerschap, en daarna de geboorte van een jongetje dat nog maar net ter wereld was gebracht. En die keer antwoordden de gezusters met een stortvloed van hartelijkheid en stuurden ze op het juiste moment voor de baby die op komst was een pakket met de verfijndste kleertjes: mutsjes en door henzelf vervaardigde jurkjes van een aristocratisch raffinement. Daarna vielen de gebruikelijke brieven weer terug in hun lege, plechtige ritme, zodat Augusta, die uit huis was gegaan toen de gezusters hun vermoeiende en fortuinlijke weg omhoog aflegden, niet eens wist wat een mate van fortuin ze hadden bereikt, hoe ze het oude familie-erfgoed geheel en al hadden terugverdiend, want, zo zeiden ze altijd, het is niet goed om in brieven persoonlijke zaken te berde te brengen; en eigenlijk vonden ze het niet verstandig om tegenover arme verwanten te veel te pronken met hun voorspoed en rijkdom. Augusta van haar kant zou wel oppassen om vragen te stellen die indiscreet konden overkomen; ze was zo bescheiden en gereserveerd gebleven, en tegelijk onafhankelijk van hen, dat ze pas een paar maanden voor haar trouwdag tegenover haar zusters haar verloving en de komende beslissing aankondigde; zodat zij nauwelijks tijd hadden om voor de trouwdag een hemd voor haar te naaien. En ook dat huwelijk, eenvoudig en kleurloos, liet hen onverschillig als een alledaags, onbelangrijk feit, zonder de begrijpelijke jaloezie die Giselda's huwelijk een paar jaar later zou wekken.

Maar deze zus, die zo weinig had willen betekenen in hun bestaan, ging er een grote plaats in innemen toen zij, door zo'n enorm noodlot dat ons zonder dat we het weten boven het hoofd hangt, een behoeftige weduwe werd en een jaar later zelf ook stierf na door een ernstige ziekte te zijn getroffen.

Toen Teresa en Carolina, die al eerder vanuit de verte blijk hadden gegeven van hun medeleven met die ellendige toestand en van hun edelmoedigheid, het bericht van haar ernstige situatie vernamen en overwogen hoe ze haar beter konden helpen door haar opnieuw uit te nodigen naar Florence te komen, waar ze haar onderdak en hulp zouden bieden en haar zouden helpen een nieuw leven in te richten, had de arme vrouw opnieuw een baan genomen bij een schoenfabriek omdat het thuiswerk haar niet voldoende zou opleveren voor haar levensonderhoud; en toen ze eindelijk hadden besloten naar haar toe te gaan, kwamen ze ternauwernood op tijd om haar te zien sterven.

Toen haar zusters verschenen, die ze in geen achttien jaar had gezien, klaarde het gelaat van de stervende op, het leek alsof ze een woord wilde zeggen dat ze niet durfde uit te spreken. Zo nederig en timide als ze was geweest tijdens haar leven bleef ze ook in het aanschijn van de dood; maar op het laatst stroomde haar hart over van wat haar zo kwelde, en toen ze voelde dat haar verstand het spoedig zou begeven, pakte ze met een door tranen benevelde blik en een snik die haar keel verstikte, haar zusters bij de handen en zei ze twee keer een naam: 'Remo, Remo.' En ze drukte hun handen zoals je voor een laatste vaarwel een hand drukt die je lief is.

Ze liet een zoon van veertien jaar na die ofwel naar Rome zou worden gestuurd, naar de talrijke en behoeftige familie van haar man, met wie ze het contact vrijwel verbroken had, óf zou worden opgenomen in een weeshuis. Ze voelde dat ze hem slecht verzorgd achterliet en ongelukkig zou sterven.

Bij het geruststellende 'ja' dat de een na de ander in een opwelling van diep medelijden uitsprak, boog de arme stervende het hoofd om in te slapen met een gelaat dat sereen was geworden.

Overweldigd door de grootsheid van de dood herhaalden de vrouwen, na met hun zuster een gevoel van saamhorigheid te hebben bereikt dat tijdens hun leven onmogelijk was geweest, bij zichzelf, en nu luider, dat 'ja' dat ze zo spontaan hadden uitgesproken. Het is niet gemakkelijk de woorden van stervenden te vergeten en ook niet de beloften die we daarbij hebben gedaan.

Ze begonnen elkaar onthutst aan te kijken in het koude, lege huis, dat armoedig was en naargeestig en bijna geen huisraad bevatte, en te kijken en nog eens te kijken naar Remo, die roerloos tussen hen in stond, niet wanhopig en ook niet verlegen, alsof hij de wil had verloren die ons doet handelen, en hen aankeek met twee grote zwarte ogen, ovalen waarin gedempt licht te zien was zonder agressieve gloed, traag wanneer ze bewogen en naar een voorwerp bleven staren, niet nieuwsgierig en ook niet verbaasd, rustig afwachtend, met een verontrustend soort helderheid en gelatenheid zonder een beweeglijke, vurige blik.

Het leek alsof de jongen door wat zijn instinct hem ingaf al een prematuur gevoel had van wat voor invloed zijn ogen op die vrouwen uitoefenden en een heerschappij vestigden zonder dat hij er de minste moeite voor deed, en het was zelfs alsof het hem met zijn klaarblijkelijke onverschilligheid door deze verwarring en zijn eigen aantrekkelijkheid al te gemakkelijk werd gemaakt om hun gevoelens te lezen en te ontdekken hoe zij door hem in verlegenheid werden gebracht – waarbij hij zijn eigen verlegenheid perfect verborgen hield. Die prachtige ogen waren omringd door lange, sterke wimpers, en wanneer die bij elkaar kwamen, verzegelden ze zijn ogen als met een dunne haag; ze werden bekroond door zijdeachtige wenkbrauwen, dik en glanzend, en heel zwart, sierlijk, hoog en nobel van lijn, zodat ze er de schoonheid en diepte van accentueerden.

Nadat ze de laatste eer hadden bewezen aan hun zus, gingen Teresa en Carolina weer op weg naar Florence.

Vanaf het moment dat ze aan het sterfbed van die arme vrouw hun edelmoedige 'ja' hadden uitgesproken, waarna het leek alsof zij zich vol vertrouwen aan de armen van de Heer toevertrouwde, voelden de twee gezusters dat ze ten prooi waren aan een onbekend soort verwarring, die almaar toenam bij het observeren van hun neefje, dat zo zwijgzaam was, niet vanwege een voorstelbaar gevoel, maar alsof een grote wijsheid in de geest van de jongen hem ingaf dat hij voorlopig, in zijn omstandigheden, alleen maar hoefde te zwijgen en af te wachten. Dat deed hun onrust mateloos toenemen.

Ze hadden hem liever zien huilen van wanhoop om hem te kunnen troosten en zelf een besliste, gemakkelijke en normale positie in te nemen die paste bij hun geest en karakter; want in bepaalde gevallen beoordeelt men de allergrootste moeilijkheden en de meest abnormale houding als gemakkelijk en normaal. En om zichzelf gerust te stellen over deze onverwachte kalmte en beheerstheid gaven ze er voor zichzelf de meest uiteenlopende verklaringen voor, waarbij ze zich heel instinctief lieten leiden door hun gevoelens.

Verborg het zijn diepste gedachten? Misschien. Ze schreven het toe aan natuurlijke verlegenheid, al bleek die niet uit het gedrag en het uiterlijk van de jongen. Of beheerste hij zich heel mannelijk om zich niet over te geven aan ongepaste wanhoop ten overstaan van mensen die hij nooit had gezien? Zo'n uitbarsting was in zijn geval toch ook heel aanvaardbaar geweest, en zij zouden heel blij zijn geweest als ze die konden aanmoedigen en elke hevige aandoening aankonden als ze zich op vertrouwd terrein bevonden.

Wanneer het ongemakkelijke van zo'n toestand voor hen verergerde, leek het op bepaalde momenten alsof de jongen hen nieuwsgierig observeerde, hen erg komisch vond, en zijn lach inhield omdat hij geen zin had om te lachen, en niet uit raffinement of omdat hij beschaafd en welopgevoed was. Ze hadden ook die opkomende lachlust willen aanmoedigen, om hem te zien lachen, onbeschaamd lachen, zich te barsten lachen; ze zouden met hem gelachen hebben zonder in de verste verte te vermoeden dat ze om zichzelf lachten, want in die hoofden was nooit enig vermoeden opgekomen dat iemand om hun achtenswaardige persoonlijkheden zou kunnen lachen. Uiteindelijk hadden wanhoop en vrolijkheid dezelfde waarde, en wat ze niet wilden was in spanning blijven.

Eenmaal in de trein en naarmate ze verder weg raakten van de plaats van het verdriet en er steeds minder het gewicht van voelden, hervonden ze ten dele hun zekerheid en het uiterlijk, de charme van oude vrijsters op vakantie, getroost als ze werden door de rit en afgeleid door het landschap, waar ze zelfs niet naar keken maar waarvan ze toch onbewust de invloed ondergingen; onderwijl observeerden ze de jongen en vroegen zich, op bepaalde momenten dat ze bijna vergaten wat er gebeurd was, af hoe hij bij hen was beland, wat hij daar moest, ook al werden ze tegelijk gekweld door dat feit en maakte zijn kalme, doordringende blik dat alleen maar erger.

Gewend als hij was aan de ernst van zijn moeder, bij wie geen spoor van frivoliteit en vrouwelijke koketterie te bespeuren was geweest, aan de zwarte jurk die zij sedert een jaar had gedragen en die paste bij een last van smart en zorgen, aan haar stijve, enigszins vermoeide gedrag, haar kleurloze berusting en de liefde die ze gaf als vrouw die berustte in alle tegenslagen en armoede, gewend aan de eentonigheid en hardheid van een leven zonder enig comfort of plezier, keek hij van meet af aan naar die vrouwen zonder iets prijs te geven van zijn eigen gedachten en zonder hun sympathie te winnen met gehuichelde of sluwe woorden en daden; zijn aanwezigheid en zijn blik brachten hen gemakkelijk in verwarring en schonken hun tegelijk vreugde zonder dat ze het zich realiseerden, maakten dat ze vrouwelijker werden, op de eigenaardige manier van wie daar niet aan gewend is, zoals ze het op zondag waren aan het raam aan de Via Settignanese; terwijl in hun binnenste het verlangen toenam om hem tal van geruststellende dingen te zeggen om hem op te vrolijken. Om hem meteen te zeggen dat ze van hem hielden, dat het voor hem bij hen net zo zou zijn als bij zijn moeder: *Arme Augusta! Ach! Ach!* Toen ze elkaars gedachten lazen, zuchtten ze samen: 'Net als bij haar'; ze zouden zich inhouden om 'beter dan' te zeggen, wat de jongen had kunnen beantwoorden met een even licht als doeltreffend optrekken van een wenkbrauw, zonder zich ook maar te hoeven uitspreken en zonder hen te dwingen tot een onaardige bevestiging. Ze hadden hem willen vertellen dat hun huis een paleis was vergeleken met het krot waar hij vandaan kwam, een herenhuis, comfortabel en gezond, goed gemeubileerd en waar niets ontbrak; met een dienstbode die schoonmaakte en het ontbijt, het middagmaal en het avondmaal bereidde, de was deed, en die ook hij opdrachten zou kunnen geven voor wat hij nodig had. Ze waren overweldigd door een brandende behoefte om te geven, te geven aan die uit de hemel in hun midden gevallen neef, die in hun verdorde harten zoveel verwarring schiep. Dat hij in Santa Maria speelgenoten zou vinden, zoons van goede, achtenswaardige mensen, dat wel, maar niet helemaal van zijn niveau... Het brandde op de lippen van de twee oude vrijsters om te zeggen dat ze rijk waren, rijk inderdaad, dat ze geen sou uitgaven van de opbrengsten van hun bezit, waarvan ze comfortabel zouden kunnen leven, en ook dat ze een deel oppotten van wat ze met hun werk verdienden... Om de verrassing bij hun aankomst niet te verkleinen was het beter over die dingen te zwijgen, of zich te beperken tot een glimlach die het midden hield tussen slim en raadselachtig, wat hun gezichten samen met hun opwinding een niet erg ernstige en weinig geestelijk stabiele uitdrukking gaf; die de jongen schijnbaar net zo observeerde als het voorbijglijdende landschap, maar misschien intenser, vooral bij Carolina, die naast hem zat en af ten toe pufte van de warmte, begin december, en met haar hele lichaam schudde van de opwinding waarvan ze voelde dat die haar overheerste.

De jongen keek naar haar en af en toe keek hij uit het raam naar het landschap waarvan hij doordrongen was, maar zonder dat hij zijn beheerstheid prijsgaf; niet met kinderlijke gretigheid die zo spontaan en onbedwingbaar is, maar alsof hij het al zo vaak had gezien en nog eens gezien; maar het was de eerste reis die hij maakte, en hij beschouwde die met de kalme tevredenheid die doorschemert in het oog van de volwassene die ermee vertrouwd is.

Maar de vrouwen keken niet naar buiten, ze hadden geen belangstelling voor het uitzicht, ze keken naar elkaar of keken samen bewust naar hun neefje, en ook zij waren geen ervaren reizigsters, want in hun respectabele vijftig jaren was dit slechts de tweede reis die ze maakten. Reizen kwam neer op bijna onmenselijke beproevingen en het veroorzaakte de volledige omverwerping van heel hun bestaan; dan was er geen orgaan in hun lichaam dat normaal functioneerde en leefden ze als in een koortsdroom; of het nu een reis naar Rome was om neer te knielen voor de Heilige Vader nadat ze hem een stool hadden geschonken en een kazuifel voor een kardinaal hadden geborduurd, of dat ze zich haastten om een goede brave zuster te zien sterven en na een paar dagen terug te keren met een jongen van veertien die hen in opperste verbijstering bracht. Hadden ze zich nog maar een week geleden kunnen voorstellen dat ze zich binnen zo korte tijd met hem in de trein zouden bevinden? Wat een verrassing heeft het lot voor ons in petto, en juist wanneer we leven in het grootste vertrouwen dat er niets gaande is achter onze rug. Ze verkeerden in grote verwarring en af en toe articuleerden hun lippen een 'Arme Augusta, ach! Ach!' dat geleidelijk alleen maar 'Ach! Ach!' werd, zodat ze deden denken aan mensen die ouder gewoonte hun rozenkrans prevelen, waarbij de onveranderlijke woorden als vanzelf zo zwak naar de lippen komen dat ze al wegsterven zodra ze geboren zijn of dood geboren worden, en al perfect begrepen worden zonder dat ze zijn uitgesproken.

Van hun reis naar Rome, de drie dagen dat ze er hadden verbleven, was een herinnering aan zuilen overgebleven: zuilen en nog eens zuilen, rijen zuilen, rechtopstaande zuilen, omgevallen, liggende zuilen, zuilen op zuilen; halve zuilen, stukken van zuilen, zuilen die zaten uit te rusten, platliggend, ziek, ziekelijk, in stukken gehakt als vrouwen die in koffers zijn gestopt. Ze waren verdwaald in een woud van zuilen waarachter, om na het vage leed van een rusteloze droom vrede te brengen in het hart, de witte, vriendelijke figuur van de zegenende paus verscheen, die zonder een voet neer te zetten uit het hemelsblauw afdaalde in het licht dat uit een andere zaal kwam, die zonovergoten was en bedekt met wandkleden, schilderingen, verguldsel: zijn vaderlijke gebaar, zijn milde uitdrukking bij het zegenen van de gelovigen, en zijn stem die bijna toonloos was en als van verre klonk, niet vanwege fysieke zwakte, maar door een goedheid die niet meer van deze aarde was. Toen ze naar de resten van het keizerlijke Rome en de toegang tot het Colosseum werden geleid, zei de priester die hen vergezelde dat de oude Romeinen, ook de vrouwen, ook de dames, er genoegen in schepten om de gladiatoren met elkaar te zien strijden totdat ze elkaar gedood hadden, of hen te zien vechten met wilde dieren totdat ze die doodden of zelf verscheurd werden; en dat de ter dood veroordeelde eerste christenen zo werden behandeld. Toen ze weer bijkwamen uit hun verdoving, vluchtten ze vol afschuw weg, sloegen talloze malen een kruis, en ze konden er niet toe gebracht worden om naar binnen te gaan, maar bleven buiten en keerden hun schouders naar het monument en mompelden verward. Ze wilden ook niets anders zien van dat Rome uit de Oudheid waarvan zij een beeld hadden van verfoeilijke wreedheid. En telkens wanneer het Colosseum in hun herinnering terugkeerde sloegen ze een kruis en vroegen ze de Heer om de heilige grijsaard stevig op zijn zetel te houden, zodat er nooit dergelijke goddeloze zeden uit die ruïnes zouden herrijzen.

Maar van hun reis naar Ancona herinnerden de arme zielen zich dat ze waren binnengetreden in de ingewanden van de aarde – de spoorweg van Florence naar Faenza leidt door achtenveertig tunnels – door een pikzwarte gang die leidde naar een donkere kamer waar de dood heerste met al zijn erbarmen, met al zijn troosteloosheid. De aanblik van de Adriatische Zee, die ze even zagen op een regenachtige novemberavond, was een duistere verschijning, en luguber was de stem van de zee die ze voor het eerst hoorden, als een enorme plaat van grijs metaal die door een onbekende hand werd bewogen om schrik aan te jagen vanonder een lijkkleed.

Nu vond hun terugreis een paar dagen later plaats op een vochtige ochtend met af en toe regen, en soms een zweem zonlicht, een beetje roze tussen de wolken, en verkeerden ze in een gemoedstoestand die hun niet de nodige rust liet om te kijken en te genieten.

Het oponthoud in Faenza, met het overstappen, verergerde deze toestand aanzienlijk.

Toen ze halsoverkop waren overgestapt, na zich te hebben voortgehaast door het station alsof ze door de vijand werden achternagezeten, als onder mitrailleurvuur, namen ze plaats in de nieuwe trein die hen naar Florence terug moest brengen en slaakten ze tegelijk een diepe zucht die liet voelen dat er longen zaten in die afgeleefde lichamen. Teresa ging in een hoek onder het raam zitten, en in de hoek tegenover haar zat Remo naast Carolina, die hem de beste plaats gunde. En omdat het bijna twaalf uur was en er onder de overkapping mannen holden met lunchpakketten – ze holden om de illusie te wekken dat het om een zojuist bereide warme maaltijd ging – bedacht Teresa dat de jongen wel trek moest hebben en dat dit het gunstige moment was om daar iets aan te doen. Na een blikwisseling zonder woorden zeiden de gezusters tegelijk dat ze geen honger hadden: *wat mij aangaat… wat mij aangaat…* en al hadden ze er twee kunnen nemen voor hen drieën, Teresa brak het zwijgende consult af dat de neef niet ontging, en om hem meteen te laten merken hoe royaal ze waren nam ze drie zakken aan van de man, al schrok ze van de prijs, maar met het berustende en zelfingenomen air van iemand die uit lange ervaring weet dat je je in bepaalde gevallen moet laten tillen. Voor dat bedrag had Niobe een maaltijd voor twaalf personen gemaakt. Omdat Remo op dat uur een zekere lokroep voelde in de buurt van zijn hart, liet hij merken dat hij de attentie van Teresa zeer waardeerde, en terwijl hij haar handelingen observeerde zonder tussenbeide te komen en glimlachte naar Carolina, die hem vroeg of hij trek had, glimlachte hij van kennelijke voldoening. Bij die glimlach opende hij zijn lippen een beetje met een vluchtige beweging van zijn mond, die van een zo mooie vorm was dat de vlezigheid ervan onschuldig werd. Zijn lippen, die in een fijne lijn liepen onder zijn neus en boven zijn kin, en verdeeld werden door een ondiepe groef, zwollen en krulden aanzienlijk, waardoor ze veel ruimte overlieten voor het rode oppervlak dat, wanneer het opengíng, tanden liet zien van een betoverende regelmaat en witheid. Zijn mondhoeken krulden een beetje om een glimlach te vormen, waarbij een onmerkbare beweging zijn gezicht deed opklaren. De blik van de jongen harmonieerde volmaakt met zijn glimlach en leverde een aanzienlijk resultaat op met middelen die de toeschouwer ontgingen. Het wekte de veronderstelling dat hij dit fenomeen lang had bestudeerd om in zijn fysionomie met de minste inspanning het maximale effect te bereiken. Maar in waarheid had hij nog niets gekunstelds, maar had alleen de natuur goed haar best gedaan.

Zodat zijn twee glimlachjes, het eerste van voldoening, het tweede van dank, voor de vrouwen al een beloning waren waardoor ze zich gevleid en verplicht voelden.

Voor een jongen van veertien was Remo zo goed en harmonieus ontwikkeld dat hij met gemak voor zeventien kon doorgaan: zowel door zijn figuur als door zijn gelaatsuitdrukking en zijn kalmte, die schijnbaar niet uit verlegenheid voortkwam of van voorbijgaande aard was. Er was niets in hem van de ongecoördineerde kracht die jongens onbesuisd doet handelen, zonder harmonie, waarbij ze de impuls van het bloed volgen en niet de nog ongevormde rede; uit elk van zijn handelingen sprak duidelijk behoedzaamheid, en zijn gedrag was dat van een jongen die, zich bewust van zijn beginnende waardigheid als man, al wist hoe hij zich moest inhouden te midden van volwassenen, om zich wel daarna zonder reserves uit te leven te midden van zijn leeftijdgenoten.

Carolina kon, misschien om haar impuls voor zichzelf te rechtvaardigen, of om zich te bevrijden van een warboel van gevoelens die op haar hart drukten, geen weerstand bieden aan die herhaalde glimlach, ze omhelsde de jongen en kuste hem op zijn mond; en hij kuste haar niet alleen terug, maar gaf zijn mond over aan de mond van de vrouw, maakte geen aanstalten om hem terug te trekken en was bereid hem zo wijd te openen als zij maar wilde. Zij was het die zich, ongewoon geagiteerd door dat aanhoudende contact, in verwarring terugtrok en naar de mond bleef kijken van de jongen, die onaangedaan was gebleven, onverstoorbaar, alsof die impuls van vertedering voor hem iets mechanisch was, zonder de geringste diepte en zonder het minste spoor achter te laten.

Maar Carolina had het gevoel gehad dat ze werd overvallen, overweldigd door een duizeling, waarna ze helemaal rood was geworden. Ze haalde haar zakdoek tevoorschijn, wuifde zich koelte toe, droogde haar voorhoofd, haar ogen, en zei tweemaal, ronddraaiend op het kussen en almaar wuivend met haar zakdoek: 'Ach! Ach!', zonder dat we weten of ze nog eens 'arme Augusta' wilde zeggen. Zodat haar zus, die al die beroering opmerkte, haar aandacht verlegde van de lunchpakketten naar de reizigers in de tegenoverliggende hoeken van het compartiment: twee van die weldoorvoede grote kerels die je door de Romagna ziet reizen met grote jassen om hun schouders en gezichten waaruit bleek hoe tevreden ze waren in hun hart en met een buik die nog tevredener was dan hun hart; het waren natuurlijk zakenlieden die handelden in wijn, graan of vee; toen Carolina, die bloosde, hen zag, werd ze wit, alsof er bij een vaag gevoel van schaamte ook een van angst kwam, maar een onbekend soort angst.

Het gedoe met de lunchpakketten vulde de lacune.

Zodra Remo dat van hem in zijn bezit had, begon hij het met jeugdige gretigheid te doorzoeken en daarna ging hij, toen hij het razendsnel had geïnventariseerd, de spijzen verorberen met een gulzigheid die alleen duidelijk werd toen hij een appel uit de zak haalde en er met schil en al, heel elegant maar wel beslist, in begon te bijten, terwijl de vrouwen aan een eerste onderzoek begonnen van wat ze voor zich hadden. Ze bleven de zakken almaar doorzoeken en trokken een streng gezicht bij alles wat ze eruit visten; daarna brachten ze het met tegenzin naar hun lippen om het gedecideerd terug te trekken na een eerste contact; ze trokken hun monden naar rechts en naar links en spiegelden zich tegelijk aan elkaar. Nu eens hielden ze hun lippen stijf opeen, getuit, dan weer hielden ze ze dicht en breed, horizontaal, en weigerden ze een hap te nemen; en om weer lucht te geven aan hun afkeer van wat er toch naar binnen was gekomen, trokken ze een onderlip omlaag zoals bij maskers van een fontein waar water doorheen sijpelt.

Dat deden ze ten dele om niet gulzig te lijken maar juist moeilijk en kieskeurig en omdat ze echt geen zin hadden in eten; maar nog meer omdat ze niet gewend waren buitenshuis te eten, om wat voor reden dan ook; ze wantrouwden instinctief alles wat je in je mond moest stoppen als het niet uit de handen van Niobe kwam. En dus wierp Remo zodra hij zijn eigen portie verslonden had en het panorama geobserveerd en beoordeeld, veelzeggende blikken in de zakken die de vrouwen op schoot hadden als een baby die elk ogenblik een cadeautje kon maken dat hij nog niet kon aankondigen.

Toen ze zagen dat hij ernaar keek, begonnen ze hem een deel van hun rantsoen aan te bieden, totdat ze zich van hun zakken hadden ontdaan door ze hem te offreren; een aanbod dat bij beide partijen de natuurlijkste vreugde wekte, bij de gever die niets liever wilde dan ervanaf te zijn, en bij de jongen die met evenveel vreugde en natuurlijkheid niets liever wilde dan ook de porties op te eten van de tantes, die met groot genoegen merkten hoe het gezicht van hun neef, dat dezelfde trek vertoonde bij het eten als bij het lachen, ook bedaard bleef in de wat moeilijker handeling van het eten, waarbij hij werd geholpen door eersteklas eetlust, zonder de voorwerpen die nodig zijn om beschaafd te eten. Op dat gelaat bleef de vraatzucht een beleefde, frisse aandrang, die niet ontaardde in iets dierlijks, maar integendeel een zelfverzekerdheid onthulde die zeldzaam was bij een jongen van zijn leeftijd, net zoals de schone vorm zijn vlezige lippen zuiver maakte.

Carolina merkte dat zijn haren, die heel zwart en glanzend waren, met duidelijk gemarkeerde, wijde, regelmatige golven, goed verzorgd en sierlijk waren, en eenvoudig de vorm van zijn gezicht volgden, en dat ondanks het feit dat zijn pak, van slechte stof en grof genaaid, niet de lenigheid en de proporties van een welgebouwd lichaam verborg.

Ze namen dit alles waar en voerden deze handelingen uit terwijl ze dachten aan Florence, aan Santa Maria, aan Niobe, en die gedachten werden afgewisseld met andere, die nog in de vorm van zuchten leidden naar Ancona, dat zich ras verwijderde: 'Ach! Ach!' Dat 'arme Augusta' werd een uitroep die almaar korter werd en daardoor ondefinieerbaar. Het rozenkrans prevelen was definitief ingedut en bracht nu alleen nog maar geluiden voort die alleen de diepst ingewortelde gewoonte uit haar slaap kan wekken: 'Arme Augusta! Ach! Ach!' Om te compenseren dat ze nederig en goed en ongelukkig was geweest, als iemand die in het leven geen andere vreugde kende dan opoffering en plicht, zuchtten ze: 'Arme Augusta! Ach! Ach!' Heilig schepsel, hoe goed was ze, en altijd ongelukkig, tot het einde toe. En ze besloten hun verzuchtingen met een 'Santa Maria!', terwijl ze naar de jongen keken en zich met moeite inhielden om er die woorden aan toe te voegen waardoor ze onweerstaanbaar kriebels kregen over hun hele lichaam.

Bij het horen uitspreken van die naam glimlachte Remo, hij opende zijn lippen terwijl uit zijn ogen lichtstralen zonder warmte kwamen of, om preciezer te zijn, die de anderen verwarmden maar hemzelf niet; daarbij trok hij een wenkbrauw een beetje op of krulde een mondhoek wat om te glimlachen bij die naam waardoor hij het gevoel kreeg dat hij naar een nonnenklooster ging: 'In Santa Maria zul je...' herhaalden zijn tantes voor hem, toen ze zich niet konden inhouden: 'Je zult Giselda zien, je zult Niobe zien.' Die namen, beide van vrouwen, bevestigden alleen maar de indruk die de jongen had: 'Je zult zien wat een fruit uit de boerderij in de zomer!' Net als in de moestuin van de nonnen.

Hij keek hen een voor een aan en liet merken dat hij heel goed kon bevatten wat hem werd aangekondigd bij monde van zijn tantes: 'Wat een fruit uit de boerderij!' Bij het woord fruit verhelderde zijn gezicht en moest hij glimlachen.

In een tunnel waar geen eind aan leek te komen omhelsde Carolina hem, opnieuw overweldigd door tederheid, en kuste ze hem, ten eerste omdat ze daar geen weerstand aan kon bieden, maar tegelijk om te weten of dat geheimzinnige gevoel terug zou komen dat haar zo in de war had gebracht toen ze haar neef in het station van Faenza omhelsde: en ja, zo was het weer, en sterker nog, net als toen gaf de jongen zijn lippen aan haar over en bewoog hij ze nauwelijks, zonder te kussen; zodat ze zich nog eerder zou hebben teruggetrokken als de duisternis in de tunnel haar niet beschermd had.

Bij de herhaling van deze daad keek Teresa verbaasd naar haar zus, stampte geërgerd met haar voeten en wendde haar blik naar de twee aan de andere kant, die in beslag genomen werden door hun praktische conversatie en zich allerminst met hen bezighielden. Ze gingen varkens verkopen in Florence.

Bij hun aankomst in Santa Maria, tot grote vreugde van de tantes die de jongen een eindeloos aantal dingen wilden tonen, deed Remo niets dan kijken. Hij zei weinig, en daar waren de vrouwen niet zo blij mee, want ze hadden een hartelijker reactie van hem verwacht. Ze hadden gewild dat hij grote blijdschap en terechte trots zou uiten bij het zien van dingen die wel aangenaam voor hem moesten zijn en die in zekere zin van hem zouden zijn. Maar zijn verlegenheid en vooral zijn verdriet verhinderden hem natuurlijk hartelijk te reageren en zijn gevoelens, zijn jeugdige enthousiasme de vrije loop te laten. Ze weten het helemaal aan zijn verlegenheid en zijn verdriet: die verlegenheid zou geleidelijk afnemen en het verdriet zou worden verzacht door de natuurlijke loop van het leven en de omstandigheden. En ze deden hun best om op alle manieren te zorgen dat het zo spoedig mogelijk zou overgaan, waarbij ze wel zijn heilige gevoelens respecteerden.

Remo zei weinig en keek veel, terwijl om hem heen de eindeloze verhalen over de befaamde reis tot in details werden verteld, de achtenveertig tunnels, 'vier uur onder de grond!' En steeds met dat goed voorstelbare, beklemmende gevoel in de maag dat ze het licht van de Heer niet meer zouden terugzien. Het overstappen in Faenza, met de angst dat ze de verkeerde trein zouden nemen en wie weet waar terecht zouden komen; hoe vaak hadden ze niet in paniek gevraagd: 'Is dit de trein naar

Florence? Is dit hem echt? Gaat deze werkelijk naar Florence?' Totdat het toetertje van de hoofdconducteur had geklonken en de trein in beweging was gekomen om nog eens die infernale tunnels in te gaan. Hun aankomst in Ancona, met dat zo bijtende, vijandige 'in' ervoor, zo antipathiek en onbeschaafd: de vochtige, koude nacht, de pikzwarte zee met zijn geraas waar je kippenvel van kreeg: de catastrofe. Na vier en een half jaar en in nog veel meer kleuren en geuren, werd in Santa Maria de kroniek van hun reis naar Rome herhaald: het bezoek aan Zijne Heiligheid, met die viespeuk van een Messalina en de vestaalse maagden die zich vermaakten bij het toekijken hoe de christenen werden verscheurd door de wilde dieren; 'voor iedereen, voor iedereen.' Bij deze nieuwe, zeg maar fatale reis was hun een ander tweemaal herhaald woord in de geest en het hart gedrukt: 'Remo, Remo.' De liefkozing van de heilige grijsaard, de wanhopige handdruk van de stervende zuster. Ter wille van de goede naam van de familie verzachtten ze de ellendige omstandigheden waarin ze de arme vrouw hadden aangetroffen: 'Ze woonde in een klein huisje... in een mooi klein huisje...' maar ze wisten heel goed hoe dat zo lieflijke huisje in werkelijkheid was; ze schreven het trieste karakter ervan toe aan de treurige, bijna barbaarse omgeving, en aan de dood. Tegen Giselda, tegen Niobe, ja zelfs tegen de boeren, tegen alle buren die waren toegestroomd om het nieuws te horen over de arme Augusta, die de ouderen en haar leeftijdgenoten zich goed herinnerden, praatten ze over haar uiterlijk, haar karakter, en daarbij riepen ze haar gelaat in de herinnering en hemelden ze haar goedheid op, haar ware, daadwerkelijke goedheid, die nu, na haar dood, tot onbereikbare toppen steeg: haar berusting in haar lot vol tegenslagen, de zwaarmoedigheid die uit haar gelaat sprak, alsof al bij haar geboorte haar bittere vonnis op haar voorhoofd was geschreven. De jongeren, de jongsten die zich haar niet herinnerden of haar niet hadden gekend, de kinderen, raakten onder de indruk toen ze hoorden spreken over een hemelse figuur, een heilige in het paradijs, of een martelares; er kwam geen einde aan de zuchten, de herinneringen, de smeekbeden, de ten hemel geslagen ogen, de ineengeslagen handen. Zo gaat het altijd, ook voor degenen aan wie niemand zich tijdens hun leven iets gelegen had laten liggen is er een beetje aandacht in het uur van de dood; zelfs als een hond niet de moeite had genomen hen te groeten met zijn staart, nam iedereen vol respect zijn hoed af wanneer ze met de voeten naar voren voorbijkwamen. Maar laten we niet wegzakken in dit drijfzand. Allen kwamen toegestroomd om het te horen, om Remo te zien, de zoon van de heilige, de martelares, om te zien wat er op aarde was achtergebleven van zoveel hemelse deugdzaamheid, van al haar goddelijke goedheid.

Uit een gevoel van plicht als gasten en respect voor de overledene, en vanwege de goede banden die ze hadden met de gezusters, voelden ze zich sterk geneigd tot sympathie voor de jongen en daarna voelden ze zich verward en afgewezen omdat hij hun warme hartelijkheid, de uitingen van medeleven en genegenheid waarmee ze hem overvielen, niet met warmte beantwoordde, want hij keek met perfecte kalmte, zonder ook maar in het minst van zijn stuk te raken, naar dat spontane gebaar dat alle jonge en oudere vrouwen uit het gehucht tegenover hem maakten, en doordat ze verkilden door zijn houding observeerden ze hem uiteindelijk verbijsterd, gefascineerd, terwijl hun woorden wegstierven op hun lippen, zodat ze hun stortvloed omleidden naar de tantes vanwege het goede werk dat zij deden, waarvoor de Heer hen op aarde en in de hemel zou belonen, maar vooral in de hemel, doordat ze hun huis openstelden voor de wees die, hoe sterk hij er ook uitzag, toch nog zoveel zorg nodig had en vooral leiding, en waakzame liefde; hij was toch juist op de leeftijd waarbij waakzaamheid en liefde van dierbaren noodzakelijk waren; en zij verheugden zich omdat hij daar alles zou vinden, alles zoals in het meest liefhebbende gezin; ze verheugden zich samen met de weldoensters omdat ze zich niet konden verheugen met de begunstigde, hoezeer ze dat ook hadden gewild, want hij was niet in staat een bevredigend antwoord te geven op al dat geven en nemen. Een enkeling mompelde sluw en huichelachtig dat voor de twee gezusters dit goede werk net zo groot was als de opoffering die ze zich moesten getroosten klein was; en anderen voegden er met een knipoog aan toe dat in het huis van de Materassi's één mond meer voeden een peulenschil was. Weer anderen riepen op geheimzinnige, plechtige toon: 'Ze zitten er mooi mee opgescheept. Ze zitten er hier mee opgescheept.' Waarmee ze wilden zeggen dat alle rampen daar belandden, op die schouders: 'Wat een vrouwen!' Jarenlang hadden ze hun arme, zieke vader onderhouden, ze hadden hun zuster en hun moeder onderhouden, ze hadden het familiebezit teruggeroverd, en hun zus was na vijf jaar huwelijk teruggekomen: 'Altijd hierheen, al die monden om te voeden, allemaal op die schouders. Ze zitten hier voorgoed met hem opgescheept!' En ten slotte was de enige persoon die hun nooit tot last had willen zijn jong gestorven en had als erfenis een jongen nagelaten om te eten te geven: 'Ze zitten met hem opgescheept! Het is hun noodlot. Ze zitten voorgoed met hem opgescheept!' Die bijzondere vrouwen hadden alles aangekund: 'Wat een vrouwen!' Ze hadden alle tegenslagen het hoofd geboden, alle ongeluk, en ze hadden alle schulden betaald: 'Wat een vrouwen!'

Remo zei weinig, en hoe verhitter het gekwetter om hem heen werd, des te minder zei hij terwijl hij dat alles aanzag; hij keek veel en luisterde naar alles zonder zijn bedaardheid en kalmte kwijt te raken; zelfs wanneer er reden was geweest om die te verliezen, had hij dat nog duidelijker laten merken. Hij bleef Olympisch gereserveerd zonder zich te mengen in het gekwebbel, in wat het hele dorp te vertellen had, en wist er door een vroeg ontwikkeld mannelijk gevoel voor te zorgen dat niemand vat op hem kon krijgen; hij mengde zich er niet in en trok zich evenmin terug, hij observeerde zwijgend en hield met natuurlijke charme zijn gedachten voor zich. En de anderen, die niet meer wisten wat voor vlees ze in de kuip hadden, verklaarden dat ze hem in zijn verlegenheid en gereserveerdheid niet wilden kwetsen, het verdriet niet wilden verstoren waarvan hij – zo meenden ze – doordrongen was, en boordevol vervuld: 'Groot verdriet is stom,' had een enkeling wijs geopperd, en anderen hadden met apocalyptische stemmen besloten: 'Het enige verdriet dat groter is dan dat van de zoon om zijn moeder is dat van de moeder om haar zoon.' Hij wist zo welopgevoed te blijven dat hij zelfs geen behoefte toonde aan bepaalde gebruikelijke, korte contacten waar mannen vanaf jonge leeftijd hun toevlucht toe nemen wanneer ze horen dat hun rampen te wachten staan of hun eigen leven op het spel staat; net als de rest van zijn lichaam hield hij ook zijn handen in bedwang, en allen gingen hem aanstaren en bestuderen terwijl ze zich almaar afvroegen wat voor dier hij was, en of hij werkelijk leek op zijn moeder: 'Arme Augusta. Ach! Ach!', en in welk opzicht; en toen ze elk deel van zijn lichaam hadden geïnspecteerd besloten allen behalve degenen die in staat waren te ontdekken dat een rups op een stier leek, dat alleen zijn karakter leek op dat van zijn moeder, ja, op dat gereserveerde, gesloten, kalme, verlegen karakter... En om die hypothetische affiniteiten te bevestigen, was de jongen daar zelf, want geen kletspraat, hoe onzinnig of intrigerend ook, kon zijn voorbeeldige houding veranderen, waarmee hij aantoonde hoe weinig effect lichte briesjes zouden hebben op een toren.

Maar zijn tantes observeerden hem uit vrees dat hij zich verloren zou voelen in een nieuwe omgeving, te midden van onbekende mensen: dat hij zich schaamde en leed, dat hij zich niet goed voelde en zich niet durfde uitspreken; en omdat ze meenden dat ze zijn verlangens aan zijn blikken aflazen, gaven ze hem inlichting op inlichting. Wie die vrouw was of die man, wiens dochter, zoon, schoonvader, schoondochter, neef of moeder dat was; hoeveel kinderen hij had, welk beroep hij uitoefende, en dat alles om te zorgen dat hij de situatie meester bleef en zich thuis voelde.

Hij bekeek de dingen met evenveel belangstelling als de mensen: deuren, ramen, planten, en alles zonder merkbare nieuwsgierigheid; hij keek zoals iemand kijkt die aan het tellen of meten is.

Alleen de borduurramen van zijn tantes wekten zijn kinderlijke nieuwsgierigheid, en hij glimlachte er zichtbaar om: dingen die hem bizar leken en hem tegelijk bevielen; en toen de vrouwen er heel anders uitzagen dan in de trein en in hun witte schort en met hun bril met dikke glazen van de ochtend tot de avond gebogen zaten over de borduurramen en geheel opgingen in het maken van hemden en directoires voor dames, van combinations en onderjurken, bekeek hij ze als twee zeldzame dieren.

Zijn nieuwsgierigheid, die kinderlijk leek, verborg er een die veel dieper ging en nog niet geheel gevormd was in zijn adolescente geest. Wanneer hij in die kamer was met alleen zijn tantes en Niobe, keek hij half dromerig, half tevreden om zich heen als iemand die uit de hemel is gevallen en weer bij bewustzijn en op krachten komt en merkt dat hij goed is terechtgekomen tussen dat bijna mysterieuze en bijna geheime damesondergoed waar de kamer boordevol van was. Hij voelde dat hij zacht was neergekomen en was er inwendig tevreden over.

De belangstelling waarmee hij de dingen op de tafels bekeek of volgde hoe ze bewerkt werden bracht de twee vrouwen, die één geheel waren met die groteske apparaten, een beetje af van hun discipline: het leidde ze af, ze moesten erom lachen en het bracht hen voor het eerst uit hun concentratie. Hij boog zich voorover achter hun rug om het ontwerp te zien, het borduursel te raden, en als ze voelden dat hun hals en hun gelaat licht werden beroerd door die frisse, jeugdige, naar fruit geurende adem, ervoeren ze een onbekend en onverwacht soort welbehagen dat een kortstondig soort verdoving, een lichte duizeling teweegbracht.

Op een dag maakte Remo een gebaar dat zo onthullend was dat het hen meer in verwarring bracht dan woorden hadden gekund: hij pakte van de tafel een roze directoire, die gereed was en klaarlag om te worden gestreken, en hield die zo omhoog tussen zijn vingers dat het leek alsof hij hem aan de wereld wilde tonen. Dat beviel de vrouwen zozeer dat ze ophielden met werken en hun buik vasthielden van het lachen. Bezien door andere ogen en in die handen werd het ook voor hen iets nieuws, alsof ze de dingen die ze schiepen en waarmee ze omringd waren voor het eerst zagen. Carolina, die droop van de draden, zette haar borduurraam op de grond en probeerde de broek uit zijn handen te trekken, maar de jongen wist haar op het moment dat ze hem wilde vangen heel handig te ontsnappen om in een ander deel van de kamer te gaan staan met de uitgespreide directoire; en hij liet haar om de tafel heen hollen totdat hij, moegespeeld, hem uit zichzelf weer neerlegde. Carolina sloeg in een aandrang van tederheid haar armen om zijn hals en kuste hem net als in de trein, en daarna trok ze zich in verwarring terug. Remo reageerde niet met een snelle, frisse kus, en liet zich ook niet kussen op de afwezige, vluchtige wijze van jongens die je argeloos hun frisheid en onschuld gunnen, maar gaf zijn mond aan haar over en maakte geen aanstalten die terug te trekken, alsof hij haar een ding om te zoenen had gegeven en niet een deel van zichzelf. Dit onbekende, vreemde gevoel dwong haar om hem te omhelzen en zich daarna terug te trekken in nog veel meer verwarring dan als hij haar had teruggekust.

Teresa, die zag dat er een herhaling plaatsvond van wat er in de trein had plaatsgevonden, hield op met lachen en begon geërgerd en ongeduldig met haar voeten te stampen, alsof de varkensverkopers nog steeds toekeken. Ze kon voor zichzelf niet verklaren waarom die liefdevolle daad haar zo stoorde, die zo hoffelijk en onschuldig was en die voor iedere willekeurige moeder een dagelijkse gewoonte was die altijd uitdrukking gaf aan de liefde van moeder en zoon. Mocht een tante van vijftig die de moederrol op zich moest nemen haar neefje dan niet kussen dat nog kon worden beschouwd als een kind?

Bij al dit rumoer was Niobe aan komen snellen.

Remo keek ook nieuwsgierig naar Niobe, maar tegen haar was hij al duidelijk gaan glimlachen toen zijn tantes niet keken, en omdat zijn ogen nooit een vulgaire uitdrukking vertoonden had je kunnen zeggen dat hij een slimme blik op haar wierp, waarop de vrouw, die zich niet kon inhouden, antwoordde met haar ogen waarin de vulgariteit werd goedgemaakt door haar goedheid en warmte. De simpele ziel was niet in staat haar gevoelens en haar vreugde om de aanwezigheid van de nieuwe meester te verbergen. En Remo had, toen hij in huis kwam, met dat sterk ontwikkelde instinct van jonge mensen om gauw daarheen te gaan waar sympathie voor hen ontstaat, snel van haar aanbod geprofiteerd. Niobe was zijn eerste verovering geweest, de vrouw had zich opgebeurd gevoeld bij zijn verschijning; die broek die als door een mirakel te midden van al die onderrokken was neergeregend maakte dat het leven haar nog mooier leek, en ze kon van geluk haar ogen niet geloven. Met uitzondering van haar meesteressen, die ze door hun wonderbaarlijke activiteit zag verheven tot mannelijke waardigheid, beschouwde ze vrouwen over het algemeen als minderwaardige koopwaar en was alleen de man haar achting waardig; daarom had ze Remo zonder aarzelen haar vriendschap aangeboden, trots als ze was dat ze hem mocht dienen en van nut zijn.

De enige die hij nog met wantrouwen, aarzelend en ernstig bezag, was Giselda.

Omdat zij in dat huis de belichaming was van de ontevredenheid, de tegenstand, had zij zich niet alleen onthouden van al te tedere uitingen, maar toen ze zag welke wending de zaken namen had ze ook een paar wijze adviezen gegeven. Ze zei dat er voor de bestwil van de jongen een sterke hand nodig was, minder toegewijd en toegeeflijk gedrag, als ze een nuttige en goede man van hem wilden maken en niet een schurk zoals er al zoveel rondliepen en waarvan ze een authentiek voorbeeld had gekend; en dat overdreven zorg en overdreven aardigheid nutteloos en schadelijk waren.

Haar zusters deden alsof ze naar haar luisterden en knikten vaag bij haar protesten: 'Ja... natuurlijk... zeker... dat spreekt vanzelf...' en wisselden veelzeggende blikken: *het was goed geweest als zijzelf streng was aangepakt toen daar reden voor was, en dat geldt niet voor onze neef, die daar geen aanleiding toe geeft. Een goede, nuttige man had naar het leek niet op haar programma gestaan, want ze had zich juist tot het tegendeel gewend, tegen alle goede raad in waar het niet aan had ontbroken, en alle vermaningen. En wat schurken aanging moest ze maar een mea culpa opzeggen als ze daar ervaring mee had opgedaan.* Haar brutale, vrolijke vertrek op haar twintigste met de avontuurlijke, mooie, elegante jongeman had haar zusters chronische galblaaskrampen bezorgd. En zoals meteen te begrijpen valt, sloofden Teresa en Carolina zich, toen bleek dat er tegenstand kwam van die kant, dubbel zo hard uit voor hun neef, die ernstig rekening hield met deze derde tante, als met iets onberekenbaars en onmeetbaars.

Niobe beschouwde Giselda als een amfibie, iets tussen dienstbode en meesteres in. Zoals bekend is niemand beter dan het personeel in staat om onechte meesters, halve meesters die geen vlees en geen vis zijn, te minachten en niet serieus te nemen. Niobe steunde haar echte meesteressen niet alleen, ze ging hen zelfs voor in de strijd en deed wat ze als helpster kon doen om haar genegenheid en aandacht voor de jongen te tonen, die haar, wanneer de tantes het niet zagen, aankeek met zijn stralendste lach, alsof er tussen hen een onverbrekelijk pact was gesloten.

Talrijk waren de vernieuwingen die de tantes hadden ingevoerd na de komst van de neef. Ze aten niet meer zoals altijd in de keuken, maar in de eetsalon, zoals op zondag, met een mooi tafellaken en beter vaatwerk; en ze sloegen hun maal niet meer haastig naar binnen, maar aten beschaafd en kalm en praatten over van alles, over de gerechten, over de vaardigheid van Niobe, die bij het voorbereiden van het menu voor de volgende dag zo onopvallend mogelijk alles uitkoos waarvan ze gemerkt had dat Remo ervan hield; en de tantes, die dat heel goed merkten, lieten haar begaan en deden alsof ze het niet merkten. Op een dag dat ze hem aan tafel hadden gevraagd of hij van biefstuk hield, antwoordde hij met een zo doeltreffend 'reken maar!' dat de vrouwen er onuitsprekelijk blij mee waren, waarbij de scène met de directoire die ze niet terug konden pakken zich herhaalde. Dat mannelijke antwoord deed Teresa denken aan het wit met roze mutsje dat ze voor zijn geboorte hadden gemaakt, en Carolina, die bij deze herinnering was opgesprongen, maakte van haar servet een soort tulband om het hoofd van Remo, die stil bleef zitten als een pop en zich eerst liet verfraaien en daarna bewonderen; omdat ze weer een bevlieging van tederheid kreeg zoals op grootse momenten, sloot ze hem in haar armen en gaf hem een zoen die hij op de inmiddels bekende manier beantwoordde. Teresa lachte een beetje over de muts en stampte wat met haar voeten vanwege de kussen die haar zo ergerden zonder dat ze wist waarom, zoals ze haar zus in verwarring brachten zonder dat die wist waarom; misschien omdat Remo er door zijn gestalte en zijn ernstige gedrag al te mannelijk uitzag om als een kind te worden behandeld, mede doordat er wat dons op zijn bovenlip begon te verschijnen.

Giselda, die tijdens de maaltijd geen woord had gezegd en ook niet had gelachen tijdens het komische tafereel, stond op zodra ze haar laatste hap naar binnen had gewerkt en verliet de kamer zonder een woord te zeggen; en Niobe, die in de deuropening was verschenen om zo veel mogelijk te genieten van de vreugde van haar meesteressen, deed toen Giselda de deur uit ging een overdreven stap opzij om haar te laten passeren, en trok achter haar rug gezichten die de nog zittende tafelgenoten in lachen deden uitbarsten.

De eerste zorg voor de gast was hem zoveel te eten geven als hij maar aankon, waarbij ze altijd bang waren dat hij niet verzadigd zou zijn. En op dit punt kregen ze een uitvoerig antwoord zonder reserves, want hij was bereid op dat terrein alle beproevingen glansrijk te doorstaan. Vervolgens moest de mate van verstandhouding met de buren worden vastgesteld. Iedereen moest met hem omgaan alsof hij tot een andere klasse behoorde dan de hunne, en de andere jongens, de zoons van de boer en ook die van de huurders, moesten 'u' tegen hem zeggen, en dat gold voor iedereen zonder uitzondering. Die distantie wisten ze niet voor zichzelf te handhaven, want de buren gingen hen, na een respectvol begin, een eerbiedige groet, in de loop van het gesprek geleidelijk familiair bejegenen en zeiden 'Teresa' en 'Carolina' zonder meer, 'de Materassi's' zonder iets ervoor, en nooit 'de dames', zoals het hun in hun harten zou hebben behaagd, 'de dames Materassi'. Maar de mensen uit de dorpjes en van het platteland maken zich, zoals bekend, niet erg druk om vormen, ze gedragen zich vrijpostig, mede doordat hechte banden onherroepelijk leiden tot vertrouwelijkheid. Maar zij eisten dat zo'n distantie in acht werd genomen tegenover hun nieuwe familielid.

Giselda gaf ook hierover haar mening te kennen, want ze vond het absurd om een bepaalde afstand te bewaren onder eenvoudige mensen, en onder jongens, bij wie zulke nonsens vanzelf zou wegvallen. Dat waren dingen waar de kippen om zouden lachen. Waarop Teresa haar servet op tafel gooide en autoritair antwoordde dat het kippen vrijstond om te lachen, maar dat zij, in haar huis, deed wat haar goeddocht. Ze zei twee keer 'in mijn huis' en keek daarbij alleen haar aan. Carolina zette het antwoord van haar zus alleen maar kracht bij door 'ja' te knikken met een blik die van het plafond naar de vloer ging en vice versa. Niobe maakte een gebaar alsof ze een kip de nek omdraaide en voegde eraan toe dat zij heel goed wist wat je moest doen om kippen de lust tot lachen te doen vergaan. En ze schudde en draaide met haar hoofd om Remo duidelijk te maken dat Giselda met haar verkeerde been uit bed was gestapt, 'met haar gat ondersteboven', zoals volksmensen in Florence zeggen; en dat het niet nodig was om naar haar te luisteren want in dat huis had ze even weinig te betekenen als de 2 bij het kaarten. De maaltijd, die vanwege de aanwezigheid van de neef plechtig naar de salon was overgebracht, eindigde vaak met dit soort nogal zure discussies.

Tegenover deze geduchte twistgesprekken en meningsverschillen die rechtstreeks met hem te maken hadden, bracht Remo een hemelse superioriteit in en hij deed alsof hij niet begreep hoezeer dat huiselijke gebakkelei hem aanging; maar omdat hij meteen had begrepen hoezeer hij zijn voordeel kon doen met Giselda's onverbiddelijke tegenstand, begon hij de derde tante te bezien met het air van iemand die volmaakt kalm en welvoldaan bij een goede spijsvertering een wijsje voor zich heen neuriet, waardoor hij stiekem de spot met haar dreef om de funeste mogelijkheid te voorkomen dat ze van het ene moment op het andere vriendelijk tegen hem zou worden.

Hij kreeg de kamer toegewezen die eertijds van de ouders was en die na hun dood geen van de zusters voor zichzelf had willen opeisen zodat hij intact was gebleven in een sfeer van verwachting. Er was een raam dat uitzag op de velden, en het vertrek lag precies boven de keuken en was, net als alle kamers gelijkvloers, voorzien van een wit, door roest aangevreten traliewerk.

De jongen was er zichtbaar mee ingenomen, het was de mooiste en ruimste kamer van de verdieping, met meubels van uitmuntend hout die de goede landeigenaar speciaal had laten maken voor de bruiloft van zijn zoon. Er stond nog een groot bed uit 1860 met baldakijnen van lichtblauw damast op vier ijzeren poten die op vier vergulde pijnappels rustten. Remo was blij dat hij zich vrij kon bewegen in dat bed waarin drie personen comfortabel hadden kunnen slapen; onder dat baldakijn en dat verguldsel dwaalden zijn eerste blikken 's morgens verbaasd rond, en ook zijn laatste, 's avonds, voordat hij insliep. Dat vreemde bed hield zijn jongensachtige geest in een sprookjesachtige droomtoestand zolang hij wakker was en bereidde de weg voor echte dromen die van een levendige werkelijkheid waren, ook als ze even sprookjesachtig waren.

Van alles wat onthuld werd aangaande het karakter van de

jongen, die de vier vrouwen even gespannen maar met verschillende bedoelingen bespiedden, sprak zijn onlesbare behoefte aan water als eerste tot de fantasie. Hij had niet genoeg aan de karaf die Niobe altijd gevuld hield in zijn kamer en aan een extra emmer, en de waskom was te klein om hem de gelegenheid te geven zich te wassen zoals hij dat wilde; zodra hij was opgestaan, nam hij dan ook een teiltje mee door het deurtje dat toegang gaf tot het veld, en ging onophoudelijk met ontbloot bovenlijf en op de kale grond midden in de winter zijn armen en hals, borst en schouders wassen en nog eens wassen. Datzelfde deed hij wanneer hij verhit thuiskwam. Niobe was de eerste die deze gewoonte bewonderde, en omdat die haar zo'n genoegen deed kon ze haar vreugde niet voor zich houden, maar moest ze haar meesteressen tot in de kleinste bijzonderheden vertellen hoe de lichaamsverzorging van de jongeman zich elke morgen voltrok. En omdat water in dat huis nooit werd beschouwd als een algemene en dringende noodzaak behalve om te drinken, namen ze hiervan tegelijk onthutst, bewonderend en bezorgd kennis. Zou hij op die manier geen kou kunnen vatten of, nog erger, een longziekte? Niobe wist hen op dit punt gerust te stellen door aan te voeren dat het, als het zijn gewoonte was, niet alleen geen ziekte kon veroorzaken, maar hem juist daartegen behoedde en hem hardde tegen wind of storm – en ze beschreef de kracht van zijn lichaam wanneer hij dat soort praktijken uitoefende, de energie, het geluk dat zijn gezicht uitstraalde wanneer hij zich snel en krachtig afdroogde tot zijn huid er rood van werd. Uiteindelijk vroeg hij, toen de winter minder streng begon te worden, de vrouw plompverloren: 'Waar is de rivier?' Omdat zij argwaan kreeg bij die vraag, antwoordde ze dat daar geen rivier was, en daar voegde ze aan toe: 'Wat wilt u trouwens met een rivier om deze tijd van het jaar?' 'Dan weet ik het,' antwoordde hij, 'in het voorjaar, wanneer het niet meer zo koud is.' En hij voegde eraan toe: 'Het doet er niet toe.' Hij begreep dat hij zijn mond had voorbijgepraat en met ontbloot bovenlijf zocht hij, terwijl hij zich afdroogde, met zijn onfeilbare verlangen de horizon af op zoek naar dat water. Hij had natuurlijk toen hij overal door de streek rondtrok, de twee beken, de Africo en de Mensola, gezien, waarin het water tekeergaat tijdens onweer en er een halfuur later bij wijze van spreken geen spoor meer van over is en er in de twee stroompjes alleen maar wat modder overblijft waarin nauwelijks kikkers kunnen baden.

Iets anders trof onze vrouwen toen ze voor het eerst in contact kwamen met zijn puberale mannelijkheid: na een paar ochtenden maakte Remo om naar de keuken te gaan en zich te wassen geen gebruik meer van de trap, maar ontdekte hij dat de kortste weg het raam was, langs het traliewerk van Niobe, die terwijl ze melk kookte een schim zag afdalen en snel verdwijnen, zonder dat ze tijd had gehad om te zien wie dat was: 'Heilige Maagd!' riep ze met de laatste adem die ze nog in haar keel had. En de melk kookte natuurlijk over. Een inbreker, een spook, een waarschuwende verschijning? De duivel, die haar kwam halen? En toen ze Remo met zijn onverstoorbare gezicht ontdekte bij het deurtje riep ze, toen ze weer op adem begon te komen: 'Bliksemse kwajongen! U hebt me een doodschrik bezorgd... en de melk is in de as terechtgekomen.' Daarna, toen ze haar stem terugkreeg: 'En als u aan die spijlen geregen wordt?' Remo glimlachte: nee, hij was er de man niet naar om aan die spijlen te worden geregen, je hoefde maar naar hem te kijken, dat begreep zij ook wel en ze vond het een bewonderswaardige oefening. De volgende ochtend wachtte Niobe gewillig op de verschijning van boven terwijl ze koffie en melk bereidde, maar ze was voorzichtig bij het melk koken en ook voorzichtig bij het onthullen van haar nieuwe ontdekking aan haar meesteressen. Toen ze het juiste moment had gevonden, vertelde ze het omdat ze zich niet kon inhouden. Teresa toonde zich bezorgd dat de jongen zou kunnen vallen en zich bezeren en Carolina kreeg de stuipen vanwege die vervloekte pieken waar je aan gespietst kon worden; maar ze las in de ogen van Niobe dat zij er meer vanaf wist, dat ze waardering had voor de behendigheid waarmee hij zijn oefening uitvoerde: 'Hij spietst zich niet aan de pieken, hij valt niet, wees maar gerust, maak u geen zorgen...' herhaalde ze lijzig. Ze besloten dat ook zij het graag wilden zien.

De volgende ochtend verstopten ze zich, met Niobe als medeplichtige, in de trapkast die tegen de keuken aan lag en diende als berghok en provisiekast, en waarin een vierkant raampje was met twee ijzeren tralies aan de kant van de keuken, en daar wachtten ze af om toe te kunnen kijken. Maar omdat Remo van nature bedreven was in het zorgen voor verrassingen, kwam hij die ochtend gewassen en aangekleed op de officiële wijze naar beneden via de trap, en omdat hij zijn tantes niet zoals altijd zag werken in hun kamer, ging hij de keuken in, bleef voor de deur van de bergruimte staan waar ze zich verborgen hadden en zei tegen Niobe: 'En mijn tantes? Waarom zijn ze niet aan het werk? Zijn ze nog niet beneden gekomen?' Hij wist dat ze er om die tijd altijd waren en maakte geen aanstalten om weg te gaan van het deurtje. Zodra hij naar buiten was gegaan, liet Niobe hen vrij, en zij haastten zich als geslagen katten naar hun borduurramen.

Maar het duurde niet lang of ook zij konden de lenigheid van hun neef bewonderen, en een paar ochtenden later konden ze, terwijl ze hun kreten inhielden om hem niet aan het schrikken te maken, zijn afdaling bijwonen zonder zich te verstoppen.

Remo wilde toen hij op de begane grond stond ter ere van

hun aanwezigheid weer snel naar zijn kamer klimmen, en liet zien dat hij niet alleen naar beneden maar ook naar boven kon klimmen, en eenmaal boven was hij opnieuw in een oogwenk beneden. De vrouwen keken ademloos toe. Maar ook dat werd iets normaals, dat aan tafel besproken werd. Remo keek zijn tantes aan, glimlachte naar de een en naar de ander en verzekerde hun dat het beklimmen van dat huis iets was voor beginners; en hij legde uit hoe je aan alle kanten zonder problemen omhoog en omlaag kon klimmen; zodat zij van toen af aan dachten dat hun neef telkens kon verschijnen zonder dat ze wisten waar hij vandaan kwam of waar ze moesten kijken om hem te zien verdwijnen. 'Best,' onderbrak Giselda het gesprek met haar zware stem, 'we laten je brandweerman worden.' Waarop de jongen geen verontwaardiging en ook geen verbazing liet merken, maar te kennen gaf dat hij dit voorstel aannam als voor een beroep dat zijn volle instemming had. Teresa wierp van opzij een snijdende, moordende blik op haar zuster, alsof ze wilde zeggen: *die doet haar mond alleen open om stupide of boosaardige dingen te zeggen.* Carolina keek haar aan en streek zo over haar middel alsof ze dubbel zo lang wilde worden: 'Brandweerman? Arme dwaas, je zult nog wel zien wat voor brandweerman! Vind zelf maar eens een brandweerman!'

Al was er geen enkel precies voorstel besproken, het spreekt vanzelf dat ze voor hun neef al hoge verwachtingen koesterden.

Remo begon geleidelijk vaker de deur uit te gaan en uren achtereen buiten te blijven en het lukte maar niet erachter te komen waar hij was en bij wie, waar hij geweest was en waar hij vandaan kwam. Zijn antwoorden waren even kalm als onduidelijk, hij wist handig gebruik te maken van het feit dat hij de omgeving niet goed genoeg kende om een verslag uit te brengen waaruit men gemakkelijk kon reconstrueren waar en hoe hij die uren had doorgebracht; hij beschreef plaatsen en mensen met zoveel tegenstrijdigheden dat er verhitte discussies ontbrandden tussen de vrouwen, die hem graag nauwkeurige inlichtingen wilden geven om de omgeving eenvoudig en vertrouwd voor hem te maken, hem te gidsen zodat hij niet op gevaarlijke plekken kwam of personen ontmoette die hem en zijn nieuwe familie onwaardig waren. Soms leek het alsof het raadsel was opgelost en dan voegde hij er opeens iets aan toe, een bijzonderheid waardoor alles weer even duister werd: het mysterie was ondoorgrondelijk. Op de uren van de maaltijden zagen ze hem als bij toverslag en met lofwaardige stiptheid verschijnen, maar als het om uitleg ging bleven ze altijd in het duister tasten.

De tantes voelden dat dit geen goed begin was, ze voelden hoe hun verantwoordelijkheid voor deze wees hun de plicht oplegde om zich daar serieus mee bezig te houden. Maar wat konden ze doen, overstelpt als ze werden door almaar toenemend werk?

De onenigheden die met Giselda waren uitgebroken omdat zij al sinds zijn aankomst weinig sympathie had gekoesterd voor de jongen, maakten dat ze haar, de enige die over voldoende tijd beschikte, niet konden opdragen zich ermee bezig te houden; alles kwam te liggen op de schouders van Niobe, die het van de ochtend tot de avond heel druk had en die, laten we dat maar toegeven, niet de meest aanbevelenswaardige lerares was, zowel door haar grote onwetendheid als door haar oneindige goedhartigheid en nog meer door de onmiddellijke en onbeperkte sympathie die ze de jongen had getoond en waar hij zich bewust van was. Ze ging dan ook meteen een spelletje maken van het verdoezelen van zijn streken en kattenkwaad en verklaarde altijd dat hij bij de boeren op hun land was, dat het goed met hem ging en hij zich goed gedroeg, of dat hij op het boerenerf herrie aan het maken was met jongens uit de huurkazerne, terwijl zijzelf er geen flauw idee van had waar hij was en zich er al zorgen over maakte. Bedenk daarbij dat Remo's aanwezigheid beroering en verandering had gebracht in de familie waar hij als een pijl uit een boog neerkwam te midden van vier vrouwen, die vaak verbijsterd en geschokt waren doordat hij zo weinig zei, of door zijn vragende blik, die zo suggestief en aantrekkelijk was maar waaraan ze niet gemakkelijk iets konden aflezen.

De jongen was begin december aangekomen en de eerste tijd had niemand, in de opschudding vanwege de tragische, onverwachte gebeurtenissen, praktische gedachten kunnen koesteren over zijn situatie; daarna kwamen de kerstdagen, die alle maatregelen opschortten, het schooljaar dat al bijna halverwege was… Ze moesten zijn papieren uit Ancona laten komen en het kostte wat tijd om ze in orde en compleet te krijgen, en daaruit bleek dat hij zelfs de lagere school niet had afgemaakt en nauwelijks de derde klas had bezocht. Daarmee hielden al zijn schoolresultaten en zijn hele opleiding op. Om hem van zijn verantwoordelijkheid te verlossen concludeerden ze dat bepaalde dingen alleen in Ancona gebeurden, en deze keer spraken ze dat 'in' uit op een onverholen misprijzende toon. Toen ze hem daarna vroegen hoe hij zijn dagen doorbracht in die verschrikkelijke stad, antwoordde hij met mannelijke eenvoud en waardigheid: 'Bij de automonteur.'

'Bij de automonteur…' De twee zusters lieten dat woord tussen hun lippen spelen want ze waren, zoals gemakkelijk te begrijpen valt, van plan om het niet uit te spreken, maar om het discreet uit te spuwen wanneer niemand keek. 'Bij de automonteur…' Dat woord bracht een bepaalde situatie steeds duidelijker onder de aandacht, riep de sombere reis in herinnering, verhelderde het beeld van de Ancoonse ellende, en daardoor werd het tafereel van de dood steeds tragischer en indrukwekkender: 'Remo, Remo.'

'Ja, ja,' zeiden ze ten slotte en daarmee brachten ze het gesprek tot een eind en spreidden ze er een discrete sluier over uit zoals ze hadden gedaan met alle bijzonderheden van dezelfde herkomst. 'De monteur… in de werkplaats… ja, ja.' Ze praatten er niet meer over maar het is duidelijk dat ook dat beroep deel uitmaakte van het verleden van de jongen, waar ze zich beter niet in konden verdiepen. 'Als smid?' zeiden ze tegen elkaar toen ze alleen waren in hun kamer, verbijsterd en in gedachten: 'Als smid?' herhaalde Carolina en ze liet het woord in de leegte zweven, en Teresa voegde er 'Kom nou!' aan toe en stampte het woord voorgoed vast in de vloer.

Een paar dagen was er een geheimzinnige, uitzonderlijke drukte in en om het huis, geheime gesprekken, plotseling onderbroken discussies, terughoudend gedrag, een briefwisseling, schriftelijke mededelingen, boodschappen in zorgvuldig verzegelde papieren die aan Giselda waren toevertrouwd, en uiteindelijk een officiële aankondiging: komende zondag zou Santa Maria een zeer belangrijk bezoek krijgen dat niets te maken had met de gebruikelijke, voor hemden en directoires, en waarvoor ook de werkkamer werd opgeruimd en in orde gebracht, de mooie salon geveegd en gestoft en gereedgemaakt voor een ontvangst in een sfeer en een licht als in een kerk voor de dienst, en een lichte geur van petroleum, waarmee de vloer was gepoetst, wat het meer dan plechtige religieuze aanzien nog versterkte. Ten slotte waren er, zorgvuldig en zonder op de kosten te beknibbelen, verfrissingen bereid.

Wie zou er tegen drie uur arriveren op deze heldere zondag eind maart toen de lucht al zacht was en trilde, met amandel- en appelbloesems en zachte, sneeuwwitte perenbloesems aan de takken die een sluier wierpen over de hele vlakte en de heuvels; en het roze van de perzikbloesems dat al voorzichtig het eerste warme weer aankondigde; en op de grond paarse anemonen en wat rood en wit tussen het wassende graan?

Ook het middagmaal werd haastig gebruikt en was om halfeen opgediend, een halfuur of drie kwartier eerder dan gewoonlijk; met ongewone haast werd de tafel afgeruimd en de salon door Giselda weer op orde gebracht, terwijl in de aangrenzende keuken al het gekletter van het vaatwerk in de teiltjes te horen was. Niobe deed luidruchtig en nog kauwend de afwas. Alles ademde een sfeer van vrome afwachting zoals men op een vastendag wacht op het wijwater.

Remo hield zich afzijdig van deze ongewone drukte en voegde een beetje geheimzinnigheid toe aan de plechtigheid om hem heen, hij bewaarde zijn onverstoorbare kalmte, reageerde zonder merkbare nieuwsgierigheid op de al te expressieve blikken van zijn tantes, en deed alsof hij niets merkte van bepaalde woorden die ze zeiden en niet zeiden, afgebroken, raadselachtige zinnen die wel lieten doorschemeren dat al deze uitzonderlijke voorbereidingen uitsluitend voor hem werden getroffen.

Nauwelijks hadden de tantes hun laatste hap naar binnen of ze gingen zich haastig opsluiten in hun kamer, net als op alle andere zondagen, maar die dag in een ander ritme en met een nieuw soort zorg. Ze zeiden nog eens tegen hun neef dat hij zijn blauwe pak moest aantrekken en voor drie uur klaar moest staan.

Ze hadden niet gewild, en terecht, dat de jongen zich vanwege de dood van zijn moeder in het zwart zou kleden, want dat soort vertoon van rouw is een broze instelling van de bourgeoismoraal waarbij alles berust op vormen en uiterlijk, maar ze lieten door een jongeman uit Ponte a Mensola, die in de leer was geweest bij een knappe kleermaker in Florence, voor hem twee pakken maken, een grijs pak van flanel en een van mooi kamgaren, beide met korte broek en wollen kniekousen waarin de lenige, rechte benen de aandacht trokken, want ze waren heel elegant van vorm, zodat zijn bewegingen sierlijk werden als die van een hert. Hij droeg een zwarte das, en aan zijn linkerarm een rouwband om eerbied af te dwingen voor zijn situatie; die leek meer op een waarschuwing voor anderen dan voor hemzelf, om te verhinderen dat men die omheining van zijn gevoelens zou overschrijden waarbinnen zijn verdriet werd bewaakt.

Remo kwam als eerste beneden, eigenlijk kunnen we zeggen dat hij nog niet goed en wel boven was toen hij alweer beneden kwam: knap, elegant, met goed verzorgde, glanzende haren, en daarbij onthield hij zich van alle initiatief, alle animo en ging op de derde trede voor de deur beurtelings op zijn ene en zijn andere been staan schommelen, als een boot die aan een oever vastgemeerd ligt.

Ook de arme Niobe verrichtte die dag wonderen, even na

twee uur was de keuken zo goed opgeruimd dat er een militaire inspectie had mogen plaatsvinden. Nadat ze vervolgens haar kamertje dat ernaast lag was binnen gegaan, kwam ze er schoon en opgepoetst uit zonder dat er ook maar een haar over haar hals of haar oren hing, in een gestreept schort dat scrupuleus zijn plooien behield en het galatenue van deze vrouw was.

Met de veger in de hand kwam ze naar de trap waarop Remo stond en veegde ze nog even oppervlakkig over de treden en voor de deur, over het plaveisel tot aan het hek en daarvoor; en steeds oppervlakkiger naarmate ze zich verder verwijderde, alsof de veger voor haar in een waaier was veranderd. Zo legde ze de laatste hand aan deze uitzonderlijke voorbereidingen totdat ze, bij het geknars van de tram op zijn rails bij een verre bocht, wegholde om de veger terug te zetten in de keuken, van onder aan de trap tegen haar meesteressen riep dat de tram eraan kwam, steeds ijveriger over haar schort wreef en streek alsof het een tafelkleed was, haar jak zorgvuldig rechttrok zoals een vogel zijn veren strijkt, en terugging naar de voordeur.

Al hadden de tantes hun uiterste best gedaan, ze waren pas een paar minuten voor drie beneden. De wijze waarop ze zich op zondagen op hun gemak verzorgden was een logische compensatie voor de haast die ze de rest van hun leven moesten maken, een luxe die een beloning was voor hun koortsachtige arbeid, een natuurlijke reactie. En toen het geknars van de tram zich bij de meer nabije bocht liet horen, kwamen ze halsoverkop naar beneden, ritselend, fonkelend, enthousiast, beter gepoederd en opgetut dan voorstelbaar was; daaruit bleek dat ze niet hun lichaamsverzorging hadden onderbroken, die ze waarschijnlijk al eerder verricht hadden, maar wel hun tevreden kalmte, waarvan ze niet gemakkelijk afgeleid konden worden.

Remo, die al gewend was aan bepaalde gedaanteverwisselingen en bepaalde kleding bij plechtige gelegenheden, keek niet meer met zoveel belangstelling naar hen als toen hij in de trein met hen naar Florence was gereisd; die dag was er zoveel te bewonderen dat het alleen ontbrak aan genoeg tijd doordat het almaar doordringender geknars van de tram abrupt stopte en Niobe op een paar passen van het hek opgewonden stond te roepen: 'De directrice! Het schoolhoofd!'

Teresa en Carolina snelden met al hun versierselen naar buiten, de gast tegemoet.

Eerst stapte er een klein meisje uit met een rood gezicht dat zo rond was als een mispel: ze droeg geen hoed en vertoonde een mooie zwarte vlecht die, om haar ronde hoofd gewonden, een kapsel als van een kostschoolmeisje vormde; een meisje dat door haar figuur en dat snoetje op het eerste gezicht een kind van vijftien leek, maar bij nader onderzoek veel ouder bleek: ze was precies negenentwintig. Een dienstmeisje, dat zag je meteen, keurig en pittig, misschien wat vrijpostig, en vast kieskeurig, en toen ze van de treeplank op de grond was gesprongen, bleef ze daar met open armen staan om er met de grootste toewijding haar mevrouw in te ontvangen. Ook Teresa, die onder aan de treeplank stond, opende haar armen; Carolina deed dat ook, en Niobe achter hen maakte een gebaar alsof ook zij ze wilde openen. Alleen Remo bleef staan met zijn armen omlaag, maar bereid om een eerbiedige buiging te maken voor de monumentale verschijning. Zelfs de tram leek iets ingekeerds te krijgen en daarna te buigen, te buigen als een kip die een ei legt, om de geheel in het zwart geklede imposante figuur geboren te laten worden.

'Teresa!'

'Beatrice!'

'Beatrice!'

'Teresa!'

'Carolina!'

Zodra de dame op de grond stond – 'plof' – leek de aarde te schudden en hervatte het vervoermiddel, dat nu een paar centimeter hoger op de rails stond, licht en snel zijn knarsende rit.

'Wat zie je er goed uit!'

'Jij ook!'

'Jij ook!'

'Na al die jaren!'

'Inderdaad.'

'Wat een toeval!'

Nadat ze naar elkaar hadden gekeken en nog eens gekeken, elkaar hadden hervonden en herkend, ging de groep vrouwen het door roest aangevreten witte hek in dat altijd voor de helft openstond, zelfs wanneer het schoolhoofd erdoorheen moest.

Stilhoudend om de andere stap en zo de hele groep vrouwen tot stilstand brengend waarover ze heerste als een kloek, of laten we liever zeggen, als een kalkoen, en nog liever als beide om beurten, keek het schoolhoofd om zich heen, omlaag, omhoog, in de verte, om zich de plek en je zou denken zelfs de lucht eigen te maken, want ze haalde diep adem, die ver in haar doordrong tot in een plek waar ze een hand tegen drukte alsof ze er op een knop drukte, en daarna maakte ze opnieuw contact met haar vriendinnen, omarmde ze, noemde ze 'kinderen', eerst 'kinderen' en daarna 'mijn kinderen'. Tonina, het dienstmeisje, werd weggestuurd om samen met Niobe een wandelingetje te maken over het boerenerf. Dat idee beviel het schoolhoofd meteen, want ze reageerde, terwijl ze zich omdraaide vanaf de derde trede: 'Ja, je kunt gaan, ga maar, lieve meid, ga maar…'

Ze gingen het huis in.

Zoals de lezer begrijpt, was haar 'ja' niet zomaar een 'ja', maar heel afgewogen, en daalde het onder lachjes net als haar woorden neer van omhoog in toonladders, en daardoor staken haar vergeelde, lange tanden vol kerfjes, gaatjes en donkere vlekjes uit als bajonetten.

Ze gingen de salon in.

Het schoolhoofd bekeek die ruimte en leek alles te willen inademen in die kerkachtige, met petroleum geparfumeerde sfeer die voor haar was bereid.

Ze was twee, drie jaar ouder dan de gezusters, maar door haar gestalte, en meer nog door de indrukwekkende wijze waarop ze voortschreed en zich bewoog leken de arme vrouwen naast haar, vooral Carolina, op twee verlegen kinderen, ook door hun toegewijde, eerbiedige houding.

Ze kreeg een plaats op de canapé aangeboden naast Teresa, en in de twee fauteuils die ernaast stonden zat in de ene Carolina naast haar zus en naar de gast toe gebogen, in de andere Remo naast het schoolhoofd, dat, al had ze nog niet het woord gericht tot hem, het minst belangrijke personage, vluchtig en schuins naar hem had gekeken met glimlachjes die van alles konden betekenden, zoals dat ze op het juiste moment wel belangstelling voor hem zou tonen, en daarbij liet ze op een wat pompeuze wijze welwillendheid doorschemeren vanuit haar gezag, zoals wilde rozen die door een haag van christusdoorns naar het licht reiken.

Ze maakte de cape om haar hals een beetje los, een heel zwarte cape over een mantel die op een soutane leek; wanneer haar armen eruit kwamen, konden ze een weids en indrukwekkend gebaar maken; daarmee onthulde ze ook een zwart koordje waaraan een bril met randen van blank metaal hing die ter hoogte van haar buste tussen twee knopen van haar jasje stak. Toen ze begon te praten sloeg ze ook haar hoed achterover, een soort hoge, ronde kachelpijp, pikzwart, met strikken en een sluier waarvan je niet kon zeggen dat die in de mode was en ook niet uit de mode, zoals de Materassi's droegen, maar waar alleen gezag uit sprak. Haar beslissing om die achterover over haar hoofd te slaan had ze vast genomen om haar grote, stompe gelaat beter te laten uitkomen, dat was voorzien van een monumentale neus die er een parabool op vormde, met een kurkachtige huid, die sponsachtig begon te worden en onder de microscoop panorama's van bergen en heuvels te zien moest geven zoals die van de maan. En, merkwaardige bijzonderheid, deze vrouw die Beatrice heette, vertoonde sterke gelijkenis met Dante en niet de minste met diens geestelijke minnares.

'Herinner je het je?'

'Weet je het nog?'

Blijkbaar was Teresa de echte vriendin, maar eigenlijk waren ze dat allebei. Het schoolhoofd voelde zich geneigd tot vertrouwelijkheid, zij het betrekkelijke, op een beslister, krachtiger toon dan Teresa, die naast dit gevaarte een kalfje was geworden naast de koe. Carolina knikte alleen maar: ze zei bij alles 'ja', bij alles 'goed', en ging lijken op een koerende duif; maar natuurlijk was het de directrice die alles voor het zeggen had en geen vrouw was in staat haar te overtreffen in het vragen en antwoorden, helemaal in haar eentje, waarbij ze haar stem zo goed moduleerde dat je zou denken dat ze iemand anders antwoord gaf.

'Wat is het lang geleden dat we elkaar hebben gezien!'

'Wie had dat ooit gedacht?'

'Inderdaad.'

'Zodra ik je brief had gelezen, zei ik: "Ik ga erheen, ik ga er zelf heen, ik wil erheen, op een zondag na het middagmaal." Wat dachten jullie, kinderen, ook ik zit gevangen, net als jullie, zelfs op zondagmorgen moet ik naar mijn bureau, er ligt correspondentie om te worden geopend, om afgehandeld te worden, er is zoveel, ik heb alleen deze paar uren 's middags voor mijzelf.'

Het valt gemakkelijk te begrijpen dat ze door haar eigen gevangenschap gelijk te stellen met die van de gezusters een niet geringe concessie deed, want die van haar, als hoofd van een lagere school, was een illustere gevangenschap vergeleken met die van de arme naaisters van hemden en directoires.

Ze was dochter van een postbeambte, had haar kinderjaren en haar jeugd tot haar drieëntwintigste doorgebracht in een huis in Borghetto, tussen Ponte a Mensola en Santa Maria, en begon als onderwijzeres aan haar carrière. Daarna was de familie naar Florence verhuisd.

Ze riep het leven uit die tijd in herinnering, de familie Materassi en de familie Squilloni, die van het schoolhoofd. Een paar tochtjes die ze samen hadden gemaakt door de heuvels, een paar avondjes die ze in het huis van de een of de ander hadden doorgebracht en die fameuze keer dat ze blindemannetje hadden gespeeld en Carolina haar blinddoek had weggetrokken zonder ook maar te proberen tegen de pot te slaan, zonder een stap te durven verzetten, zo bang was ze. Teresa had, toen ze was geblinddoekt, de nodige stappen gezet, maar was helemaal verkeerd gelopen en had met de stok een slag in de lucht gegeven in de mening dat ze de pot had stukgeslagen.

'Hahaha!'

'Hahaha!'

'Hahaha!'

Als laatste was het toekomstige schoolhoofd aan de beurt geweest, omdat ze in haar eigen huis was. Ze was rechtuit tot onder de pot gelopen, op de goede plek, alsof ze niet geblinddoekt was, en toen ze een goede zwaai had gemaakt, gaf ze zo'n klap tegen de buik van de pot dat alle snoep en chocola tegelijk was neergeregend, en zonder dat de scherven van de pot haar hadden getroffen.

'Hahaha!'

'Hahaha!'

'Hahaha!'

Ze riep figuren uit het verleden op: ouders, grootouders, alle Materassi's, alle Squilloni's: allemaal dood.

'Ach!'

'Oh.'

'Ja...'

En na de vrolijke momenten, waarvan er niet veel waren, werden de droevige in herinnering gebracht, de rampen, de tegenspoed, heel veel, meer dan al het andere.

'Ja, ja...'

'Eh...'

'Maar...'

Haar huis werd in herinnering gebracht.

'Wil je het terugzien?'

Met gebogen hoofd, maar steeds alert en waakzaam, gaf het schoolhoofd geen antwoord.

'Wil je het terugzien? We kunnen door het veld lopen, dan ziet niemand ons.'

De directrice richtte haar bovenlichaam op, nog steeds met gebogen hoofd, nam een inschikkelijke houding aan alsof ze opveerde, en liet een 'nee' horen: 'Nee... nee, nee... nee, nee... nee' in een toonladder waarvan het leek alsof hij langs haar jasje viel, waarvan ze haar 'nee' met een hand, machinaal, wegwierp alsof ze zich wilde bevrijden van een vuiltje, een draad of wat stof.

Ze wilde het niet terugzien, maar die weigering was geen onverschilligheid, dat was goed te begrijpen.

'Nee... Ik ben er twee jaar geleden langsgekomen, ik was in Settignano, als lid van de examencommissie.'

'Waarom ben je niet even gebleven?'

'Ik was niet alleen, ik was er met de inspecteur.'

Remo had geen mond opengedaan en bleef voorbeeldig bedaard en beleefd. Bij al die zuchten, lachjes en herinneringen had hij alleen maar gemerkt dat de tanden van zijn tantes bij die van het schoolhoofd voordelig uitkwamen; hij merkte het wanneer ze samen ophielden met lachen om van een vrolijk onderwerp over te gaan op iets treurigs en de tanden bij alle drie zichtbaar bleven, alsof ze vergaten ze in hun mond terug te trekken, zodat het bij die ernstig geworden gezichten niet duidelijk was of ze die soms lieten zien om te bijten.

Geen denken aan! Geen denken aan!

Deze merkwaardige jongen, die meteen had begrepen dat hij goed was terechtgekomen tussen hemden en directoires, had al iets anders begrepen dat belangrijk was, van wezenlijk belang, namelijk dat zulke oude merries, ook wanneer ze hun tanden lieten zien of uit vergeetachtigheid hun mond niet sloten, dat niet deden om te bijten, en dus bleef hij er volkomen kalm onder, of ze nu hun haver aten of hun monden wijd openzetten om te hinniken. Hij was ook niet geschokt doordat hun aantal toenam, maar toonde zich heel verheugd nu hij het zag toenemen.

Hun liefdesleven kwam ter sprake.

'Wat had je gedacht, wij... je zult wel begrijpen...'

De twee zusters zeiden tegelijk, de een met haar stem, de ander met haar ogen: 'Wij hebben niets anders gekend dan ons werk... zo staan we er nu voor.'

Toen ze er tegenover een derde over moesten spreken, verdween de sterke, woeste schare Alfredo's, Gaetano's, Raffaele's, en Guglielmo's met al hun onschatbare verdiensten en absurde gebreken als een stelletje lafaards die kruitdamp ruiken.

'Ik weet het... ik weet het...'

Het schoolhoofd had gehoord van hun vaardigheid, hun successen, ze was op de hoogte van hun welverdiende fortuin: 'Bravo, schitterend, ik weet dat jullie bijzonder zijn.' Maar niet zoals het schoolhoofd. 'Weet je met wie ik een poosje geleden veel over jullie sprak? Herinner je je Bettina Risaliti, nu Tirinnanzi? Ze kwam op zomerzondagen vaak bij ons... Ze heeft grote kinderen, die zijn allemaal bij mij op school geweest, drie jongens en een meisje dat in mei gaat trouwen, en toen we het hadden over haar uitzet noemden we jullie, maar ze zei dat jullie boven haar krachten gingen, dat ze daar niet toe kon komen.'

'Ach! Ach!'

De Materassi's herinnerden zich Bettina Risaliti niet, en ze wisten ook niet dat ze Tirinnanzi was gaan heten, als vrouw van een bijna beroemde varkensslager, maar nu hun status werd erkend, bogen ze bescheiden het hoofd. Het werk had hen van alles afgehouden, concludeerden ze, en zelfs gemaakt dat ze veel, heel veel waren vergeten... Zij waren naaisters, borduursters, dat was alles, en zo moesten ze sterven.

'Maar intussen...'

Dit intussen was echter niet zo definitief als het klonk; voor wie de toon en de nuances begrijpt waarop het werd uitgesproken, bleef er uiteindelijk een lichtpuntje dat groter kon worden gemaakt, en op het moment dat ze zich dat realiseerden hadden ze niet willen toegeven wat er werkelijk mee bedoeld werd, namelijk dat hun levens op die manier zouden eindigen, dat ze de mogelijkheden hadden gehad om er verandering in te brengen, maar dat ze ze allemaal hadden afgewezen; dat 'intussen' had betrekking op wat ze zelf gewild hadden, ze hadden zich vrijwillig verbannen uit het leven, en dat lichtpuntje zou blijven wat het was.

Het schoolhoofd bewaarde in haar verleden een drama in felle kleuren: ze was een paar dagen voor haar huwelijk in de steek gelaten door een jonge onderwijzer, een collega, die verdween en haar achterliet toen haar uitzet klaar was en de kaarten waren geschreven. Ze had nooit achter de ware oorzaak kunnen komen waarom ze zo onverwacht in de steek was gelaten door die wrede man. En omdat de gezusters goed op de hoogte waren van dat drama dat dertig jaar eerder had plaatsgehad, in de laatste tijd dat ze aan de Via Settignanese woonde, kon ze er weinig aan toevoegen.

'Je herinnert het je, niet?' zei ze, terwijl haar gebiedende stem zachter klonk, haar hoofd op en neer schommelde en ze Teresa aankeek op een moment van ontspanning, zodanig dat je wel goed kon aanvoelen dat ze haar gevoelens volkomen beheerste en dat ze in een oogwenk weer haar strenge manier van doen kon hervatten. Maar nee, nee, nu de beste dame eenmaal een voet had gezet op glibberig drijfzand wilde ze nog wel even blijven glijden.

'Helaas!' antwoordde Teresa.

'Mijn god!' voegde Carolina eraan toe.

'Hij is nu in Rome hoofd van een school.'

Daar lag de verklaring van zijn vlucht, die even gelegen kwam als tragisch was. Twee schoolhoofden op één kussen? Zou dat ooit kunnen? Ziet u twee Napoleons samenleven? Dat is iets monsterlijks, onmenselijks, krankzinnigs, waar je niet eens om kunt lachen; ze zouden niets eens de deksels van hun snuifdozen uit elkaar kunnen houden.

'Heb je hem niet meer teruggezien?' durfde Teresa te vragen terwijl de vertrekkende vluchteling terugkwam in haar herinnering.

'Ja, één keer, in Florence, vijf jaar geleden. Hij was hier een paar dagen vanwege de dood van zijn moeder. Ik kwam hem op straat tegen, hij is erg veranderd, bijna onherkenbaar, heeft helemaal wit haar. Het was mijn bloed dat maakte dat ik hem herkende, maar ik voelde dat het me helemaal naar het hoofd steeg en daarna weer naar beneden wegtrok.' Ze schudde met haar hele lichaam en stoof daarna onverwacht op: 'Maar ik liep hem met opgeheven hoofd voorbij.' Ze hief haar hoofd op, zoals Napoleon had gedaan toen het er slecht begon voor te staan.

'Maar nu... wat wil je...'

Teresa speelde met deze half verzwegen uiting vaag met het denkbeeld van een mogelijke, zij het late, verzoening.

'Maar hij is getrouwd!' brulde het schoolhoofd, terwijl ze weer haar strenge houding aannam en voor Teresa elke mogelijkheid afsneed om door te gaan. 'Hij is getrouwd,' articuleerde ze en ze opende mond en ogen zo dat haar woorden even zoveel cirkels werden die zich verwijdden terwijl ze van haar lippen kwamen en waarmee ze haar gesprekspartner aanviel en verslond: 'Acht kinderen, acht, acht, begrijp je?'

Van alle kanten van de kamer werd dat getal bevestigd: Acht! Acht! Acht!

Als Niobe er was geweest had ze geroepen: 'Op zijn gezondheid!' En als haar respect en ontzag voor de directrice haar het zwijgen hadden opgelegd, zou ze dat 'Op zijn gezondheid!' hebben gezegd met haar hoofd, met haar schouders, met haar armen, met haar handen, met een voet, geen directie had het haar kunnen verhinderen. Eenvoudige mensen hebben hun mond niet nodig om te spreken, en zij was heel verheugd over mensen die zich rijkelijk voortplanten.

'Acht kinderen!'

Teresa en Carolina keken verward en verbijsterd naar hun vriendin en wisselden met elkaar blikken zonder te weten wat ze daaraan konden toevoegen.

'Acht kinderen!'

Alle buikpijn die de wreedaard haar had bespaard met zijn schandelijke vlucht, was naar haar hoofd gestegen in de vorm van autoritair gedrag. Ook dat kan dienen als verklaring.

Met dit intermezzo op de violen, waarbij uiteindelijk de snaren knapten, kwamen ze aan bij het heden, hun reis naar Ancona, de achtenveertig tunnels: 'Arme Augusta! Ach! Ach!'

Het schoolhoofd herinnerde zich Augusta niet, want omdat die veel jonger was moest ze een kind zijn geweest in de tijd dat ze met de gezusters bevriend was, ze herinnerde zich haar niet en ze aarzelde niet om dat te verklaren. Ze vertelden over de dood van de stakker en over hun terugreis met de neef, totdat uiteindelijk alle blikken en glimlachjes van de drie vrouwen op hem gericht waren. Ze spraken op gedempte toon toen ze moesten bekennen dat een jongen van veertien, die fysiek zo krachtig was, de lagere school niet had afgemaakt en nauwelijks de derde klas had bezocht. En hier steeg het schoolhoofd boven alle hoogten uit, haar eigen duizelingwekkende hoogte en die van het nogal gênante geval. Ze liet de gezusters op gedempte toon, vol schaamte en verschrikt praten en manoeuvreerde daarbij met haar imposante hoofd en knikte uitvoerig, alsof zoveel schaamte en angst meer dan gerechtvaardigd waren, en zelfs verschuldigd; daarna wendde ze zich tot de schuldige met vluchtige glimlachjes die alle ondoorgrondelijke mysteries, alle geheimen van het gezag in zich hadden; en daarin kon de jongen alle oordelen, alle commentaren, alle verwijten lezen, en ook alle beloften; en op het laatst begon ze weer aan haar scala van lachjes die ze magistraal uitvoerde: breed, zuinig, brede die zuinig eindigden, zuinige die zich verbreedden, die ze liet vallen en weer opnam, en daarbij sloeg ze met een vuist op haar knieën en duwde ze haar schoorsteenpijp, teken van gezag, verder naar achteren, zodat de zusters bijna achterovervielen van verbazing.

Het schoolhoofd wilde weten hoe hij heette.

'Remo, mooi, dat bevalt me, uitstekend, liever Remus dan Romulus die zijn broer heeft vermoord, al heeft hij Rome gesticht; hij had Rome moeten stichten zonder ook maar iemand te doden, dat was beter geweest. Vinden jullie niet?' besloot het schoolhoofd.

De zusters zeiden 'ja, ja' en zaten te luisteren, want geschiedenis was natuurlijk niet hun sterke punt, en wat Remo aanging, wij weten intussen wat hij had bereikt op wetenschappelijk gebied. Daarna zei ze, als een kampioen die het strijdperk betreedt en, zich bewust van zijn kracht en moed, soepel en als vanzelfsprekend met de ledematen zwaait waarmee hij het wonder zal verrichten ten overstaan van de verbaasde menigte: 'Ach zo, jongeman, jij hebt op je veertiende nog geen diploma van de lagere school en je schaamt je niet? En je hebt nog de moed om voor mij te verschijnen?' Ze lachte, het schoolhoofd lachte. Het meest verbazingwekkend was dat Remo bij dat artillerievuur onaangedaan bleef, met een glimlachje op zijn lippen zoals toen hij net in Santa Maria was aangekomen, waar hij om zich heen keek en alleen maar hemden en directoires zag. Intelligent als hij was, had hij toen begrepen met welke species hij te maken had, en nu begreep hij met welk genus.

De lach van het schoolhoofd, die een heel andere betekenis had dan haar vriendinnen zich konden voorstellen, stierf weg in slangachtige krullen. Om datgene wat hun zoveel vrees aanjoeg en zoveel schaamte, moest zij alleen maar lachen, en van harte lachen omdat het een alledaagse zaak was voor het bestuur. Remo een lagereschooldiploma geven was voor haar zoiets als voor een olifant het opeten van een suikerklontje.

Oktober vorig jaar had ze zo'n diploma gegeven aan een

jongeman van negentien, en ook aan anderen van vierentwintig, zesentwintig, twintig, achttien; zoiets gebeurde geregeld, en een paar jaar eerder had ze er een uitgereikt aan een oude man van drieënzeventig: 'Drieënzeventig,' herhaalde ze zodat ze dat getal goed zouden horen en zich niet meer hoefden te schamen: een nauwgezette, formalistische heer wilde hem niet aannemen als portier. Bij het schriftelijke examen moest de arme man samen met de andere leerlingen een opstel schrijven over het volgende onderwerp: 'Kleine Piero maakte toen hij met zijn mama aan het wandelen was een ontroerend schouwspel mee', en hij had zich daar maar al te goed van gekweten. Maar voor het mondelinge examen had het schoolhoofd haar eigen plan dat ze zorgvuldig op haar eigen hoge niveau hield en waar ze heel trots op was. Toen de kandidaat voor de commissie verscheen en wat moeizaam liep omdat hij een beetje aan jicht leed, keken de commissieleden elkaar verbaasd aan omdat ze niet wisten waarover ze hem moesten overhoren en waar ze moesten beginnen. 'Geschiedenis, geschiedenis,' stelde de directrice voor, fris als water dat uit een bron spoot: 'Geschiedenis,' herhaalde ze nu, alsof ze nog voor de commissie stond. Het was een daverend succes. De goede man had achter de koets gelopen die Canapone vervoerde toen hij op 27 april 1859 Florence verliet,* hij was een van de jongens geweest die langs de hele Via Bolognese liepen te roepen: 'Weg met hem! Eruit! Hij moet weg! Eruit!' En Canapone antwoordde: 'Zien jullie niet dat ik wegga? Wat doe ik? Wat denken jullie? Kijk maar wat ik doe. Hier ben ik, en ik ga weg, ik ga weg, kijk, jullie hebben nu je zin!' En zij zaten hem dansend achterna en

* Groothertog Leopoldo II, de laatste soevereine vorst van Toscane, werd die dag uit Florence verjaagd. De bijnaam Canapone had hij te danken aan zijn blonde haar dat deed denken aan hennep: canapa. (*Vertaler*)

sprongen achter op de koets: 'Weg! Weg!' Terwijl reactionaire vrouwen hem vanuit de ramen huilend groetten: 'Arme Leopoldo! Arme papa! Tot gauw! Tot gauw!' 'Tot gauw, tot gauw...' antwoordde de groothertog terwijl hij hen groette, maar toen hij om zich heen keek verstrakte zijn mond: 'Dat kan, maar ik geloof het niet... Het is mogelijk, maar jullie zien me niet terug...' Toen de man ook nog zei dat hij Vittorio Emanuele had gekend en Giuseppe Garibaldi de hand had geschud, sprongen de commissieleden op en gaven hem het diploma cum laude.

Hier zweeg het schoolhoofd, ze keek in de verte, verder en verder... niet naar het achterste deel van de kamer, haar blik ging door alle muren en wie weet waar die ophield. En werkelijk, terwijl ze haar tanden terugtrok, niet helemaal natuurlijk, want haar mond kon ze niet allemaal bevatten, en haar ogen half sloot, keek ze in de verte, ver weg... ze was niet meer de directrice van een lagere school, het was niet duidelijk waar haar directoraat begon en waar het zou eindigen. Daarna trommelde ze met haar vingers op haar dij en begon ze te rekenen: 'April, mei, juni... er is nog wat tijd over' – en ze noemde een naam – 'Calliope, Calliope Bonciani: herinneren jullie je Calliope...?'

De stakkers herinnerden zich ook Calliope niet, maar ze zeiden 'ja, ja' en deden alsof ze zich haar vaag herinnerden.

'Ze kwam altijd met haar moeder naar Il Borghetto, al een paar jaar is ze met pensioen en haar moeder leeft nog: tweeënnegentig!' zei het schoolhoofd nadrukkelijk, want ze noemde in gesprekken altijd getallen alsof ze een uitzonderlijke waarde hadden: 'Tweeënnegentig!' riep ze met nog meer nadruk.

Jammer dat Niobe met Tonina bij de boerderij was, want niemand zou haar hebben verhinderd om op dat getal te reageren met: 'Wat een ouwe rakker!' Omdat het leven zo mooi was kon ze zich niet inhouden een kreet van genoegen en solidariteit te slaken voor iemand die er onbeschaamd nog de laatste druppel van opzoog.

Calliope was een andere bloem, of liever, de mooiste uit de hele bos. De reden waarom ze ongetrouwd was gebleven strekte haar zeer tot eer. Ze had haar verloofde verloren door de cholera van 1884 in Napels, die was uitgebroken toen hij in die stad in militaire dienst was. Omdat hij onbaatzuchtig hulp had geboden tijdens die tragische epidemie, was hij zelf het slachtoffer geworden van de plicht van barmhartigheid. Calliope was mooi en jong, maar ze dacht er niet over haar hart te schenken aan een andere man, en zoals zoveel mooie, romantische schepsels uit de vorige eeuw bleef ze hem ook na zijn dood trouw. Op haar commode stond een mooi portret van de jongeman in zijn bersagliere-uniform, met zijn hoed vol pluimen die tot aan zijn schouders kwamen. Daarvoor stonden altijd een paar bloemen en een lichtje.

'Tweeënnegentig!' Het schoolhoofd herhaalde nog eens de leeftijd van Calliope's moeder. 'Als je haar zag lopen! Een vogeltje, een peperkorreltje! Ze hebben het goed, maar jullie zullen wel begrijpen, het is altijd gemakkelijk een kleinigheid te verdienen, en trouwens, ze heeft niets te doen. Wat een onderwijzeres! Altijd bij de jongens, en in de hogere klassen; ze deed net als ik de vijfde, net als ik.'

Al was ze geen schoolhoofd geworden, Calliope had al haar achting. Ze voegde eraan toe dat de ware onderwijzeressen zich onderscheiden bij de jongens en in de hoogste klassen: in de vijfde, zoals zij en Calliope.

Carolina waagde het met bevende stem te vragen: 'Zijn jongens beter dan meisjes?'

Het schoolhoofd rolde bijna met haar ogen. Ze dacht er net zo over als Niobe. Al hadden mannen zich ook tegenover haar slecht gedragen, ze waren altijd beter dan de vrouwen. Ze zei dat je van jongens altijd wist wat ze wilden, en wanneer ze een vergissing begingen wist je waarom ze dat deden; ze zijn levendig, rumoerig, onstuimig, vaak echte duivels, maar openlijk, je kunt gemakkelijk hun gedachten peilen, je kent hun gevoelens en als je weet hoe je ze moet aanpakken volstaat dat om ze te laten doen wat je wilt. Meisjes zijn rustiger, kalmer, beheerster, gehoorzamer, maar ze houden altijd iets achter en ze kunnen je onverwacht een loer draaien; je weet nooit wat er in vrouwen omgaat, je denkt dat je ze goed kent en uiteindelijk merk je dat je niets van ze weet.

Arme vrouwen, nooit zal een vrouw jullie sekse verdedigen.

'Dus april, mei, juni... elke ochtend twee uur.' Zich tot Remo wendend, met haar hoofd achterover en een opgeheven hand, voegde ze er op ernstige toon aan toe: 'Maar je moet hard werken, je moet de verloren tijd inhalen, het euvel herstellen.'

Nu het probleem zo simpel was opgelost en ze bevrijd waren van de last die vele dagen op hen gedrukt had, sprongen Teresa en Carolina tegelijk op en haastten zich naar de tafel in het halfdonker waarop de verfrissingen waren klaargezet. Terwijl de gezusters naar het tafeltje gingen haalde het schoolhoofd haar bril uit haar jasje waar die tussen gestoken was, want toen haar een glas orangeade werd geserveerd wilde ze goed zien wat ze te slikken kreeg; daarna kwam er Vino Santo uit 1907 (het was 1919) met koekjes en toastjes.

De directrice liet merken dat ze deze attentie zeer op prijs stelde en nam met uitbundige en gevarieerde lachjes de Vino Santo en de versnaperingen aan, en toen ze eenmaal gezien had wat het was stak ze snel weer haar bril in haar jasje en viel aan zonder te kijken. Toen daarna het moment aanbrak om 'nee, dank je' te zeggen maakte ze met haar armen afwerende gebaren en trok ze haar hoofd terug: 'Nee, nee, nee, ik kan niet meer.' Op dat moment kwam Remo tussenbeide om haar afwijzing en onwil te overwinnen. Hij pakte doodgemoedereerd een presenteerblad van de tafel en hield dat onbeschroomd het schoolhoofd voor, dat zich naar achteren liet zakken op de sofa en haar befaamde kachelpijp nog wat verder achterover duwde: ze zette grote ogen op, opende haar mond wijd en toonde al haar tanden als om de vermetele jongen te verslinden. Maar hij was nu niet meer bang dat ze hem zou bijten, hij kende de aard van de oude merries en hield stand. 'Ach zo, jij durft een toastje aan te bieden aan het schoolhoofd dat al zoveel keer nee heeft gezegd tegen je tantes? Heb je zoveel lef?' Daarna veranderde haar beledigde gelaatsuitdrukking en leek het alsof ze de jongen die haar beledigd had met haar wijd open mond wilde verslinden, alsof ze haar tanden wilde uitspuwen om een glimlach te vormen – van blijdschap kon ze ze niet binnenhouden –, en gaf ze toe en verzwolg het toastje. Ja, ja, van hem nam ze nog een toastje aan, van haar vriendinnen niet, niets van hen, maar van hem nam ze het aan en sloeg het naar binnen. Dit spelletje werd een paar maal herhaald en telkens besloot ze te capituleren nadat ze gedaan had alsof ze zich steeds meer beledigd voelde; en ze liet zich ook nog een glaasje inschenken na tegen haar vriendinnen te hebben gezegd dat ze er niet tegen kon. En die waren niet jaloers maar trots vanwege het succes van hun neef. Nog een klein glaasje van de toekomstige kandidaat voor een lagereschooldiploma. En nog een toastje. Het mannetje had het hart van het schoolhoofd gestolen. En Remo had niets verlegens of smekends toen hij haar dat aanbood, welnee, hij presenteerde het haar zo zelfverzekerd alsof hij het vanzelfsprekend vond, al wist hij dat hij geduldig moest zijn en onverstoorbaar moest blijven bij het tafereel van haar zoveelste verbazing die voorafging aan haar acceptatie.

Een van die toneelstukjes werd onderbroken doordat Niobe met Tonina verscheen in de deur van de salon. Het gezicht van Niobe klaarde op bij al die vrolijkheid, het was duidelijk dat alles opperbest ging, de directrice was niet voor niets naar Santa Maria gekomen, en Tonina riep in verwarring en opgewonden: 'Mevrouw, mevrouw, kijk eens, als u dit ziet...' Ze had haar armen vol, en ook Niobe had haar armen vol: bloemen, fruit, krulsla, krulandijvie, witlof, kropsla, alles waarvan de directrice hield (en ook wat haar niet zou bevallen maar waar Tonina waarschijnlijk wel van hield), zaden en planten voor het moestuintje van het schoolhoofd, en ook takken, jawel, want ze hield ook zo van bloesemtakken, die ze in haar kamer op de commode zette, terwijl ze bloemen in de eetsalon had. De listige Niobe had Tonina al deze geheimen ontfutseld en haar overladen met alles wat haar hoogverheven meesteres kon waarderen.

Natuurlijk was dit nog maar een voorproefje, want wanneer het schoolhoofd thuiskwam zou ze dit soort dingen aantreffen en waarschijnlijk nog veel meer, het hele voorjaar en de hele zomer zou ze genoeg hebben om haar mond zoet en fris te houden. Voor de tweede keer trok ze haar bril uit haar jasje en zette die half op haar monumentale neus: ze wilde zien wat ze mee naar huis zou nemen en tegelijk begon ze uiting te geven aan haar opperste verbazing en te protesteren, en Tonina herhaalde: 'Ik heb er niet om gevraagd, maar zij moest en zou het me geven.'

Het hele gezelschap bleef op weg naar buiten stilstaan in de werkkamer, die bijna onherkenbaar was, zozeer was hij opgeruimd, met de stoffen netjes opgestapeld of op de tafels geordend, en de borduurramen met het gezicht naar de muur.

Het schoolhoofd wilde iets zien: 'Iedereen weet dat jullie gouden handen hebben. Het is algemeen bekend dat jullie zo knap zijn...' Teresa liet haar een paar hemden zien, broekjes en combinations voor de uitzet van een gravinnetje dat in april zou trouwen, en daarna die van een heel knappe barones die niet meer jong was.

Terwijl ze de uitzet van het gravinnetje bewonderde, raakte de directrice in extase van de verfijnde afwerking, en toen ze bij de barones kwam kon ze zich niet meer inhouden en barstte ze uit in verbazing over het formaat van die hemden en die directoires, waarop ze eerder niet had gelet. Was dat het ondergoed dat vrouwen droegen?

Teresa, die tot op dat moment bescheiden en onderdanig was gebleven, glimlachte bij dat kledingstuk zonder te antwoorden, en ging er zelfs niet over in discussie. Nu was zij de directrice, en met een air van hoffelijke en toegeeflijke zelfgenoegzaamheid liet ze de ander haar klachten uiten en nam ze ruimhartig revanche.

Maar Carolina, die naïever was, bracht in het midden: 'En ze moeten steeds kleiner, ze worden almaar korter en kleiner gemaakt, begrijp je, met de kleren die ze nu dragen moet wat ze eronder hebben tot niets worden gereduceerd.'

'Ah! Almaar korter? Mooi zo! Is dat het ondergoed van de moderne vrouwen? Mooi is dat! Schitterend! Hoe schaamteloos. Belachelijk en obsceen.'

Ze lachte satanisch terwijl ze opmerkte dat de directoires van de barones veel breder dan lang waren. Natuurlijk moest zijzelf onder haar japon, die wel een priesterkleed leek, een onderbroek hebben als van een monnik, van dertig jaar geleden; die uit haar eigen uitzet, die intact was gebleven door het fatale feit dat ze in de steek was gelaten, moesten wel reiken tot haar enkels, met geborduurde versieringen.

Op dat moment wilde ze haar vriendinnen deze kwelling verder besparen en legde ze de hele schuld bij de moderne vrouwen en de idioten die de mode creëerden.

'Het is niet jullie schuld, arme zielen, absoluut niet, dat weet ik, jullie doen er goed aan ze zo te maken, jullie moeten ze maken, het is jullie vak natuurlijk, maar als ik zo'n echtgenoot was en mijn vrouw zou voor mij verschijnen in dergelijke kleren, zou ik een stok nemen...' En ze maakte een gebaar alsof ze iemand tot bloedens toe zou slaan.

Ze was geen helderziende, het schoolhoofd, er kwam in zulke omstandigheden waarschijnlijk geen stok aan te pas; want ze was op dat moment vergeten dat ze met haar lange directoire met haar mond vol tanden stond.

Teresa had om op een ander onderwerp over te gaan een wenk gegeven aan Carolina, en die liep naar een kast en haalde een kazuifel tevoorschijn die bijna af was en waarover haar vriendin verrukt was. Daarna liet zij haar een omslagdoek zien waarop ze een dessin aan het borduren was naar een Chinees origineel en waaraan ze tussendoor werkte, want al werd voor de kazuifel goed betaald, hij bracht niet op wat het ontzaglijke werk waard was dat ze eraan had. Het schoolhoofd bleek nieuwsgierig naar praktische zaken.

'Hoeveel betalen ze voor zo'n werk?'

'Ik heb drieduizend gevraagd en ze hebben nog niet geantwoord.'

'En hoeveel tijd heb je nodig om het uit te voeren?'

'Drie maanden zonder onderbreking, maar zoals ik het doe... minstens een jaar.'

Toen ze bij de deur was om de eerste trede af te gaan, draaide ze zich om naar Remo en stak vermanend een hand op: 'En als je een vrouw trouwt die zo'n kort hemd en zo'n kort broekje draagt, stuur haar dan weg, of pak een stok.'

Remo glimlachte. Arme vrouw, het was haar laatste vergissing die dag.

Deze uitzonderlijke dag werd bekroond door een buitengewone beslissing: omdat Remo meteen moest beginnen met de lessen bij juffrouw Calliope, werd er besloten een fiets voor hem te kopen zodat hij er snel naartoe kon, en dus zou die onmisbaar zijn.

Ze besloten alle drie de volgende ochtend naar Florence te gaan, iets waar het dorp van ondersteboven was alsof het ging om schildwachten die hun post in de steek lieten; waarbij Remo had verzekerd dat hij verstand had van fietsen en wist welk merk de voorkeur genoot.

En toen gebeurde er iets vrij merkwaardigs: Remo kende de stad uitstekend, en omdat hij er nooit geweest had mogen zijn aangezien niemand erover gedacht had hem daarheen mee te nemen, deed hij zijn uiterste best om dat niet te laten merken. Zijn tantes leidden hem naar wijken waarvan ze dachten dat ze geschikt waren, maar hij wist waar ze beter heen konden gaan om de fiets te vinden die hij wilde; op het laatst kreeg hij het zonder dat ze het merkten voor elkaar ze precies daarheen te brengen.

Daarna gingen ze naar Bottegone voor chocolade met brioches. Remo had zijn mooie fiets, die nog niet voorzien was van het sacramentele belastingplaatje, aan de hand en keek er steeds verliefd naar. En toen de tantes de tram naar Settignano namen, ging hij op zijn fiets zitten, ook al was die nog niet voorzien van een plaatje, en reed ernaast, haalde hem in, liet hem voorbijrijden en haalde hem daarna opnieuw in; tot grote en slecht verborgen vreugde van zijn tantes, die hem lenig en handig tussen de mensen door zagen rijden en blij waren dat ze met dat vriendelijke escorte reisden. Wanneer de tram stopte reed hij er tijdens het wachten rondjes omheen of stopte hij en hield hij een hand tegen het rijtuig, vlak achter de schouders van Carolina, die bij dat denkbeeldige contact kronkelde van vreugde, en om dat niet te laten merken zei dat ze sidderde van angst voor een bekeuring.

Maar Remo's scherpe ogen konden ook het fietsen zonder belastingplaatje aan.

Geleidelijk had Teresa zonder dat ze het zelf in de gaten had de gewoonte opgevat, als uit een onbedwingbaar verlangen, haar neef aan de mensen voor te stellen, en in het bijzonder aan haar illustere cliëntèle, en daarmee kreeg ze van iedereen bijval en instemming, zowel vanwege haar nobele werk als omdat Remo een goede indruk maakte; en in dat grijze flanellen pak was hij werkelijk elegant; zijn haar was goed verzorgd en glanzend en zelfs bij opschudding en rumoer bleef hij kalm, hij gedroeg zich altijd goed en kon altijd, op elk uur, voor de dag komen.

Ze vertelde wat een ramp de arme jongen was overkomen en gaf zichzelf er de schuld van dat hij niet in het zwart gekleed ging vanwege de rouw om zijn moeder.

De dames maakten complimenten, zowel voor de edelmoedigheid van de tantes als voor de veelbelovende jongeman, en de kwezels voor de goede daad waarmee de Heer hen in het hiernamaals zou belonen, ook al keken ze niet eens naar hem.

Wanneer haar neef haar lang bleef aankijken, moest ze haar blik afwenden als om een vraag te ontwijken; maar Carolina, die werd overvallen door een onweerstaanbare impuls, ging hem dan uiteindelijk hevig omhelzen en zoenen, iets wat haar onthutste, al begreep ze niet waarom: ze werd duizelig, haar bloed werd beurtelings warm en koud. We moeten wel bedenken dat deze arme vijftigjarige oude vrijster voor het eerst een man zoende, al was hij nog een puber, want tot dan toe had ze alleen jongetjes gekust die veel jonger waren dan hij, en dat uit haar zoen alle onschuld en vriendelijkheid van haar maagdelijke staat spraken, en ze van afschuw vervuld zou zijn geweest als iemand haar had gewezen op de verre, onduidelijke oorsprong van haar opwinding.

Teresa verborg niet haar ergernis over dat telkens herhaalde gebaar, dat ze onverklaarbaar overdreven vond. Maar het leek alsof Remo er alles aan deed om met haar een tête-à-tête te hebben in het halfdonker van de trap. Hij bleef aarzelen in dat donker wanneer zij langs zou komen, en hield haar op afstand in de gaten totdat hij haar een keer had laten voelen dat zijn ogen in dat duister op haar gericht waren en zij hem in haar armen nam en lang en hevig kuste. De jongen liet haar zijn mond alsof die geen deel van hem was. Na die zoen sloot Teresa zich in de grootste verwarring op in haar kamer en sinds die dag gaf ze nooit meer toe aan dat verlangen dat ze had moeten verbergen. Ze vroeg zich zelfs af of ze over die daad niet had moeten praten in de biecht, maar sprak er nooit over en ergerde zich sindsdien ook niet meer wanneer Carolina toegaf aan de aandrang van haar hart en Remo zoende in ieders bijzijn.

Maar Remo, die zich plaats en tijd herinnerde, kreeg het met verrassende handigheid voor elkaar dat hij zijn tante in haar eentje ontmoette op het donkerste stuk van de trap, wat voor haar eerder neerkwam op een verwijt dan op een daad van liefde.

Zo gingen in het huis van de tantes de winter en het voorjaar voorbij.

Niobe had intussen bepaalde klachten gehoord van de buren. Er kwam een andere handigheid van Remo aan het licht: hij gebruikte zijn vuisten met buitengewone kracht en vaardigheid. En wat dit feit nog uitzonderlijker maakte was dat hij, terwijl zijn tegenstander uitzinnig raakte van woede en razernij, niet alleen kalm en onverschillig bleef, in een elegante pose, maar glimlachte alsof hij hem had geaaid of zuurtjes had aangeboden. En hoe harder de klap was aangekomen, des te meer glimlachte hij vreedzaam, wat de woede van de tegenstander nog verergerde, en tegelijk die van diens familie, die het ging merken.

Moeders uit de buurt, grootmoeders, zusters, tantes praatten er met Niobe over voordat ze erover spraken met haar meesteressen, voor wie ze beducht waren, ze gingen vanuit het veld naar de keukendeur zonder dat die het merkten.

'Hij heeft zóó'n oog.'

'Zijn wang is helemaal opgezet.'

'Hij zit onder de blauwe plekken.'

'Hij heeft hem afgetuigd.'

'Hij kan zijn arm niet bewegen.'

'Van al die klappen die hij hem heeft gegeven is hij gaan hoesten, de arme jongen, twee jaar geleden heeft hij pleuritis gehad.'

Want de zoon van Augusta, of liever, de jongeheer, om hem te noemen zoals ze hem moesten noemen, of verondersteld werden hem te noemen – maar ze zeiden het boosaardig, spottend, woedend: de jongeheer, en sommigen voegden daaraan toe: de jonge hertog, de erfgenaam –, nam ze allemaal flink te grazen.

Totdat Remo, die altijd bedaard en punctueel om etenstijd verscheen, op een dag kwam aanzetten met een reusachtig blauw oog, als onomstotelijk bewijs dat hijzelf in grote stijl te grazen was genomen. Maar hij verdroeg het zo nonchalant en zo goed dat het eigenlijk leek alsof hij het niet had en je hem er met een vraag opmerkzaam op moest maken.

PALLE

‘Palle! Palle! Palle! Hoor eens, Palle. Kom, Palle.’

Het was in de omgeving van Santa Maria niet moeilijk om heel nadrukkelijk en min of meer vragend die naam te horen uitspreken, die niet een officieel of spraakzaam personage toebehoorde en ook niet iemand die een dermate belangrijke positie bekleedde dat hij van zoveel belangstelling kon genieten. Het mooiste is dat het personage in kwestie op die belangstelling niet erg gretig reageerde en nog minder vragend; meestal verwaardigde hij zich niet om antwoord te geven en draaide zich zelfs niet om, en je moest achter hem aan hollen om tegen hem te kunnen spreken: ‘Verdorie, Palle! Verdomde Palle!’

Palle is zo’n bijnaam die het volk gebruikt, zowel in de stad als op het platteland, om personen kleurrijk, pittoresk te maken: ze geven hun een naam die begrijpelijker is dan hun doopnaam; en wel met goedvinden van de herdoopte, die wel zou uitkijken om zich erdoor beledigd te voelen aangezien hijzelf niet weet wanneer die hem gegeven is en door wie; eigenlijk is die hem helemaal niet gegeven. Zijn echte naam werd hem wel gegeven, en iedereen weet wanneer en door wie, en die naam blijft aan hem hangen als een etiket dat steeds meer verschoten en versleten raakt en van een pot of fles is gevallen en maar niet wil blijven zitten en er af en toe haastig met wat speeksel weer aan wordt bevestigd. Maar zijn bijnaam heeft hijzelf op een bepaald, niet te preciseren moment geboren laten worden, die is uit hem ontstaan als de bloem uit een plant en is geworteld in zijn diepste wezen; en ook al betekent die naam in ons geval niets, hij betekent nog altijd veel meer dan zijn echte naam, en hij komt er nooit van af; hij kan zich er niet door gekrenkt voelen, ook niet als die kleinerend is of hem te veel te kijk zet, wat vaak het geval is, als zo'n naam de aandacht vestigt op gebreken, tekortkomingen of slechte gewoonten. Als die bij hem in de smaak valt, zal hij de eerste er sneller door vervangen dan als hij de dingen op hun beloop laat. Het is een gewoonte die bij het volk niet getuigt van een gebrek aan medeleven, maar eerder van grotere moed ten overstaan van het leven, een geringere dosis hypocrisie die de werkelijkheid een ruimer burgerrecht verleent.

Palle was een jongen met een gedrongen gestalte, klein, zou je kunnen zeggen, maar zo breed en rond van schouders, zo massief, dat hij er toch iets imposants door kreeg. Hij had brede handen en korte, enigszins kromme benen, geen X-benen, die een teken van zwakte zijn, maar naar buiten gebogen, zulke die je stevig noemt, heel sterk; hij bewoog zich nonchalant, schommelend, waarbij hij stevig op zijn voeten stond.

Wanneer hij zijn handen niet hoefde te gebruiken hield hij ze in zijn zakken. Hij droeg een pet met een over zijn voorhoofd getrokken klep en er gebeurde niet vaak iets waardoor hij die afnam. Het zou niemand lukken hem een hoed te laten dragen, want hij vond dat die op zijn hoofd belachelijk zou staan. Onder die klep zaten twee lichte, heel lichte ogen, listig en goedaardig; en geheel verborgen onder zijn pet overvloedig blond haar, dat hij kennelijk haastig verzorgde of helemaal vergat, zodat het dof was en een beetje droog. Op zijn bleke gezicht, dat er baardeloos uitzag, al was hij twintig, lichtten vaak dunne, zachte gouden strootjes op rond een glimlach die net als zijn ogen tegelijk goed en sluw was. Maar bovenal gaf zijn uiterlijk blijk van lichaamskracht en mannelijke rust, al leek hij sloom door zijn schommelende manier van lopen, die zijn kracht en energie verborg. Als iemand hem Belisario had genoemd, zijn echte naam, had hij vast geen antwoord gegeven of had het grote moeite gekost hem eraan te herinneren.

'Palle! Palle! Palle! Hoor eens, Palle. Kom, Palle.'

Vooral in de buurt van het huis van de Materassi's kon je deze zinnetjes en deze naam horen; iemand stak dan zijn hoofd uit een deur, verscheen aan een raam, zat de jongen twee of drie stappen achterna buiten het hek, op straat, en wel zo snel dat je zou denken dat degene naar wie geroepen werd of naar wie gevraagd was wel moest gaan rennen, maar die dacht daar niet over, hij rende niet en gaf ook geen antwoord op het geroep, maar stopte, boog zijn schouders naar voren om te luisteren, waarbij het leek alsof hij al wist wat men tegen hem ging of wilde zeggen, en weerstond met zijn solide gestalte de woede en het nerveuze gedrag van de vrouwen.

Niet lang nadat Remo acht jaar eerder, als jongen, in Santa Maria was aangekomen, kwam hij op een dag thuis met een blauw oog, waarbij hij zich er wel voor hoedde ook nog een groot aantal blauwe plekken te laten zien; en al hadden zijn tantes hem nadrukkelijk verhoord, niemand wist dat hij zo toegetakeld was door de korte, brede handen van Palle, die in die tijd ook veertien was. Ook Palles moeder kon absoluut niet weten waar bepaalde blauwe plekken vandaan kwamen waarmee haar zoon thuiskwam, waarbij hij er alleen voor zorgde ze zo veel mogelijk verborgen te houden; want geloof maar niet dat hij schoon en fris thuiskwam nadat hijzelf klappen had uitgedeeld. Maar alsof de twee jongens een plechtig verbond hadden gesloten, zorgden hun sterke karakters ervoor dat beiden de oorzaken en gevolgen geheimhielden van een enorme vechtpartij, waarvan niemand getuige was geweest.

Zoals we al zeiden ontmoette Remo als nieuweling in zijn omgeving die zo natuurlijke uitingen van vijandigheid en antipathie tegenover degene die niet berust in een ondergeschikte positie maar zich wil doen gelden tegenover de anderen, een voor een, en had hij om futiele redenen onenigheid met al zijn leeftijdgenoten en hun allen klappen uitgedeeld en ze van allen gekregen. De bom stond op het punt van barsten. Niobe was niet in staat de vijandigheid in te dammen die zijn aanwezigheid wekte, en de tantes waren er helemaal niet van op de hoogte omdat hun neef zich thuis in hun aanwezigheid zo correct en onbevangen gedroeg als een welgemanierde volwassene; daar moet aan worden toegevoegd dat ze hun hoofden zouden hebben opgestoken als twee slangen als iemand over hem was komen klagen of kwaad over hem had gesproken.

Maar Palle loerde op de indringer, hij wachtte op een gelegenheid om hem te laten voelen hoe de vuisten in Santa Maria waren; hij had het gevoel dat de eer van het dorp afhing van de zijne en toen de gelegenheid zich voordeed liet hij die niet voorbijgaan: de lenige, elegante Remo en zijn sterke korte tegenstander vielen elkaar verwoed aan, en voor het eerst was Remo degene die de klappen kreeg. Maar omdat hun tactiek zonder dat ze dat van elkaar wisten bestond uit zwijgen, ontstond de volgende dag bij beiden tegelijk de behoefte elkaar terug te zien en zochten ze elkaar op, waarbij ze allebei eerst nog somber en dreigend keken en geen woord zeiden, somber als een regenwolk die op het punt staat in een enorme bui los te barsten; maar toen de bui over was, toen het onweer voorbij was en die duisternis en het in de hemel achtergebleven gerommel waren verdwenen, brak bij beiden als een regenboog een lach van oprechte sympathie door. De twee vechters voelden zich tot elkaar aangetrokken. Uit hun krachtmeting was achting en sympathie ontstaan, en daardoor een verstandhouding en vriendschap die een einde maakten aan alle rivaliteit, alle wrok.

Van die dag af zochten ze elkaar steeds op en hadden ze geen behoefte aan het gezelschap van de anderen, dat ze juist met opzet vermeden, omdat ze genoeg hadden aan elkaar en dat openlijk lieten merken.

We moeten er meteen bij zeggen dat de tantes niet ingenomen waren met een dergelijke voorkeur, integendeel. Palle was niet een van hun huurders en behoorde tot de behoeftige klasse; hij woonde niet ver weg bij zijn moeder in een heel armoedig huis; ze hadden alleen een kamer gelijkvloers met een berghok dat als keuken diende en die woning was haar gegeven als een aalmoes. Zijn moeder was weduwe van een voerman die aan longontsteking gestorven was, ze deed de was bij het Istituto Umberto I waar achterlijke, zwakzinnige, onnozele en gekke kinderen werden opgevoed; en ze gaven haar behalve een karige beloning een middagmaal. 's Avonds ging ze, wanneer ze thuiskwam, soep maken voor zichzelf en haar zoon en een deel ervan liet ze voor hem achter in een kleiner pannetje, voor de volgende dag, wanneer zij uit wassen was. Van het Instituut kreeg ze oud brood, stukken waarvan ze soep maakte, etensresten die de nonnen haar cadeau deden, fruit dat niet erg goed meer was, groenteschillen.

Mager en uitgedroogd als ze was, liet ze bij het lopen de pezen van haar hele lichaam zien en zag ze eruit als een oud trekpaard waarvan de ledematen door het harde werken alleen nog maar uit hout en touw bestaan.

Palle hield van zijn moeder, hij aanbad haar. Als ze hem had gevraagd om te sterven zou hij geen moment hebben geaarzeld, zou hij haar ook niet hebben gevraagd waarom en had hij het zichzelf ook niet afgevraagd; als ze hem in het bijzijn van iedereen in zijn gezicht zou slaan, zou hij niet proberen haar te ontwijken en ook geen teken van opstandigheid tonen. Hij luisterde met de eerbied en het ontzag van de asceet naar de weinige woorden die uit de mond van die ruwe, ongeletterde vrouw kwamen.

Zijn moeder uitte nooit een vermaning, verwijt of raadgeving tegen haar zoon, ze nam hem niets kwalijk; deels vanwege zijn goedheid, en deels vanwege die van haarzelf; en nooit voelde ze aandrang tot tederheid, tot een liefkozing, een kus, een compliment, een lieve blik: ze hield van hem met een kracht waarvan zwijgen de sterkste uiting was. Zonder hem te beoordelen vond ze hem volmaakt, niet in staat tot boosaardigheid of onrecht, tot kwaad of leugen, ze zou woest zijn geworden wanneer hij werd beledigd en hem hebben verdedigd.

Palle ging 's avonds vaak met zijn handen in zijn zakken en met zijn hoofd heen en weer zwaaiend naar het hek van het Instituut om haar op te wachten wanneer ze van haar werk kwam. Als ze een takkenbos te dragen had nam hij die van haar over en zonder dat ze elkaar groetten of een woord tegen elkaar zeiden ging hij naast haar lopen, keek naar de grond en liet zijn lichaam schommelen zoals iemand die iets zoekt, terwijl zijn moeder met haar hoofd vooruit vanuit haar heupen vooruitkwam als een oud en vermoeid paard. Thuis aangekomen stak ze het vuur aan terwijl hij aan het tafeltje bleef zitten dat tegen de muur stond, en met zijn pet op zijn hoofd al haar handelingen volgde, opstond om haar iets aan te geven zonder dat zij het hem had gevraagd en zonder het minste woord van dank; ze wisselden eerder enkele lettergrepen uit dan woorden, of woorden waaraan ze gewend waren, totdat hij op het juiste moment de twee borden, de lepel en het glas op tafel zette, het brood uit de kast tevoorschijn haalde, de fles vulde aan het fonteintje en ze tegenover elkaar gingen zitten en samen aten. Bij mooi weer ging Palle nog wat naar buiten terwijl zijn moeder alles op zijn plaats zette, en in de winter gingen ze meteen slapen, ze kleedden zich uit naast de twee witte bedjes waartussenin een ruimte was om ze te kunnen opmaken; ze kleedden zich uit aan de zijkanten vlak tegen de muur en ze verheugden zich op de diepe slaap der rechtvaardigen, de twee arme zielen; ze volvoerden de daad van het zich te slapen leggen met de eenvoud en onschuld waartoe alleen engelen en dieren in staat zijn.

Overdag doolde Palle rond in de omgeving zonder vrienden te maken, zonder met anderen te spreken, en keek hij zonder afgunst hoe de anderen speelden, zonder zich onder hen te mengen; de armoede had gemaakt dat hij verstandelijk zijn leeftijd voor was en tussen zijn welgestelde leeftijdgenoten, die zich de luxe konden veroorloven lang kind te blijven, was hij een vroegrijpe man. Je zag hem, als een haasje dat uit een haag tevoorschijn komt, in de hoofdstraat verschijnen, op de hoek van het straatje dat naar zijn huis leidde, en weer verdwijnen op dezelfde wijze als hij gekomen was, zonder dat je tijd had het te merken. Hij ging slecht gekleed, meestal in afdankertjes, met jasjes die te groot waren of zo goed mogelijk aangepast aan zijn lengte; en hij droeg grove schoenen met zolen vol gaten. Af en toe ging hij naar huis, op onregelmatige tijden, opende de kast, sneed een stuk brood af, goot er een paar druppels olie en azijn overheen, strooide er wat zout op; of anders ging hij zitten eten met een stukje tonijn, een sardientje, een plakje worst, of maakte hij de laatste lepels soep op die waren overgebleven in het pannetje; daarna ging hij drinken aan het fonteintje. Zo was hij opgegroeid. Hij kon niet leren; met enorme inspanning en nog meer welwillendheid was hij erin geslaagd een getuigschrift van de derde klas te halen; hij kon niet schrijven, en als hij heel even zijn aandacht op een bedrukt papier vestigde, verrieden zijn ogen en mond wat een problemen en verwarring de chaos van woorden hem bezorgde. Het kwam niet door slechtheid of onwil dat hij niets had kunnen leren, maar door aangeboren grofheid, hij was de zoon van twee analfabeten, van mensen die bijna niet konden spreken. Zijn moeder had hem nooit iets verweten en hem ook niet gedwongen om wat te leren, ze berustte zonder verbittering in haar lot en had haar schouders opgehaald omdat ze al wist dat haar zoon op een dag een of ander handwerk zou doen, net als zij, net als zijn vader, en omdat zij niet lezen of schrijven kon sprak het voor haar vanzelf dat hij die moeilijke, onbegrijpelijke dingen niet had kunnen leren. En daarom vond hij het niet erg dat hij alleen was en leed hij er ook niet onder dat hij werd genegeerd door zijn leeftijdgenoten die neigden of streefden naar een burgerlijk bestaan.

Dagelijks liep Palle naar Ponte a Mensola en bleef hij staan voor de deur van de garage, waar de monteur had beloofd hem aan te nemen om met hem samen te werken zodra dat mogelijk was; hij bleef daar staan en keek zonder een woord te zeggen vanonder de klep van zijn pet naar die man – zoals een zittende hond naar zijn baas kijkt en hem van zijn liefde en trouw overtuigt – om hem zonder woorden aan zijn belofte te herinneren, en om zichzelf ervan te verzekeren dat hij het niet vergeten was; hij wachtte op de dag dat hij hem zou zeggen: 'Kom, doe je jasje uit en ga aan het werk.' Hij keek toe hoe de man werkte, rechtvaardigde met een stralende glimlach zijn aanwezigheid en verschafte zich zo een paspoort.

Hij was gefascineerd door machines, door alle machines, van de mooiste automobiel tot aan de meest aftandse fiets: hij liep eromheen, bukte om ze te bekijken, bleef er urenlang in extase voor staan met zijn handen in zijn zakken; het was alsof hij ze een geheim wilde ontfutselen, en hun vertrouwen, hun liefde wilde veroveren. Soms liet de monteur hem zwaar werk doen, voorwerpen vervoeren, ze naar zijn huis brengen, of een onderdeel vasthouden terwijl hij aan het werk was, en hij beloonde hem met wat geld of met een woord dat zijn belofte bevestigde.

Dat Remo zich deze ellendige nietsnut, dit lelijke, lompe en god weet hoe geklede sujet als vriend uitkoos... dat was onverteerbaar voor de Materassi's. En dan te bedenken dat er, zonder dat hij er ver weg voor hoefde te gaan, onder hun huurders twee jongens van zijn leeftijd waren, de zoon van een postbeambte en de zoon van een aannemer, die ijverig studeerden en voorbestemd waren om welgestelde mannen met goede posities te worden en gunstig af te steken bij de huidige status van hun gezinnen; aan hen had Remo alleen maar aandacht geschonken om ze meedogenloos af te rossen. Bovendien woonde in een heel bescheiden huurhuisje aan de weg naar Il Salvatino een graaf uit Venetië die zich jaren geleden in Florence had gevestigd en van wie kon worden gezegd dat hij zijn financiële dieptepunt had bereikt, maar niet hetzelfde kon worden beweerd over de aangeboren waardigheid en hoffelijkheid waarmee hij aan de top was gebleven. De Materassi's kenden hem goed, de graaf noemde hen 'signorine' zoals niemand anders in het dorp: 'Signorina Teresa, Signorina Carolina', dus niet zoals het gemene volk: 'Teresa en Carolina' of kortweg 'de Materassi's', maar 'de dames Materassi'. En als hij met ze sprak zei hij: 'Tot uw dienst, om u te dienen, ik ben u zeer verplicht, mijn diepe respect, mijn nederige hoogachting', en 'mijnheer uw neef'. Gezien zijn bevoorrechte situatie had Remo bevriend kunnen raken met de zoons van de graaf, jongens van ongeveer zijn leeftijd. Maar er was nog iets beters, de graaf had ook een heel mooie dochter van twaalf, wie weet... wie weet zou hem op een dag een beetje solide bezit van pas kunnen komen om zijn armlastige graafschap er een beetje bovenop te helpen, en daarover konden zij beschikken, over de huizen en de boerderij, de bankbiljetten die ze steeds in bewaring gaven bij de Spaarbank… misschien zouden zij gemene zaak kunnen maken met de graaf en zelf ook halve gravinnen worden… Daarop voelde Carolina de behoefte om eraan toe te voegen: 'Wat een uitzet zou die bruid moeten krijgen!' En Teresa, die was opgestaan, stak een hand omhoog en besloot met een grimmige gelaatsuitdrukking, alsof ze een dreigement tegen het heelal had uitgesproken in plaats van een bewering: 'Zelfs de Koningin niet.'

En dat hij dan met die domme lomperik omging die een moeder had met wie je niet eens behoorlijk kon praten, die groette met geknor in plaats van een woord. Dat was wel iets anders dan 'mijn nederige hoogachting' en 'mijn diepe respect'! Een landloper die altijd alleen was omdat niemand met hem wilde omgaan. Toen ze hem vroegen waarom, antwoordde Remo vol overtuiging: 'Ik mag Palle graag, het is een goeie jongen.' En tegen hem zei hij: 'Kom, Palle, we gaan.' Palle volgde hem zonder antwoord te geven en Remo keek niet eens naar hem nadat hij zijn naam had uitgesproken, hij wist dat hij hem onvoorwaardelijk naast zich had. Hij zou zich er wel voor hebben gehoed iets zonder hem te ondernemen, wat het ook was. Het kwam zelden voor dat hij zijn plan aan hem voorlegde, want aan discussies had geen van beiden behoefte, ze deden het gewoon; behalve wanneer het idee luidop was geuit terwijl ze samen waren; maar gewoonlijk hadden ze weinig woorden nodig, alleen die welke noodzakelijk waren voor wat ze ondernamen, en bepaalde initiatieven ontstonden spontaan en werden door beiden spontaan aanvaard en begrepen.

We zouden kunnen denken dat een natuurlijke en sterk ontwikkelde affiniteit hen ertoe had gebracht om samen op te trekken, en dat de vertrouwdheid van die twee verwante geesten hun banden geleidelijk strakker had aangehaald en hun eenheid verstevigd. Zonder te veel vooruit te lopen op mijn verhaal wil ik alleen maar zeggen dat we daar nog ver vandaan zijn.

Zo was Palle, die de onafscheidelijke metgezel en vriend van Remo was geworden en die we acht jaar eerder alleen maar kenden van een geheimzinnige, donkere vlek onder een van Remo's ogen. En om bij Remo te komen, om meer van hem te weten te komen en zo diep mogelijk in zijn leven door te dringen, met de volharding die nodig is op plaatsen waar het leven stilstaat, riep iedereen: 'Palle! Palle!'

TERESA EN CAROLINA WACHTEN AF, GISELDA ZINGT, NIOBE GAAT DRUIVEN PLUKKEN

In die acht jaren doorliepen de tantes heel wat fasen met betrekking tot hun neef. Aanvankelijk dachten ze dat de jongeman alleen gelukkig kon worden door middel van serieuze, regelmatige en langdurige studie, waaraan hij zich met onverzettelijke wil zou wijden en waarbij hij blij zou profiteren van de middelen waarover zijn adoptiefamilie kon beschikken. Je zou kunnen zeggen dat de goede zusters, bij wie het werk altijd de voorrang had op elke andere activiteit, voor het eerst van hun leven voor korte tijd de rekening gingen opmaken van hun eigen zaken in plaats van die van hun klanten en gingen omzien en verbaasd tot de ontdekking kwamen dat hun vermogen zo omvangrijk was dat ze zich veel konden veroorloven. Niet om zelf een menswaardiger bestaan te leiden door in een minder koortsachtig ritme te blijven werken en zich een paar uur rust en vrede te gunnen, of een wandeling, en wat verstrooiing; nee, maar om van de in hun midden uit de hemel gevallen jongen een belangrijke, respectabele burger te maken. Dat zou, behalve dat het hun voornaamste innerlijke streven was en ze er een ongekend goed gevoel van zouden krijgen, de bijval van iedereen wekken en oogsten. Bij deze aardse vreugden kwamen ook nog de hemelse, de zegeningen die de goede, ongelukkige zuster uit het paradijs als rozenblaadjes over hun hoofden zou laten vallen. En omdat het niet moeilijk was om van meet af aan te zien hoe verrukt de jongen was van mechanica en hoe openhartig hij dat bekende, besloten ze in gezamenlijk overleg dat hij ingenieur zou worden, werktuigkundig ingenieur; constructeur van auto's, schepen misschien, al hadden ze van de zee een erg fantastisch en primitief idee; een man die op een dag aan het hoofd zou staan van een grote fabriek, van een scheepswerf, en duizenden arbeiders onder zich zou hebben, die een nieuw soort auto zou uitvinden of minstens de bestaande zou perfectioneren, een miljonair, die waarschijnlijk Kamerlid zou worden, senator, minister. Deze naaisters, deze kleine landeigenaren in de Florentijnse vlakte, droomden ervan op te stijgen tot ongekende hoogten: hun neef zou zich als een vuurtoren op die plek verheffen om de wereld te verlichten.

Teresa was de architect van deze dromen en Carolina verfraaide ze met details, borduurde eromheen zoals ze deed met de halsopeningen van de hemden en langs de bandjes van de directoires; af en toe voelde ze dat ze huiverde van een duizeling, van duizeligheid die haar in vervoering bracht. Ze keken niet op van hun werk, ze spanden zich niet minder in, behalve om even te genieten van het panorama van dit ontluikende streven.

Maar Remo hield, helaas, van het soort mechanica dat hij samen met Palle beoefende in een ruimte achter het huis, die hij niet zonder grote moeilijkheden van de boer had afgenomen en die ze hadden veranderd in een garage, een werkplaats, een werf voorzien van een rolluik, waar je de meest uiteenlopende gereedschappen en instrumenten kon bewonderen, die ze zorgvuldig ordenden; ze werkten zelfs al geruime tijd met geheimzinnige hardnekkigheid aan een buitenboordmotor voor boten. Wie had hun beiden deze zij het rudimentaire technische kennis bijgebracht? Niemand. Hun eigen passie openbaarde die, dag in dag uit: de kennis zat in de lucht.

Toen de hoop was vervlogen dat Remo een constructeur, een ingenieur, een uitvinder van auto's zou worden, daalden ze – niet zonder groot verdriet – tot bescheidener hoogten af, naar een technische school waar hij vandaan zou komen als een groot organisator, een man die minder theoretisch maar veel praktischer onderlegd was, en die eveneens een top zou bereiken, langs een kortere route, door zich te onttrekken aan de last van langdurige, ernstige studie waartoe hij niet geneigd leek – in een tijd als de onze waarin de praktijk het beste middel is tot elk succes. Teresa verzekerde dat grote figuren geen normale studies hadden gevolgd en dat van de universiteiten de middelmatigen, de ploeteraars kwamen; en dat zowel in Italië als in Amerika mannen die nauwelijks hun handtekening konden zetten tot duizelingwekkende hoogten waren gestegen. Ook Carolina dacht er zo over, ze zei dat Remo het oog van de man van de praktijk had, en daarmee had ze het misschien niet helemaal mis, alleen moest nog worden bezien op welk terrein hij zijn praktische vermogens graag zou willen uitbuiten; die van de man van de praktijk en niet van de ploeteraar; de man die een wereld uit het niets kan scheppen, zonder andere steun dan zijn eigen wil en zijn eigen vernuft. Dat bezorgde haar nog heviger rillingen en duizeligheid dan gewoonlijk.

Maar geleidelijk werd ook de grote slagader van de industrie kleiner, werd die een steeg, een doodlopende steeg, een cul-de-sac waarin de neef en zijn tantes niet verder konden.

Daar moesten ze uit komen om hun ambities te verplaatsen naar een beter toegankelijk terrein.

Remo zou op een dag eigenaar van de boerderij worden, van de boerderij en de huizen, die een goed inkomen waarborgden, en dan zou hij beschikken over een bepaald kapitaal waarmee hij zijn bezit kon uitbreiden; ze wisten dat hij in de omgeving nieuwe grond zou kunnen aankopen, want er waren er al die de gezusters dat hadden aangeboden, wetend dat ze er warmpjes bij zaten; ze hadden nog een boerderij kunnen kopen, daarna twee, maar zij hadden dat vermeden omdat ze zich niet bezig konden houden met het land en vooral omdat ze daar niet de geringste belangstelling voor hadden. Nu hadden ze daar spijt van en zagen ze in de jongeman de toekomstige landbouwer, net zoals zijn grootvader, die een eenvoudige boer was, en daarom fluisterden ze er niet eens over, al bazuinden anderen het rond, dat hij van niets een klein vermogen wist te maken, en dat daarvan gemakkelijk een groot vermogen gemaakt kon worden, het bezit van een onafhankelijke agrariër, niet een ondergeschikte, met moderne installaties die ze in deze streek nog niet kenden. Wanneer ze met hun rijke klanten spraken, vroegen ze met achting en vals ontzag wie mijnheer hun verloofde wel was, die geluksvogel voor wie ook zij zich op alle manieren uitsloofden om hem te betoveren en betoverd te houden; vast en zeker van adel, en vaak kregen ze ten antwoord dat het een landeigenaar was en dat hij landerijen had in die en die provincie, dat hij zich zelf bezighield met het land, dat hij agrarische installaties bezat en veehouderijen. In Santa Maria nieuwe vormen van landbouw invoeren, boerderijen met boter- en kaasfabrieken, primeurs telen in kassen... een nieuwe droom waarin hun fantasie zo buiten de perken trad dat ze hun neef zagen als de eigenaar van de hele vruchtbare vlakte; maar de droom hield op waar de wegen omhoog begonnen te lopen, want ze koesterden een etnische, onblusbare haat en wrok tegen de heuvels: 'De heuvels zijn een hoop stenen,' zei de arme grootvader, die verstand had van grond.

Zonder op te kijken van hun borduurraam bouwden ze dat samen op, en hun gedachten en fantasieën vormden een gedicht. Het speet hun dat ze zo weinig van het land hadden gehouden, dat ze de arme Fellino altijd op eerbiedige afstand hadden gehouden met zijn stank en zijn vee dat niet minder stonk, en ze vergaten even hoe weinig waardering ze hadden gehad voor een koe met haar kalf, en hoe monsterlijk ze een arme ezel vonden en dat ze niet eens de kippen voor de deur wilden zien, waarover ze strikte orders hadden gegeven. Maar als er nu eentje zich daar bij vergissing gewaagd had, gaven ze haar wat broodkruimels.

Remo werd naar de landbouwschool gestuurd, en ditmaal met aanbevelingen en de belangstelling van gezaghebbende, vooraanstaande personen.

Elk najaar was er een nieuw project, een nieuw minutieus opgesteld plan, dat met schitterende vooruitzichten begon en bij de nadering van de zomer als een nachtkaars uitging. Ze gaven de schuld voor de mislukking eerst aan hun neef, die geen zin had om te leren, daarna aan de leraren die geen les konden geven, en vervolgens aan de slechte organisatie van de scholen.

Hoe was het mogelijk dat deze jongen er maar niet in slaagde vorderingen te maken, al had hij na slechts drie maanden van voorbereiding een lagereschooldiploma kunnen halen met de hoogste cijfers en alle lof gekregen van de onderwijzers en het schoolhoofd, met inbegrip van een middagmaal dat bijna historisch was geworden en waar niet alleen het schoolhoofd en Calliope Bonciani hadden aangezeten, maar ook de moeder van Calliope, die tweeënnegentig was, mevrouw Cherubina, die toen ze jong was modiste was geweest en die naar Santa Maria was gekomen in een vlokleurige jurk met een cape vol kant en gitjes die aan haar hals was bevestigd met een camee van in goud gezet koraal, voorstellende een tafereel uit de zondvloed; en met op haar witte hoofd – behalve zwarte krullen die er bij wijze van knot waren aangebracht en waarvan het leek alsof ze waren vergeten wit te worden – een zwarte hoofdtooi die leek op een pennenlap; je kon zelfs zeggen dat ze twee pennenlappen had meegebracht naar Santa Maria, een op haar hoofd en een op haar schouders. Zo zag ze eruit, die tol, die peperkorrel, die pissebed van een mevrouw Cherubina, die op die idyllische, gedenkwaardige dag had gegeten voor drie, met een neus en een kin die elkaar leken te pikken en ook leken te kussen terwijl ze het middagmaal eer aandeed dat magistraal was bereid door Niobe en opgediend door Tonina, die door de warmte in de keuken en de drukte van een roos in een rode appel was veranderd, alsof het bloed zó uit haar wangen kon spuiten. Mevrouw Cherubina had tijdens de hele maaltijd anekdotes en moppen verteld, ook om de directrice het hoofd te bieden, wier welsprekendheid wat was verflauwd, getemperd, bedekt met een roze waas; zij leek zich een uur van welwillend, zoet, glimlachend respijt toe te staan, zoals een reus die na een man, een leeuw of een stier te hebben geveld, kinderlijk speelt met insecten en vlinders. Op die schitterende dag had Niobe zich beperkt tot toekijken, waarbij ze vol eerbied mevrouw Cherubina feliciteerde met de sterke spijsvertering die ze van de Heer had gekregen; daarop antwoordde de krasse oude dame dat ze haar hele jeugd last van haar maag had gehad. *Ouwe rakker, als de Heer u geen buikpijn had bezorgd, was u vel over been geweest.* Dat dacht Niobe en zei ze niet, maar ze dacht op zo'n duidelijke manier dat wij het kunnen zeggen zonder te vrezen dat we ons vergissen.

En de nieuwe droom wierp weer nieuw licht op alles, alles lachte hun weer toe tot aan de volgende catastrofe.

Bij al deze hoofdbrekens is voor ons het interessantste verschijnsel dat Remo zich onberispelijk bleef gedragen; niet alleen verzette hij zich nooit tegen veranderingen van route, maar sloeg hij de nieuwe weg in, weliswaar niet enthousiast, want zo was zijn karakter niet, maar voorbeeldig bereidwillig: koude bereidwilligheid, die de tantes hielden voor mooie goede wil, mannelijk, zonder dat hij behoefte had aan uitroepen en aanstellerij; zodat ze elke keer opgelucht waren, zeker wisten dat ze de draad weer konden opvatten, de juiste weg insloegen; terwijl wij wel kunnen begrijpen dat hij bereid was het eindeloze spel te blijven spelen. En wanneer ook het nieuwe project strandde, werd hij ontwijkend, geheimzinnig, ondoorgrondelijk, staarde hij in de verte als iemand die met grote scherpzinnigheid in de toekomst kijkt om daar een belangrijk doel te bereiken; en dat hield de vrouwen in spanning, die van zijn ogen heel veel wilskracht en inzicht aflazen, en vertrouwen dat er niet om kon liegen; en tegelijk de kalmte en zekerheid van wie van meet af aan datgene in zich heeft waar anderen met zoveel inspanning naar zoeken. Ze voelden zich verschrikkelijk verward in hun streven en zoeken.

Zijn studies op het gebied van de landbouw, industrie en wetenschap hadden mooie wandelingen met Palle door de straten van Florence en op het platteland tot gevolg gehad, door de omliggende dorpen, langs de Arno, naar het Cascine-park, naar alle attracties en plekken waar ze auto's bestudeerden of genoten van de weldaden die de bomen schonken, weldadige schaduwen en smakelijke vruchten, waarbij het niet nodig was om naar school te gaan en je vooral leerde leven. En terwijl hij de school in het verste hoekje van zijn gedachten hield, zei hij wanneer iemand ernaar informeerde met voorbeeldige jeugdige waardigheid: 'Ik studeer voor ingenieur, ik ben student werktuigbouwkunde, ik zit op de industrieschool, ik zit op de landbouwschool', alsof hij op weg was om het hoofd van alle ingenieurs te worden, van alle industriëlen, alle landbouwers.

Alle dromen, plannen en projecten waren de een na de

ander, en net zo natuurlijk en vrolijk als de poppetjes in een schiettent na welgemikte schoten, halsoverkop onder gelach van de toeschouwers neergetuimeld.

De onthutste, verbijsterde tantes, die niet in staat waren weer een nieuw plan op te stellen, kregen hevige zenuwaanvallen, ze werden kwaad, gingen schreeuwen, huilden, maakten scènes met hun neef, overlaadden hem met verwensingen, scholden hem uit, dreigden hun handen van hem af te trekken, hem naar een fabriek te sturen of een armeluisbaantje voor hem te zoeken, als kruier zoals zijn vader of als voerman zoals de vader van zijn achtenswaardige vriend Palle. Ze hadden geen verplichtingen tegenover hem, en wat zij deden, deden ze uit louter goedheid, en niet omdat het hun plicht was.

Bij die aanvallen van woede glimlachte Remo flauwtjes, hij glimlachte zo vredig en vooral zo goedaardig dat ze meenden in die glimlach te lezen dat hij niet in het minst geschrokken was van hun dreigementen met in de steek laten en onverschilligheid, en dat hij ook uit zichzelf zonder een woord van verwijt of smeekbede zou weggaan: ze zouden hem gewoon zien vertrekken.

Het is maar weinig mensen gegeven om zo goed te glimlachen. Een mooie glimlach kan heel veel verbergen of laten zien, ook al is het alleen maar charme en illusie wat er komt van een mond die volmaakt van vorm en kleur is. Vooral wilden ze niet met die vreselijke Palle worden opgezadeld.

Zodra ze op de gedachte kwamen dat ze hun neef zouden verliezen gooiden ze Palle overboord; die moest er in elk geval voor boeten, hij moest weg: hij moest aan zijn lot worden overgelaten, ze waren niet bereid om twee van dat soort lanterfanters te onderhouden... Een sufferd die als niemand er iets van had gezegd met zijn pet op aan tafel was gaan zitten. Palle had zich daar geïnstalleerd voor het eten en drinken, vooral ’s ochtends wanneer zijn moeder niet thuis was, en als het zo uitkwam ook om te slapen; en zijn moeder thuis, die helemaal geen verdriet had of geschokt was omdat ze hem niet bij zich had, was juist blij omdat ze wist dat haar zoon knappe, goede mensen had gevonden die hem graag mochten en ook omdat hij die genegenheid zozeer verdiende. Om etenstijd zei Remo lachend, wanneer Palle na deze scènes bij het hek bleef talmen en niet weg leek te kunnen gaan, al was hij van plan om naar huis te hollen om een stuk brood te nemen: ‘Kom op, Palle, kom, Palle, we gaan eten.’ En dan waren de tantes met hun hoofdbrekens en projecten de komische poppetjes die halsoverkop neertuimelden na welgemikte schoten.

Toen na hun verbeelding ook hun woede op niets was uitgelopen, namen de twee uitgeputte, verslagen gezusters een afwachtende houding aan en keken ze elkaar verward aan alsof ze wilden zeggen: ‘We wachten maar af.’ En toen ze hun kalmte beetje bij beetje terug hadden, gingen ze zich tegenover hun neef ook rustiger gedragen, zonder de oude verwachtingen en ook zonder de wrok die erop gevolgd was: ‘We wachten af’ was op hun gezichten te lezen wanneer ze zonder iets te zeggen naar hem en naar elkaar keken: ‘We wachten maar af.’ En Remo, die zich nooit had verzet tegen eerdere experimenten, gaf door hun nieuwe houding te aanvaarden als een nieuwe beslissing te kennen dat hij erdoor overtuigd was: ook deze keer speelde hij zijn rol in het spel alsof de laatste beslissing altijd de beste was, en leverde hij met het gemak van zijn gebruikelijke onverschilligheid het aangenaamst denkbare schouwspel doordat hij zijn tantes leek te antwoorden: ‘Wachten jullie maar af.’

Hun beslissing om af te wachten, die op het eerste gezicht zo gemakkelijk leek, was toch niet zo eenvoudig als ze dachten en zich hadden voorgesteld en kon feitelijk alleen worden genomen na tal van andere beslissingen: toen ze zich, het zoeken moe, mentaal leeg voelden, uitgeput, en het haast geen beslissing meer leek maar onvermogen om zich nog langer het hoofd te breken over de jongen en om op de dingen die komen gingen vooruit te lopen met duizend verbluffende luchtkastelen en fantasieën, die alleen maar goed waren om hun de nachtrust te ontnemen en ook de rust die overdag nodig was om te kunnen werken.

Toen ze hun pogingen om, zonder praktisch resultaat, met luider stem en veel gebaren de gebeurtenissen in de hand te houden hadden gestaakt, kwamen de gebeurtenissen vanzelf en op heel natuurlijke wijze. Dat is iets wat vaak gebeurt. Wij zijn in ons dagelijks leven vaak het slachtoffer van vergissingen, als acteurs en als toeschouwers, van zinsbegoocheling, vooral gezichtsbedrog, en hoe meer we er zeker van zijn dat wij het roer in handen hebben merken we juist dan (dat is een verschrikkelijk moment) dat de boot zijn eigen koers volgt, waarheen dan ook; en dan doen we ons uiterste best om vast te blijven houden aan die aanvankelijke illusie en dat te laten zien aan de toeschouwers. U zult misschien denken dat dit niet klopt en dat dit niet het geval is bij degenen die vanaf de oever naar ons kijken, want wij mogen ons dan wel vastklampen aan de illusie, zij zouden altijd wel merken dat de boot zijn eigen koers volgt en zich te barsten lachen om wat wij doen en roepen. Kom nou! Als zij op niets anders letten dan ons geroep, dat alleen maar bedoeld is om af te leiden van de ware beweging van de boot, blijven zij er zeker van dat wij hem perfect besturen, en als ze aan ons wonderbaarlijke geschreeuw het hunne toevoegen dat honderd maal zo luid is, haal je de koekoek dat je merkt hoe de vork in de steel zit. Pas wanneer de boot tot stilstand komt, en degene die erin zit het niet merkt, door al zijn onredelijke geploeter, en onverstoorbaar doorgaat met ploeteren, dan ziet iedereen eindelijk dat de boot zijn eigen koers volgt.

Door dit merkwaardige fenomeen konden de vrouwen, zolang ze zich bleven vastklampen aan de honderd dromen, projecten en fantasieën die ze voor hun – door ongeduld verblinde en van verbijstering wazig geworden – ogen hadden, niets anders zien dan hun dromen en fantasieën: hun inspanningen bleven vruchteloos en hun verbijstering vond haar oorzaak in het feit dat ze geen oplossing zagen, en pas toen ze hun pogingen opgaven begonnen ze heel wat te zien.

Een jongen als de onze kan dit soort vrouwen inderdaad heel wat laten zien.

Van Palle hadden we alleen maar weet door een donker, geheimzinnig merkteken onder een oog van Remo, maar van de laatstgenoemde hebben we gezien dat hij alle aanleg had om een knappe jongeman te worden, lenig en sterk, die zich niet gemakkelijk van zijn stuk laat brengen. Maar niemand had kunnen raden waar buitengewone schoonheid en instinctieve elegantie bij deze jongeman toe konden leiden.

De gelaatstrekken die we al van hem kennen waren gerijpt tot een harmonie van kleuren en proporties die men zelden aantreft bij een levend wezen.

Lang als hij was zonder een slungelachtige indruk te wekken, bewoog hij zijn ledematen met mannelijke gratie die nooit een indruk van raffinement of grofheid wekte, en alle spieren van zijn lichaam waren goed ontwikkeld zonder dat hun structuur werd benadrukt.

Maar wat degene die hem observeerde het meest verbaasde, was de klassieke schoonheid van zijn gelaat onder zijn bruine, golvende en glanzende haar; een gelaat met een markante, aristocratische ovale vorm, een spiritueel gelaat waarin een spoor van de adolescent eindeloos bleef hangen en waarvan de huid de levendige frisheid van de jeugd had zonder de energie in zijn bloed te laten doorschemeren; sanguinisch was alleen zijn mond, scharlakenrood, met lippen die zo volmaakt gevormd waren – een bovenlip die als hij krulde duidelijk over zijn onderlip uitstak – dat ze, hoe vlezig en vol ze ook waren, niet van vlees leken.

Alleen in de Griekse beeldhouwkunst en die van de Renaissance kunnen we voorbeelden vinden van die schoonheid: Leonardo, Michelangelo, Donatello, Verrocchio zouden erdoor getroffen zijn. Het hoeft dan ook geen verbazing te wekken als twee armzalige vrouwtjes er zo lang naar bleven staren.

Remo's ogen, onder markante, glanzende wenkbrauwen, waren groot, zuiver, met helder wit; en alleen door hun schoonheid leken ze zacht en daardoor niet in staat om een onverschillige uitdrukking aan te nemen; wanneer je er aandachtig naar keek, voelde je dat ze je blik niet warm beantwoordden, maar de warmte van de sympathie accepteerden zonder die terug te geven, zelfs zonder zich vragend uit te drukken; je zou kunnen zeggen dat ze om de harmonie van zijn persoonlijkheid niet te verstoren nooit een teveel aan zichtbare vitaliteit aannamen; zijn ogen keken nooit gretig, ook niet als ze je fixeerden, maar hoe gretiger ze werden gefixeerd, des te meer hielden ze hun helderheid binnen.

Het leek alsof zijn tantes dit alles, dat onder hun ogen was opgebloeid en gerijpt, voor het eerst zagen, en met kennelijke voldoening, nadat ze hadden afgezien van de grillen van de landbouw, van de techniek en de industrie, die als oude papiersnippers in het rommelhok van hun herinnering beland waren.

Soms dachten ze, gebogen over hun werk, tegelijk aan hetzelfde, en wanneer ze even opkeken, begrepen ze elkaars gedachten die gericht waren op dit vreemde, als gedroomde feit dat die jongen, bijna zonder te weten hoe, in hun huis beland was en snel onder hun ogen een knappe jongeman was geworden, sterk en elegant, die ieders belangstelling trok. Ze waren te beschroomd om hun gedachten te uiten en op het laatst zei een van de twee: 'Hoe laat komt Remo thuis?' 'Om één uur,' antwoordde haar zuster. Het was een nutteloze vraag, maar ze konden onmogelijk een mond openen zonder over hem te praten, en de praktische aanleiding was een klein, onschuldig voorwendsel: ze wisten heel goed hoe laat hij thuis zou komen.

Hij sprak weinig, in verbrokkelde of verdoezelde woorden, bij vlagen, in enkele lettergrepen; nooit verhief hij zijn stem en bij voorkeur gebruikte hij geraffineerde afkortingen; in plaats van zijn tantes voluit bij hun naam te noemen, Zia (Tante) Teresa, Zia Carolina, had hij de gewoonte hen met een charmante falsetstem *Zi' Tè*, *Zi' Cà* te noemen, met smaakvolle variaties en intonaties. Niobe noemde hij *Ninì*, *Bebè*, en ook simpelweg *Nì*. Zij was als een hond, je kon niet beoordelen in hoeverre ze het begreep, maar je kon er altijd zeker van zijn dat ze antwoord gaf.

Zoals haar meesteressen er een immens genoegen in schepten om *Zi' Tè*, *Zi' Cà* te worden genoemd, zo voelde de dienstbode zich smelten wanneer ze zich *Ninì*, *Bebè*, of ook alleen maar *Nì* hoorde noemen. Hun gewone namen, die altijd op dezelfde wijze door iedereen werden uitgesproken, werden op die manier en uit die mond een ongekende lust en waren in staat te bewerkstelligen dat ze zich een ander zelf voelden: drie nieuwe vrouwen.

Hij liet zich nooit gaan in een lachbui, hij ging nooit verder dan een glimlach, je kunt zelfs zeggen dat hij ook daar niet eens aan toekwam, want hij hoefde alleen maar een minimale beweging met zijn lippen te maken en als in een flits het wonder van een volmaakt stel tanden te laten zien. En zijn gezicht lichtte dan op alsof hij altijd glimlachte.

Ook kon je er, als je hem aankeek, met geen mogelijkheid ook maar de minste gedachte van aflezen (zijn tantes hadden genoeg gelegenheid om dat op te merken). Je zag geen spoor van somberheid of verdriet, maar eerder elementaire zuiverheid en zelfs ingehouden en bedaarde voldoening, en die heel licht spottende blik van wie de anderen kent en maar al te goed op de hoogte is van de waarde van zijn eigen koopwaar; want het is wetenswaardig dat lichte spot, en soms wat meer dan dat, heel veel aantrekkingskracht uitoefent, zowel op mannen als op vrouwen, veel meer dan wanneer ze serieus en met respect worden behandeld.

Was er onder dat evenwichtig brede voorhoofd geen enkele gedachte aanwezig of werd die verborgen om de harmonie en de frisheid van het gelaat niet te verstoren? Al zijn daden hadden die uiterlijke warmte en innerlijke kilte, alsof zijn geest een geïsoleerd bestaan leidde, en hij deed niets om hem uit dat isolement vrij te laten, hij hield hem daar zelfs uit volle overtuiging vast. Kilheid die eerst aantrekkelijk was en daarna een onzeker gevoel gaf en bevroor na te zijn aangestoken.

Ik moet daaraan toevoegen dat Remo zich, bij zijn fysieke schoonheid en elegantie, met voorname zwier kleedde, zodat zijn tantes sinds zijn aankomst verrukt waren als ze hem goed gekleed zagen, zonder er veel belang aan te hechten omdat ze het beschouwden als vanzelfsprekend, en de rekeningen van de kleermaker en de hemdenmaker betaalden zonder zich er druk om te maken; maar vanaf het moment dat ze hadden besloten af te wachten, had dat veel grotere proporties aangenomen, zoals gemakkelijk te begrijpen valt, en waren de rekeningen dienovereenkomstig vergroot, zodat ze die soms liever niet hadden gezien, maar het was inmiddels voor hen onmogelijk geworden om hun ogen te sluiten. Hij wist hoe zijn pak en zijn hoed op superieure wijze te dragen, zijn das te knopen; hij wist hoe stoffen uit te zoeken, en hoe de kleuren zouden overeenstemmen; in zijn kleding was altijd een harmonie die, meer dan uit opzet, uit instinct voortkwam, en uit ingeboren en lichtelijk nonchalante gratie. Hij kon heel snel zijn keus maken, zonder zoals vrouwen te treuzelen of zich te bedenken, al had hij eindeloos kunnen aarzelen als hij niets anders te doen had. Ook bij de kleermaker was hij heel snel bij het passen van een pak; wanneer hij het eenmaal aanhad maakte hij er bepaalde speciale bewegingen in om er zeker van te zijn dat het overal goed paste, daarna richtte hij zich op, zette zijn voeten en benen een beetje uit elkaar, stak zijn handen in de zakken van het jasje en de broek, inspecteerde het geheel, stelde een wijziging voor en gooide het pak uit zoals iemand wie drukke bezigheden te wachten staan: het pak zat goed.

Hij was snel bij al zijn handelingen, bij alle, maar vooral bij een ervan waarbij zijn snelheid onwaarschijnlijk werd: bij het uitkleden. Het was niet mogelijk de bewegingen te volgen die hij daarbij maakte, je zag hem gekleed en meteen daarna stond hij naakt voor je. Met buitengewone handigheid voerde hij dat uit en liet het met onbewuste natuurlijkheid zien te midden van de andere jongemannen van de sport- of gymnastiekverenigingen, en thuis had er maar een hem daarbij kunnen verrassen en bewonderen: Niobe.

Of hij nu thuiskwam om twee uur, wat zijn gebruikelijke tijd was, om drie uur, om vier of vijf uur, zoals soms het geval was, Remo waste zich om negen uur en niet later; hij had geen lange nachtrust nodig en rustte ook nooit overdag. Niobe bracht hem in zijn kamer twee emmers koud water en even later zijn ontbijt, dat hij in pyjama at en soms uit heel grote eetlust nog gewikkeld in de badhanddoek waarmee hij zich afdroogde, waarbij hij zijn sigaret uit zijn mond nam. Bij zijn koffie met melk en broodjes met boter was er altijd fruit van uitmuntende kwaliteit, en hij toonde zijn genoegen daarover met kinderlijke uitbundigheid.

Hij was gewend om in elk jaargetijde met het raam wijd open te slapen; toen Niobe op een ochtend de kamer binnen kwam, zag ze dat die overstroomd was als gevolg van een stortbui, met bevroren water in de kannen of wat sneeuw op de vloer. En zoals altijd lag hij naakt onder de dekens. Zodra Niobe weg was, na de emmers te hebben neergezet, sprong de jongeman uit zijn bed, ging in de grote zinken teil staan die overdag aan de muur hing en nam zo met een grote spons zijn bad, waarbij hij zijn lichaam meermalen overgoot met koud water en er snel met een stukje zeep overheen ging. Terwijl hij zich afdroogde, wreef en sloeg hij zijn lichaam aan alle kanten, voerde oefeningen uit en deed aan zijn lichaamsverzorging: een bad en oefeningen die een uur later konden worden herhaald bij de roei- of zwemvereniging of een dergelijk trefpunt dat hij geregeld bezocht. Hij trok een paar slippers van stro aan en na een sigaret te hebben aangestoken ging hij door met wrijven en slaan terwijl hij door zijn kamer liep en sprongen, oefeningen en acrobatische toeren maakte.

Toen kwam Niobe voor de tweede keer binnen met koffie,

melk en fruit en even later een derde keer met het kannetje warm water voor het scheren.

Het was wel voorgekomen dat de vrouw, bij het heen en weer lopen om dat alles beetje bij beetje te brengen, Remo schijnbaar zonder dat hij het merkte en uit louter toeval verraste bij de beschreven fasen van zijn ochtendactiviteit, die zich ontplooide in minder dan een uur, zodat ze in staat was het geheel te reconstrueren zonder dat ze een beroep op haar geheugen hoefde te doen. Dat kon gebeuren bij het komen en gaan, wanneer ze te gauw binnenkwam, te langzaam wegging, en soms doordat de deur op een kier was blijven staan omdat ze die niet goed dicht kon doen aangezien ze haar handen vol had; en dat Remo, in beslag genomen door wat hij deed, het veel te druk had om dat op te merken, al had wat geknars dat eraan voorafging, een onvoorzichtige stap van de corpulente vrouw of het te laat sluiten van de deur hem niet kunnen ontgaan.

Dit waren dingen die de meesteressen door hun hogere positie niet konden zien en die de dienstbode door haar lagere positie wel heel goed kon zien.

Maar Niobe had zich, omdat ze de vreugde die deze taak haar gaf niet kon inhouden, bij hen een paar uitroepen over dit onderwerp laten ontvallen, een paar tussenwerpsels, een woord dat uit haar hart kwam en bedoeld was om de kracht en fysieke schoonheid van de jongeman te prijzen, en daarop hadden zij fijntjes geglimlacht, in de veronderstelling dat het grotendeels uit haar fantasie voortkwam, meer dan uit haar nieuwsgierigheid: de fantasie van een vrouw die een heel dubieus verleden had, want hun neef was zich in hun aanwezigheid altijd exceptioneel correct en gereserveerd blijven gedragen; en als hij soms uit noodzaak in pyjama naar beneden was gekomen en daarmee hun kamer was binnen gegaan, had hij zich in dat kledingstuk met zoveel natuurlijke gereserveerdheid gedragen dat het was alsof hij zich had aangekleed om de deur uit te gaan. Zodat de stakkers, hoe ze ook keken, nog heel wat bleef ontgaan.

Maar het zonderlingst was dat de arme Giselda, die van haar zusters opdracht had gekregen om te zorgen voor zijn pakken – waardevolle dingen die kundig verzorgd dienden te worden –, meer dan eens was overvallen door razende lust om ze eigenhandig in stukken te scheuren, vooral de broeken; sinds ze het mannelijk geslacht was gaan haten, kon ze de aanblik van broeken niet verdragen, wanneer ze ze aanraakte werd ze uitzinnig, en nu ze daartoe eenmaal gedwongen was had ze ze gekreukeld, uitgerekt, verfomfaaid tot ze ze bijna had vernield, en wel zo dat ze ze weer zorgvuldig moest strijken en door de ijver die ze daarbij betoonde de onvoorwaardelijke lof van haar zusters oogstte. En wanneer ze om deze taak uit te oefenen langs zijn deur kwam of zijn kamer in moest gaan, waar hij zich 's avonds verkleedde om naar Florence te gaan of ervan terugkeerde, bleef Remo naakt voor haar staan zoals de Heer hem had geschapen, onverstoorbaar, zonder een zweem van respect of gêne en even onverschillig als wanneer hij zich in gezelschap van een andere man had bevonden, of liep hij, nog erger, op provocerende, krenkende wijze met zijn naaktheid te koop. Giselda, die zich aan deze vertoning niet had kunnen onttrekken, draaide zich woedend om en ging weg terwijl ze verbitterd mompelde: 'Schaamteloze schoft!' En het bizarre toppunt was dat ze zich er bij niemand over kon beklagen en de waarheid vertellen, want Niobe, die wist dat zijzelf in gebreke was gebleven door de kier waarover ik u al heb verteld, en niet wist in hoeverre Remo dat had gemerkt, had zelf ook boter op haar hoofd, en hoe! Dat feit zou een punt van tenlastelegging tegen haar kunnen worden, en terecht, en daarna zou ze alleen nog maar op de juiste momenten de kamer in en uit mogen gaan en de deur meteen moeten sluiten, en als ze dat niet had gedaan zou hijzelf er na een onaangename uitbrander voor zorgen dat de deur meteen werd afgesloten, zodat hij haar alleen op het juiste moment kon binnenlaten en weg laten gaan, een idee dat de oude dienstbode helemaal niet beviel, want zij wilde niets liever dan op dezelfde voet voortgaan. Van die kant zou Giselda tegenstand tegen haar klachten hebben ondervonden, Niobe zou zich hebben verzet en de jonge man hebben verdedigd door te wijzen op zijn gereserveerdheid en onschuld, en terecht. En haar zusters, bij wie hij ook in pyjama een zo voorbeeldig gedrag had getoond dat hij ten voorbeeld kon worden gesteld aan kostschoolmeisjes, een gedrag dat passend zou zijn geweest voor een maagd, zouden zich op haar hebben geslingerd als twee slangen. Arme Giselda, er was voor haar maar één mogelijkheid, zwijgen, altijd blijven zwijgen. Er moet iets aan worden toegevoegd wat nog komischer is: hoe kon het strenge, maagdelijke gedrag van de neef, dat ten voorbeeld kon worden gesteld aan een meisjeskostschool, in hemelsnaam ook als voorbeeld dienen voor de maagdelijke tantes, en hen iets laten verliezen van die gestrengheid en gereserveerdheid die altijd het granieten voetstuk van hun leven was geweest? Het was wel voorgekomen dat Niobe of Giselda voor de een of andere kwestie of boodschap op de deur van hun kamer had geklopt, waar zij zich hadden opgesloten, en antwoorden hoorden met door merg en been gaand geschreeuw: 'Het kan niet! Het kan niet! Niet binnenkomen! Ik heb niets aan! In sta in mijn directoire!' Alsof iemand wilde binnenkomen om ze aan te randen of te doorsteken met een dolk. En ze waren helemaal niet naakt, of alleen maar gedeeltelijk, zodat iedereen binnen had mogen komen, of misschien hadden ze zich helemaal uitgedost, waren ze dingen in de ladekast aan het opbergen en was degene die wilde binnenkomen alleen maar Giselda of Niobe. Of hadden ze, als ze echt naakt waren geweest en werkelijk doodsbang om te worden gezien, toen ze zich eenmaal hadden opgesloten misschien behoefte gehad om luid te roepen: 'Ik heb niets aan! Ik sta in mijn directoire!' Waarom?

Het was lang geleden dat de gezusters terwijl ze samen aan het werk waren droomden over de toekomst van hun neef: hij was een aanwezige, urgente werkelijkheid geworden; en al beschikte hij over een verfijnd vermogen om zijn gewicht niet te laten voelen, toch werd dat gewicht gevoeld. Maar door zijn aanwezigheid en zijn kalme uiterlijk loste hij met de grootste eenvoud situaties op die onoplosbaar hadden geleken, mede doordat hij in negatieve zin gebruikmaakte van zijn persoonlijkheid en op het juiste moment wist te verdwijnen en weg te blijven en op het juiste moment weer te verschijnen. In dit opzicht leek hij op de grote Napoleon, die wanneer hij een overwinning had behaald op zich liet wachten terwijl allen trappelden van ongeduld omdat ze hem wilden zien, en hun aldus de tijd gaf om nieuwe triomfbogen voor hem te bouwen en om hun verlangen naar hem een kwelling te laten worden. En wanneer hij een veldslag had verloren kon het gebeuren dat hij als de bliksem in Parijs aankwam, waar ze er allerminst op gebrand waren om hem terug te zien, dan arriveerde hij verborgen in een donkere, gammele koets, en desnoods was hij ernaartoe gegaan op een ezel, een pony, een bezemsteel, als hij er maar aankwam. Remo had er geen behoefte aan om te spreken en ook niet om zichzelf te prijzen of te verdedigen, hij had de gewoonte heel weinig met de vrouwen te praten en daardoor hield hij hen in opwinding en spanning, waar hij zijn eigen onverstoorbare kalmte tegenover zette; en zo liet hij hen die zich van de ochtend tot de avond uitsloofden voor hun levensonderhoud duidelijk weten dat hij ervan overtuigd was dat het leven gemakkelijk is en glimlachte hij om de zinloosheid van al hun gezwoeg.

Deze jongen, die in Ancona geboren was als zoon van onfortuinlijke arbeiders, een vader uit Rome en een moeder uit Florence, die kind gebleven was en meegewaaid had met de wind, en die niet had willen leren, alsof hij voor zichzelf de nutteloosheid van een dergelijke inspanning aanvoelde, bezat niet alleen een aangeboren intelligentie, maar ook een bewonderenswaardig levensgevoel; omdat hij instinctief wist dat het leven hard en moeilijk was, begon hij het tegendeel te beweren, zijn eigen leven te baseren op dat onfeilbare principe en zichzelf steeds meer te overtuigen van de juistheid van deze bewering naarmate hij de anderen ervan overtuigde. Zodat hij gemakkelijk veel gedaan kon krijgen door met slimme zetten alle moeilijkheden uit de weg te gaan, en nog meer door dat openlijk te demonstreren. Toen hij op zijn achttiende zijn tantes om een dure motorfiets van tienduizend lire had gevraagd, maar zonder aan te dringen, en zij eerst hadden geweigerd en vervolgens de aankoop uitgesteld, hoorden ze de dag daarop bij het hek de toeter van de nieuwe machine en het geluid van zijn sterke zuigers; en hoe ze er ook onderzoek naar deden, het lukte hun nooit om te weten te komen waar het geld vandaan kwam. En zoals ze eerst angstig op Remo hadden gewacht als hij 's nachts niet thuiskwam, wachtten ze nu ook nog heel bang op wat Remo zou meebrengen wanneer hij terugkwam.

Dit mysterie dat rond deze persoon van een serene schoonheid zweefde, was onthutsend voor de vrouwen.

Pijnlijk en lang waren ze geweest, de eerste keren dat de jongeman zich in de nachtelijke uren geleidelijk ging verwijderen van het nest.

Eerst waren er stiekeme uitstapjes, oorzaak van bezorgdheid en angst dat hem iets zou overkomen.

Aan dat raam, waar de zusters zich al zo lang niet meer op zondagmiddag lieten bewonderen en nooit meer samen de optocht van de gelieven naar de heuvels bewonderden, waren ze tot aan het eerste licht van de dageraad blijven zitten, waarbij Niobe af en toe aan de deur van hun kamer kwam: 'iets te zien?', om hen gerust te stellen over de verstandige jongeman wie niets slechts had kunnen overkomen, over zijn bekwaamheid: hij zou zich bij elk waagstuk kunnen redden, hij wist respect af te dwingen: en hij was alleen maar zo laat omdat hij eindeloos met zijn vrienden praatte over auto's, over wedstrijden, over races, over competities; onderwerpen waarbij jongens van de dag een nacht maakten en van de nacht weer een dag zonder het te merken; en daardoor kregen ze geen slaap, en zelfs geen honger. Ten slotte raadde ze hun aan naar bed te gaan en te proberen te slapen, want ze hadden die rust zo nodig, anders zouden ze uiteindelijk ernstig ziek worden. Ze gaven niet eens antwoord, ze wilden hun beproevingen doorstaan tot het bittere einde. Ze dachten aan tragedies, aan zeer gecompliceerde wederwaardigheden met altijd een achtergrond van liefde en dood. Waar was hij naartoe gegaan en met wie? Wie had hem gezien? Met Palle, altijd met Palle, hij was weggegaan met Palle: 'Met die vervloekte Palle, met dat ongure type van een Palle.' Het was allemaal de schuld van Palle, hij was ervoor verantwoordelijk: 'Vervloekte Palle!' Niobe ging naar Palles moeder, om haar wakker te maken en te vragen of hij daar sliep. Vergeefse onderneming. Wanneer Remo er niet was, was het overbodig om naar Palle te zoeken, daar kon je donder op zeggen. En zijn moeder bleek niet bezorgd, haar hart was vervuld van vertrouwen en rust, waar hij ook was; ze had een onwankelbaar geloof in haar zoon en zijn lot en had geen plaats in haar hart voor schuld of fouten of twijfels: als hij buiten was moest dat zo zijn, op welk uur ook, het was goed zoals het was; het uur was voor haar volkomen onbelangrijk, en ze dacht ook niet dat de Heer haar wilde treffen door hem een ongeluk te laten overkomen, onmogelijk: haar geloof in God en in haar zoon was een en hetzelfde. Ze vond al die ongerustheid, opwinding en dat overdreven heen en weer sturen van de dienstbode om te smoezen zinloos gedoe van rijke mensen, een luxe die zij zich niet kon permitteren. En als ze antwoordde over haar zoon deed ze alsof hij beschermd werd door een hoger soort onkwetsbaarheid. Het was goed waar hij was, waar hij ook was; zo moest het zijn en niets kon hem overkomen. Als ze hem op een dag na een fataal ongeluk levenloos hadden thuisgebracht, had ze hem net als Maria in haar armen genomen zonder een traan, zonder een kreet van opstandigheid, versteend in haar verdriet, en had ze naar de hemel geroepen: 'Heer, uw wil geschiede in de hemel zoals op aarde.'

Niobe kwam schouderophalend terug, want ze was het met haar eens, zij het om andere redenen. Maar de Materassi's werden razend toen ze haar verhaal gehoord hadden: ze zeiden dat die vrouw idioot was, onnozel, dement, niet in staat voor wie dan ook enig gevoel op te brengen, een hoop modder: 'Hoe kun je rustig leven als je van die rotjongens hebt die 's nachts overal ter wereld loslopen? En zij blij toe!' Zo'n karakter zou je moeten hebben. Het zou te ver voeren om in te gaan op het idee dat zij hadden van de wereld en de nacht.

Wanneer Remo thuiskwam moest hij langs hen komen terwijl zij op dat uur dat het bijna ochtend was nog met een stroef gezicht gebogen zaten over hun werk, waarbij ze door een ijskoude stilte duidelijk blijk gaven van hun verdriet en deden alsof ze hem niet opmerkten, zijn aanwezigheid waarvan ze zich bewust waren tot op hun laatste druppel bloed; of ze keken streng op en wendden zich naar hem toe om hem zonder hun mond te openen te laten zien hoe rood hun ogen waren van het nachtwerk en het huilen. Ze zaten daar achter de luiken, die wat licht doorlieten door de jaloezieën als enige getuigen van hen en hun toestand, of eventueel zouden ze, naargelang de omstandigheden, samen wanordelijk en halfnaakt, met verwarde haren, naar beneden zijn gesneld en een verschrikkelijke scène hebben geïmproviseerd waarbij ze zich schreeuwend en huilend op hem wierpen; ze zouden hem hebben overladen met verwijten, beledigingen, dreigementen om hem een beetje te laten doormaken wat zijzelf hadden doorgemaakt. Ze zouden in alle toonaarden en met alle middelen hebben geprobeerd zijn hart te bereiken.

Zo te zien geloofde de jongeman niets van dat leed, maar hij nam de scène, hoe die zich ook mocht ontwikkelen, voor lief als een natuurlijk en onvermijdelijk feit, iets wat hij berustend onderging. Hij stak een sigaret op en rookte om te laten merken dat alles waartoe hij in staat was, al zijn gedachten, daarop gericht waren; hij keek geduldig om zich heen, zo natuurlijk en redelijk als iemand die verwacht dat anderen een lichamelijke functie verrichten die onmogelijk kan worden uitgesteld. Ongeïnteresseerd liet hij hen hun woede luchten zonder die ook maar met een lettergreep te beïnvloeden, of deed hij alsof hij niet zag dat er door de jaloezieën wat licht in de kamer kwam. En hoe indrukwekkender de scène was, des te meer leek het alsof zij juist hem iets schuldig waren.

Toen hun razernij over was, kwamen de vragen: had hij gegeten? Ja. Remo had altijd gegeten. Dat antwoord ergerde de vrouwen zichtbaar. Ze hadden liever gezien dat de arme Niobe zich op dat uur had uitgesloofd om het vaatwerk tevoorschijn te halen en de tafel te dekken, dat ze het vuur zou aansteken om wat bouillon op te warmen en eieren te koken. Na de tragische scène zou deze drukte op een ongewoon uur, de moeite om hem een avondmaal te geven, aangenaam zijn geweest: een avondmaal dat was begonnen met een voorgerecht van tragiek en zou eindigen met slecht verborgen vreugde vanwege het fruit. Ze waren ontstemd doordat dat tweede deel ontbrak, en dat hield hen in een opgewonden staat van nieuwsgierigheid; ze hadden nog meer slachtoffer willen zijn. Maar wat had hij gedaan, waar was hij naartoe gegaan, waar had hij gegeten toen hij zoveel uren was weggebleven?

Tegenover de wanorde in de harten van de tantes stelde de neef de volmaakte orde in het zijne.

Hij had gegeten en had nu zin om naar bed te gaan omdat het tijd werd om te gaan slapen; hij was absoluut niet dronken want hij dronk alleen maar water, en tijdens de maaltijden een glas wijn maar niet altijd; het was mooi om te zien hoe hij een glas water achteroversloeg met evenveel frisheid en helderheid als de vloeistof die hij dronk. Sinds zijn tantes afwachtten hadden ze ook bewondering kunnen koesteren voor deze gezonde gewoonte. Hij was volkomen beheerst en zijn geest bleef altijd helder.

Hij neuriede, stak een tweede sigaret op en groette met zijn gebruikelijke falsetstem zijn tantes: '*Zi' Tè*, *Zi' Cà*', alsof het twaalf uur 's middags was en niet twee of drie uur 's nachts.

Toen de vrouwen zich eenmaal in hun kamer hadden opgesloten gingen ze op gedempte toon en fluisterend door met praten over wat er gebeurd was en lieten ze Niobe toe bij hun gesprek, maar ze vielen haar steeds in de rede en legden haar het zwijgen op omdat ze te luid praatte. Zij deed wat ze kon om de vrede te herstellen.

Toen het normaal werd dat hij in de ochtend thuiskwam en de tantes niet meer aan het raam op hun neef wachtten of bleven werken, en ze hem er niet het minste verwijt over durfden maken, gebeurde het vaak dat ze tegen tweeën wakker schrokken door het geronk van een of twee auto's die voor hun hek stopten met luidruchtige stemmen en gelach, en dan stapten er wel tien of twaalf jongens uit, die Remo binnenliet in het heiligdom van de hemden en directoires; en dan wekten ze Niobe, die haar rok aanschoot, haar haren fatsoeneerde, hijgend aankwam en de heldhaftige houding aannam van iemand die een gewaagde onderneming moest aankunnen. Het was de bedoeling dat ze hen aan tafel liet plaatsnemen en hun te eten gaf. En omdat ze uit haar gezicht en haar gehijg het beste voorteken aflazen voor het succes van hun onderneming, begonnen ze haar te omhelzen en aan elkaar door te geven, haar bij de hals te nemen en haar in triomf op te tillen. De arme ziel wrong zich los en riep: 'Laat me met rust, laat me gaan! Laat me los als jullie willen eten! Rakkers die jullie zijn, als jullie me niet loslaten krijgen jullie niks.' Dit argument was zo overtuigend dat ze haar meteen onder daverend applaus loslieten. Koortsachtig spreidde ze een tafelkleed uit en gaf elk van die woestelingen een bord, een bestek, een glas. Een paar die wat attenter waren, lieten hun vriendelijkheid blijken door haar te helpen bij het verdelen van die voorwerpen over de tafel, en zij lachte omdat ze voelde dat zij in dat huis degene was met het grootste hart: de onstuimigheid en hartelijkheid van de knappe twintigjarigen veroorzaakten bij haar een uitbarsting van vreugde, ze had nog wel meer voor hen willen doen; hun drukte bracht haar in vervoering en dwong haar tegelijk om zich los te maken en haar oren dicht te stoppen.

Niemand vroeg zich af of ze in dat huis op dat tijdstip zoveel rumoer mochten maken; niemand zei dat ze rustiger moesten zijn, niet te hard mochten roepen; het leek alsof ze overeengekomen waren dat ze zo veel mogelijk lawaai moesten maken, en als er toevallig eentje, die in dat milieu nieuw was, aan Remo vroeg of ze daarmee geen last veroorzaakten door iemand wakker te maken en uit de slaap te houden, antwoordde Remo: 'Kom nou! Ga juist je gang, brul zo hard als je wilt, mijn tantes slapen heel vast, ze zouden zelfs niet wakker worden als er een kanon werd afgevuurd, maak je geen zorgen, je kunt juist zo hard schreeuwen als je wilt!' Palle was weggehold om de boer wakker te maken en namens de meesteressen broden en eieren te vragen omdat er niet genoeg van in huis was, en toen hij terugkwam met de broden onder zijn armen, droegen ze hem allemaal in triomf door de salon, zetten hem midden op tafel, improviseerden speeches en ovaties en vroegen hem om iets te zeggen, om antwoord te geven, en applaudisseerden alsof hij al had gesproken. Zodra hij kans zag, sprong hij als een haas van de tafel om naar de keuken te hollen en de olie uit de mandflessen wijn af te gieten:* en toen hij terugkwam met die flessen, een onder elke arm, en ze op tafel wilde zetten, werd hij verwelkomd met kreten die men tot in Florence had kunnen horen. Remo snuffelde in de provisiekast om iets te ontdekken wat kon dienen om hun eetlust tijdens het wachten op te wekken, twee of drie gehaktballen die waren overgebleven, wat gefrituurde vis. Daarna kwam Niobe met een immense schaal vol *affettato*, plakjes ham en salami. Toen brak het onweer los. En terwijl het gezelschap zich op die godsgeschenken wierp en het rumoer minder luid werd doordat de monden het te druk hadden, werd in de keuken het geluid van de schep hoorbaar: Niobe maakte het vuur aan en ging een

* In aangebroken mandflessen giet met een scheutje olie op de wijn om deze beter te kunnen bewaren. (*Vertaler*)

omelet bakken met zoveel eieren als ze bij elkaar had kunnen scharrelen. En zodra ze met buitengewone snelheid de affettato hadden weggewerkt en het rumoer opnieuw opsteeg omdat de monden weer beschikbaar waren, stonden ze een voor een op om snel naar de keuken te gaan, waar de omelet mooi goudkleurig werd. De arme dienstbode moest zich nog eens loswringen om haar taak te kunnen volbrengen: *gezegende jeugd!*, en zij kwamen weer de salon in om aan te kondigen wat er nu kwam. De rakkers zouden op dat uur dat het bijna ochtend was zelfs stenen hebben verslonden. Ze aten als wolven en het was zelfs niet mogelijk hen behoorlijk te bedienen, zo ongeduldig en woelig waren ze: ze pakten eten van elkaars borden, terwijl ze erom vochten viel een deel op de grond en veranderde de salon in een zwijnenstal; er bleef geen ei, geen broodkruimel over, niet het kleinste restje dat nog eetbaar was.

Remo zei altijd tegen zijn vrienden en degenen die hem vroegen waar hij woonde: 'Ik woon in Santa Maria, kom eens langs, ik tem apen, ik dresseer papegaaien, kom naar Santa Maria, kom maar kijken naar mijn gedresseerde papegaaien, mijn getemde apen.' En een voor een had hij zijn vrienden kennis laten maken met de tantes, en omdat ze auto's en motorfietsen hadden konden ze hem keer op keer komen opzoeken. Het is niet gemakkelijk te beschrijven hoezeer de tantes die bezoeken op prijs stelden: Remo's vrienden waren allemaal knappe, sterke jongens, vrolijk, stoer, sportief, goed gekleed en goed uitgerust voor het leven; het leek alsof hij ze had uitgekozen om terecht over allen te triomferen; want niemand kon met hem wedijveren; ze hadden allemaal een onvolkomenheid, een gebrek, een tekortkoming waardoor ze duidelijk zichtbaar bij hem in het nadeel waren, en daar vestigden de gezusters in hun gesprekken de aandacht op. Tegenover de tantes van hun vriend hadden de jongens zich heel levendig gedragen, maar wel zo beleefd en welopgevoed dat het grensde aan galanterie. Teresa's arme gezicht, aardkleurig, stoffig en afgesloofd, was vervuld van een licht dat haar lippen een beetje deed trillen; en Carolina, die haar blik niet lang van die onverlaten kon afhouden, begon zich, om zich een houding te geven, heen en weer te wringen op haar stoel: dat had niets te maken met de manier waarop Niobe zich loswrong, en dat deed die alleen wanneer ze voelde dat die duivels aan haar zaten, haar vastgrepen, betastten en vrolijk en liefkozend om haar vochten. Maar Carolina, die gevoeliger was, had genoeg aan haar ogen om zich heen en weer te kunnen wringen. Palle fungeerde als loopjongen en kelner. Hij ging naar beneden om nog een mandfles uit de kelder te halen, liep heen en weer tussen de keuken en de salon, tussen de salon en de provisiekast; en af en toe ging hij ook zitten om te eten met de gasten, voor wie hij een doelwit van talloze grappen was, tegen een achtergrond van vriendschap en gelijkgezindheid met een jongen die fysiek en maatschappelijk inferieur aan hen was. Hij was heel geschikt om naar de boerderij te hollen en daar in het donker verse sla, vochtig van de nacht, te plukken, die de jongens waardeerden als de beste lekkernij.

En wat gebeurde er op de bovenverdieping van het huis in de uren die gewijd waren aan rust en stilte?

Zodra ze het geronk van de auto's hoorden, sprongen de twee zusters uit bed en gingen zonder het licht aan te steken achter de jaloezieën staan terwijl ze een rok aantrokken en hun blote voeten in hun schoenen staken, en als het koud was wikkelden ze zich goed in een omslagdoek en gingen ze heel langzaam, en elkaar in het donker bij de hand houdend, de kamer uit; en door de gang kwamen ze, hun adem inhoudend en zonder geluid te maken, boven aan de trap, bleven daar huiverend staan en bogen zich over de leuning om geen moment van dat schouwspel te missen, dat ze reconstrueerden uit stemmen en geluiden en uit hun eigen levendige fantasie.

'Hoor, Vasco!'

'Corrado is er ook!'

'Hoor Bruno eens!'

'Franco!'

'Sergio!'

'Jim!'

'Renzo!'

'Gastone!'

'Alfredo, die is er ook!'

Een voor een herkenden ze hen aan hun stem alleen.

'Maar wie is dit?'

'Nee, die kennen we niet.'

Bij Remo's stem verstomden ze.

'Ze zijn de keuken in gegaan.'

'Ze omhelzen Niobe!'

'Luister eens, luister!'

'Ze hebben hun armen om haar hals!'

'Hoor eens hoe ze gilt om met rust te worden gelaten!'

'Ze heeft affettato gebracht!'

'Wat een herrie!'

'Ze beginnen te eten.'

'Ze heeft de omelet binnengebracht!'

'Hoor Palle eens, Palle is er ook!'

'Dacht je dat hij niet van de partij was?'

Ze bleven tot het einde boven aan de trap. Geen van de jongens had naar boven durven gaan, het hele kabaal bleef beperkt tot de eetkamer en de keuken, hoogstens tot aan Niobes hokje, de intact gebleven schulp waaruit de vrouw was gekropen om hen te bedienen.

U moet weten dat juist boven de eetkamer waar de jongens

hun eetlust en hun vrolijkheid de vrije loop lieten, de kamer van Giselda was, die, wakker geschrokken bij hun komst, ineenkromp van woede dat zoiets geduld werd: 'Wat een onbeschaamdheid! Wat een gruwel!' Ze stak het licht aan, keek op de klok: 'Twee uur, twee uur 's nachts. Om twee uur dit kabaal! Het is ook bij wet verboden. Moeten we zo'n zwijnenstal tolereren?' Maar ze had zich er wel voor gewacht om haar kamer uit te gaan om te protesteren of hoe dan ook een teken van leven te geven; en al wist ze niet wat er precies gebeurde, ze stelde zich de gezichten van haar zusters en de dienstbode op dat uur voor; haar gescherpte instinct raadde haar aan om niet op te staan en niet de kamer uit te gaan, zich niet te verroeren, zich er absoluut niet mee te bemoeien, en dat was een goede raad: 'Wat een idioten om zo'n herrie toe te laten!'

Wanneer de jongens door de grote kamer kwamen dempten ze hun stemmen; het door de vrouwen achtergelaten gerei boezemde hun respect, ontzag in; ze bekeken het zonder te roepen en zonder te lachen. Eens bewonderden ze een mooi borduurwerk in zijde en goud waar ze alleen maar een witte doek vanaf hoefden te halen om het te kunnen zien; ze hadden het voorzichtig opgetild met twee vingers en het fluisterend met kinderlijke bewondering bekeken en er een groepje hoofden omheen gevormd waarin hoofden uitstaken achter schouders en andere hoofden; en daarna bedekten ze het weer met de grootste discretie. Maar toen Remo een keer uit een lade een heel licht roze of lichtblauw hemdje of een broekje tevoorschijn had gehaald, het uitgespreid omhooghield en zei dat het voor een heel mooi meisje van achttien was dat binnen een paar dagen zou trouwen, was al het ontzag voor die plek en dat werk vervlogen en barstte opnieuw de herrie los zoals in de eetsalon. Sergio was gaan knielen voor het broekje dat Remo had uitgespreid en wilde het devoot kussen. Een voor een hadden allen, geknield voor het broekje, zijn voorbeeld gevolgd en het willen kussen, terwijl Remo het in een priesterlijke houding gespreid bleef houden.

'Maar wat doen ze, wat doen ze in hemelsnaam?'

Hun kreten leken de muren neer te halen: het ritueel werd begeleid met opmerkingen, epitheta en smeekbeden.

'Ze hebben een directoire tevoorschijn gehaald,' zei Carolina en ze stelde zich het tafereel voor.

'Het is die van het gravinnetje Del Piatta.'

'En Remo heeft hem aan ze laten zien.'

'Goeie genade!'

Nadat het kleine broekje van het gravinnetje was teruggelegd, haalden ze de directoire van een markiezin van heel andere dimensies tevoorschijn. Dat ontketende een begroeting van uitroepen, gefluit en protesten.

'Het is de directoire van markiezin Stroppa Guioni,' zei Carolina allervrolijkst, denkend aan de maten.

Ook Teresa hield bij de gedachte aan dat kledingstuk haar buik vast van het lachen.

Niobe, die tussen de jongens stond, hield het niet meer van het lachen.

Giselda beet in haar lakens, omdat ze tot niets anders in staat was: 'Stel je voor dat ze zoiets toelaten, op dit uur! Maar gaat er dan niemand naar de politie?' Ze deed het licht weer aan, keek op de klok: 'Vier uur! Dit is waanzinnig. Er moet een revolver aan te pas komen.'

Nadat Remo afscheid had genomen van zijn vrienden, die vertrokken met getoeter om de rest van het dorp wakker te maken, trok hij zich terug in zijn kamer om te gaan slapen; en Niobe, die het slagveld dat haar een paar uur later wachtte onaangeroerd liet, ging alvorens weer in haar hol te kruipen de trap op om verslag uit te brengen aan haar meesteressen, die in hun halfslaap extatisch naar haar luisterden en met hun ogen knipperden bij elke naam die ze uitsprak: 'Corrado, Franco, Bruno, Renzo, Gastone, Alfredo, Sergio, Jim...', namen die op die oude lippen even bekoorlijk uitbotten als bloemen, en: 'Remo, Remo, Remo...', wiens naam ze heel vaak herhaalde. De twee gezusters vielen weer in slaap in een staat van dronkenschap die hun een zoete, wellustige slaap gaf, alsof ze onbekende handen op hun lichamen voelden, die hen streelden, verkenden, betastten en wiegden in een smachtend en ver geroezemoes.

Giselda kon in haar woede en met haar gespannen zenuwen de slaap niet meer vatten, ze rolde door haar bed, beet in haar lakens, knarste met haar tanden: 'In dit schandalige huis kun je zelfs niet meer slapen.'

Met gerechtvaardigde trots moet worden erkend dat iedereen in deze streek gevoelig is voor schoonheid. Zelfs de kleermaker en hemdenmaker die worden geconfronteerd met een jongeman met een knap en sterk uiterlijk, een die zijn pak elegant en ongedwongen kan dragen, worden er als vanzelfsprekend toe gebracht hun werk aan hem toe te vertrouwen en zijn bereid om onwaarschijnlijk lang te wachten op de betaling ervoor. Remo's kleermaker stelde voor hem heel speciale voorwaarden op, met uitstel en regeling van betaling en aanzienlijke kortingen. Remo leverde een niet te veronachtzamen reclame op, hij was het middelpunt van een constellatie die, hoe schitterend ook, niet gemakkelijk kon worden gedefinieerd en bestond uit jonge mannen die zeker geen voorbeeldige werkers waren, en ook niet met klem verklaarden dat ze dat zo gauw mogelijk zouden worden. We kunnen zelfs zeggen dat ze geen van allen een echt beroep uitoefenden en allen behoorden tot gegoede families, die echter te middelmatig en bescheiden waren voor hun aspiraties, voor hun verlangen om een leven te leiden dat in geen verhouding stond tot de middelen waarover zij beschikten. Zodat ze, al waren ze allen niet in staat om echte misdrijven te begaan, altijd klaarstonden om als zich een goede gelegenheid voordeed, of zelfs als ze die een beetje opriepen, daarvan gebruik te maken of die niet voorbij te laten gaan, ook al was de geboden gelegenheid dubieus. Ze beoefenden verscheidene takken van sport waar ze zonder er onderscheid tussen te maken enthousiast over deden, en daarom konden ze sportieve jongens worden genoemd; ze aanbaden auto's en ze hadden er allen een, een mooie of een lelijke, en beweerden dat ze er agentschappen van hadden, er vertegenwoordigers van waren, tussenpersonen, verhuurders van auto's. We kunnen hen dan ook werkelijk automobilisten, chauffeurs noemen omdat ze dat beroep uitsluitend uitoefenden om te kunnen autorijden.

De kleermaker wist dat, als Remo bij hem wegging, een massa anderen hem heel gemakkelijk zou volgen, maar dat hij een permanente aantrekkingskracht op hen zou uitoefenen als hij hem koesterde; want niet alleen vrouwen raken in verrukking van elegantie, van de betovering van luxe en mode, we moeten ook denken aan het niet te verwaarlozen vrouwelijke dat mannen in zich hebben, al blijven ze trouw aan hun sekse. In elk geval wekte de jongeman, waar hij ook was, bewondering en sympathie, ook omdat hij zich, zoals we verderop zullen zien, tegenover mannen heel anders gedroeg dan doorgaans bij vrouwen, bij wie hij een hele rangorde had die niet aan het oog van de kenner kon ontgaan.

In de hele omgeving van Santa Maria was er maar één persoon die hem had kunnen weerstaan: Giselda. Van meet af aan had zij de gast wantrouwend bezien, van de eerste dag af voelde ze dat ze het volkomen oneens was met haar zusters; totdat ze op het laatst, ontmoedigd en verslagen doordat ze geen steun kon vinden voor haar opinie, was blijven zwijgen en haar wrok koesterde in afwachting van het moment waarop ze zichzelf genoegdoening kon verschaffen voor haar zwijgen en vernedering. En de diepere oorzaak moet worden gezocht in het feit dat zijzelf eens en voor al aangelokt was door de bekoring van de schoonheid en de jeugd, en daarvan was in haar hart een onuitwisbare verbittering achtergebleven. Omdat ze te veel te lijden had gehad onder dat kwaad was ze immuun voor besmetting daarmee.

En Remo had van de eerste dag af heel anders naar die derde tante gekeken dan naar de andere. Zij had hem meteen afgewezen, maar hij was haar blijven observeren om te zien of er niet een manier was om haar te bereiken, en of hij haar vijandigheid, waarvan hij de oorzaak niet kende, niet kon ontwapenen. Toen hij gemerkt had dat hij niets van haar te vrezen had, en dat niet alleen, maar dat haar vijandigheid voor hem uiterst vruchtbaar was doordat ze de gezusters naar het andere uiterste duwde, deed hij wat hij kon om haar zo vijandig mogelijk te maken, door haar met ironie te bejegenen, haar 'madame' te noemen of te doen alsof hij beducht was voor haar gezondheid en er aandacht voor had: 'Heb je vannacht slecht geslapen? Je ziet er niet goed uit, misschien zou een licht purgeermiddel je goeddoen', waardoor hij haar overal en altijd openlijk uitdaagde, minachtte en beledigde. Maar ook zij kende dat spel maar al te goed en hield zich zoveel als ze kon in om hem niet te provoceren, waarbij ze grote moeite deed om haar eigen opwellingen te overwinnen, om alles te accepteren en alles voor zich te houden. Soms had ze weerklank gevonden in de omgeving, bij mensen die minder onderhorig waren aan de macht van de tantes en de bekoring van de neef; de hooghartigheid waarmee men dat 'u' had opgelegd waarmee iedereen hem moest aanspreken was voor velen onverteerbaar gebleven; de talloze stompen die hij met zoveel charme en bedrevenheid had uitgedeeld en de daaropvolgende onverschilligheid die hij zonder uitzondering tegenover iedereen toonde, behalve bij Palle, hadden hier en daar kwaad bloed gezet, vonken van haat die gloeiden onder de as. Maar in aanwezigheid van de gezusters was de rebelse stem veranderd in een slaafse, want in zijn bijzijn raakte iedereen in extase vanwege zijn mooie schoenen, die Giselda moest poetsen, zijn pak, zijn mooie overhemd en zijn goed geknoopte das. De wrok en vijandigheid veranderden in gevlei, het gemompel in de open monden waarmee ze hem bewonderden.

En Giselda, die au fond trots en nobel van geest was, stuitte het tegen de borst om lucht te geven aan de onvrede waaronder ze in haar eigen familie leed, en had alleen daarin haar toevlucht gezocht wanneer ze het gevoel had dat ze stikte door haar verbittering en eenzaamheid. Thuis deed ze haar mond niet meer open om te spreken, haar zusters dienden haar maar al te graag van repliek, lieten haar zien hoe blij ze waren wanneer ze het tegenovergestelde deden van wat haar juist leek, om iets te doen wat haar diep zou mishagen, haar openlijke vijandigheid te provoceren, haar in een onmogelijke, definitieve, extreme positie te brengen. Sinds enige tijd deed ze bovenmenselijke pogingen om niets te laten merken, haar gedachten verborgen te houden, en sloot ze alles op in haar binnenste om zich niet bloot te stellen aan vernederingen en daardoor bij hen al te veel vrolijkheid te veroorzaken.

Waar haar zusters het meest van hielden was Remo's superieure houding en minachting tegenover haar, niets gaf hun meer genoegen dan zijn rechtstreekse aanvallen waardoor hij hun de moeite bespaarde om haar aan te vallen. Zelfs de zachtaardige, ruimhartige Niobe was enorm in haar schik met de manier waarop Remo de amfibie behandelde, de dienstbode die zij een beetje moest dienen en die zich een air wilde geven door een jongeman te minachten op wiens gelijke de hele streek zich niet kon of ooit had kunnen beroemen en die door iedereen bewonderd werd. Wanneer ze geconfronteerd werden met de harde blik van Giselda, knipoogde Niobe stiekem tegen Remo met haar altijd serene gezicht dat ermee contrasteerde, ze knipoogde in de richting van die norse trekken. Remo antwoordde met een lange zucht tegen de oude getrouwe, die hem zoals hij wist altijd steunde, een ironische zucht gericht tot die onneembare en niettemin goed ingenomen vesting, tot haar dappere verzet dat voor haar even schadelijk en nutteloos was als welkom voor hem.

En nu begon Giselda, met een stem die overbodig was geworden voor het gemeenschappelijk leven, te zingen terwijl ze haar taken verrichtte op de eerste verdieping van het huis of zich in haar kamer had opgesloten: ze zong vaak en ze zong hard, met een luide stem, en ze zong des te harder wanneer ze merkte dat er op de benedenverdieping onweer op til was. Ze zong van alles, liederen en liedjes, vulgaire wijsjes en vooral heel populaire oude opera-aria's; alles wat ze kende en zoals het in haar hoofd opkwam; zodat haar stem zich lyrisch mengde in het krakeel beneden.

We moeten toegeven dat ze niet slecht zong en al was ze onervaren, ze had geen lelijke stem, ze zong zuiver en kon fraai moduleren; en hoe vaker voorbijgangers omhoogkeken en stopten om naar haar te luisteren, des te meer vorderingen maakte ze.

Het is niet mogelijk te beschrijven hoezeer al dit gezang op de zenuwen van haar zusters werkte, ze voelden hoe hun adem naar de bodem van hun maag zakte, en nog dieper, naar hun middenrif, want Giselda wist precies aan te voelen wat het gunstigste moment was, en natuurlijk het ongunstigste voor hen; en hoe zij bij dat gezang aanvoelden dat het bedoeld was om hen te verrassen met een rechtstreekse aanval, met een dubbelzinnigheid, een steek onder water, een toespeling die op een bepaalde manier op hen sloeg, met verholen spotternij om hun opstandig het zwijgen op te leggen, met de bedoeling om hun macht en gezag te schaden. Niets, er was nooit iets tegen te doen. Giselda wist alles met geraffineerde handigheid te ontwijken, het was niet mogelijk haar te verslaan, en ze wisten ook niet hoe zij zoveel gevaren tegelijk wist te ontwijken: ze kon over de vlammen lopen zonder dat er ook maar een zoom van haar jurk schroeide.

Er kon een discussie gaande zijn, een kleine of een grote, vanwege een te betalen rekening, of een hevige scène vanwege het bestaan en de hoogte van die rekening; het konden protesten zijn vanwege de druk die Palle in huis uitoefende, want hij at daar altijd omdat hij nooit van de zijde van zijn vriend week; en wanneer ze buitenshuis waren, gaf Remo geld uit voor twee, terwijl de moeder van Palle thuis heel devoot herhaalde: 'Heer, Uw wil geschiede altijd en overal.' Zeker, ze had gelijk, je kon haar geen ongelijk geven, zij kon de Heer danken, Hem laten doen wat Hij deed, en dat was welgedaan... Van de bovenverdieping hoorden ze:

Noi siamo zingarelle
venute da lontano;
d'ognuno sulla mano
leggiamo l'avvenir.*

* Wij zijn zigeunerinnetjes, we komen van ver; we lezen in ieders hand de toekomst. (Verdi, *La Traviata*)

Aanvankelijk bleven Remo's tantes toen hij hechte vriendschap had gesloten met Palle, heel ontstemd door die voorkeur van hem: dat hij uit zoveel jongens de ellendigste had uitgekozen die het minst begunstigd was door het lot, de ruwste, lompste, slecht gekleed, een die in zijn eigen huis niet de noodzakelijke zorg kon krijgen die een adolescent nodig had, een die een dagloner van de nederigste soort zou worden, terwijl zij zich nog richtten op de toekomst van hun neef. Maar bij de intense, eerlijke hartelijkheid waarmee Remo zijn kameraad bejegende: 'Kom, Palle, hoor eens, Palle, laten we gaan, Palle...' had zijn stem een warmte zoals hij niet voor anderen had, en de toewijding waarmee zijn kameraad hem overal volgde, maakte hen onzeker wanneer ze hem verwijten wilden maken, en in de ban van hun ijdelheid gingen ze allengs bewonderend zwijgen en in Palle niets anders dan de schaduw van hun neef zien. Remo had een lijfwacht uitgekozen, een volgeling, een bediende; en dat bevestigde steeds meer hoe bekwaam en sterk hij was. En zo raakten zij niet opnieuw ontstemd doordat hij zijn volgeling ook aan de tafel liet plaatsnemen en de schim op het uur van het middagmaal op de duurzaamste wijze een lichaam had aangenomen, wat beetje bij beetje een gewoonte werd. Remo was gaan zeggen: 'Kom, Palle, we gaan eten, vandaag eet je mee.' En nadat hij de eerste dagen had geaarzeld, nam hij de uitnodiging aan zonder dat die herhaald moest worden; en zijzelf zagen hoe tevreden de jongens waren omdat ze samen waren en ze gingen uiteindelijk genoegen scheppen in die niet onaanzienlijke gezinsuitbreiding, in die gebeurtenis die hun haastige, karige maaltijd veranderde in een uur van ontspanning. Maar toen ze met Niobe de rekeningen doornamen en moesten erkennen dat de kosten van het huishouden waren verdrievoudigd, al wist men niet hoe, en ze daardoor onthutst en opgewonden raakten en geen woord konden uitbrengen, klonk van de bovenverdieping de lyrische stem:

Se quel guerriero
io fossi se il mio sogno
si avverasse!... Un esercito di prodi
da me guidato...*

Terwijl Palles moeder vol bezieling herhaalde: 'Heer, Uw wil geschiede, altijd en overal.'

Zoals ik eerder heb gesuggereerd, had men kunnen veronderstellen dat een natuurlijke en sterk ontwikkelde affiniteit hen bij elkaar gebracht had en hen bijeenhield, maar een dergelijke gewone, gemakkelijke veronderstelling gaat in ons geval niet op. Geestverwantschappen kunnen vaak leiden tot oppervlakkige, broze vriendschappen die soms alleen maar schijn zijn, die verraderlijke, dieper liggende rivaliteit, jaloezie verhullen en gemakkelijk leiden tot teleurstellingen en verrassingen. In dit geval mag worden gezegd dat rivaliteit beëindigd door een daad van geweld hen met elkaar kennis heeft doen maken en dat de natuurlijke verschillen hen hadden bijeengebracht en onafscheidelijk samenhield, in één enkel streven:

* Als ik die strijder was en mijn droom uitkwam!... zou een leger van door mij aangevoerde dapperen... (Verdi, *Aïda*)

durven, leven om te durven; bij de een bewust en bij de ander instinctief, ongevormd.

Remo was buitengewoon knap van uiterlijk en gedroeg zich aristocratisch, Palle had een onbeduidend en onherstelbaar plebejisch uiterlijk, waardoor hij verlegen leek naast zijn kameraad wiens durf onmiskenbaar was, hij was trots en zelfverzekerd en waagde meer dan Palle en had geen hekel aan diens lompheid en hield er zelfs van, en hij deed niets om die te verminderen of verzachten, hij wilde dat de ander zo veel mogelijk zichzelf bleef. En Palle keek niet afgunstig naar het pak van zijn vriend, dat hij hem graag zag dragen, en dat zo moest zijn, en hij had niets willen doen om er ook zo een te hebben. Remo had het karakter van een commandant, Palle dat van een ondergeschikte: alles wat Remo aandurfde moest door de zeef van de berekening, het moest doelgericht zijn, Palle kon niet berekenend zijn, zijn durf was belangeloos, bij elke onderneming gaf hij zichzelf zonder zich af te vragen wat hij gaf en wat het opbracht: hij moest geven, maar om te geven had hij een gids nodig, een leider, moest hij een ander volgen om zichzelf uit te drukken. Ze waren als de soldaat en de officier, sinds het principe was overeengekomen dat de een commandeerde en de ander gehoorzaamde; het verschil tussen hun taken had niet meer alleen een materiële waarde, hier klopten twee harten samen voor hetzelfde geloof, ze bevonden zich op hetzelfde spirituele niveau. Maar omdat de strijd het leven is en de strijdenden op dit terrein egoïsten zijn, en dikwijls blinde, woeste egoïsten, was Remo tot de tanden gewapend om te strijden, terwijl zijn kameraad weerloos was; in zijn eentje zou hij onverbiddelijk onder de voet gelopen zijn omdat hij een bediende was, een slaaf, een lastdier zoals zijn vader en moeder; de zuivere had de ervarene nodig om te overwinnen, en het deed de expert veel goed om aan zijn zijde die zuiverheid te voelen die zijn moed verdubbelde. Remo hield in feite van niemand anders dan Palle, en degene die doorging voor zijn knecht vertegenwoordigde het beste deel van hemzelf.

De twee jongens bevonden zich tegenover de wereld met zijn lange wegen en vlakten waar jongemannen langskwamen die mooie auto's bezaten, geluksvogels die veel geld konden uitgeven en ze naar believen of uit een gril konden inruilen, die bij alle wedstrijden aanwezig waren waardoor ze, al waren ze van een hogere stand, verbroederden met degenen die bescheiden en arm waren en zich met hen verbonden voelden als met hun godheden. Ze bevonden zich tegenover de wereld met zijn wonderbaarlijke vluchten die door hun grootsheid ook de gedachte aan de dood deden verdwijnen; zijn duizelingwekkende races, zijn snelheidsroes; ze ademden de koortsachtige atmosfeer in die erdoor werd opgewekt, door wedstrijden, door behoefte aan waagstukken, aan snelheid, aan steeds meer snelheid: de wil, de vaardigheid, alles, alles voor de snelheid.

Palle was niet in staat tot initiatieven. Remo had iemand nodig die hem volgde in de zijne, waarvoor hij zijn geest op scherp zette; iemand die het zonder discussie met hem eens was. Wat beiden de meeste vreugde gaf, was samen slapen. Palle was blij wanneer Remo hem zei: 'Blijf hier slapen, blijf bij mij.' Wanneer hij rustig, maar ook een beetje stijf, onder de grote hemelsblauwe damasten baldakijn lag, keken Palles ogen sluw terwijl hij zijn lachen niet kon inhouden en vroeg hij zich af waar hij was en wat die komische dingen wel mochten voorstellen; en lachend viel hij in slaap bij de gedachte dat het eerste wat zijn vriend zodra die wakker was zou zeggen een aankondiging zou zijn van een onderneming: wat ze moesten doen, waar ze heen moesten gaan; vanwege de gedachte dat hij het hem meteen kon horen zeggen, zodra hij zijn ogen had geopend, zonder te wachten, zonder hem te hoeven opzoeken. En de ander gaf het een prettig gevoel dat zijn kameraad hem bij die expeditie vergezelde.

Ze waren allebei zwijgzaam, ze praatten met iedereen weinig en hielden niet van kletspraat. Ze hadden er zelfs een gruwelijke hekel aan. De een onttrok zich eraan door het gezag dat hij inboezemde, de ander door op kinderlijke wijze zichzelf te blijven en door met een elleboog of schouder antwoord te geven aan degenen die 'Palle! Palle!' zeiden om hun neus in hun zaken te steken, vooral in die van Remo.

Ze begrepen elkaar door gebaren, enkele lettergrepen, blikken; en beiden voelden zich op hun gemak wanneer ze met andere mannen praatten over wat hen bezighield, om informatie in te winnen, nieuws over te brengen, te vertellen, te discussiëren. Voor Remo werd de tijd die hij aan vrouwen wijdde op een goudschaaltje gewogen, hij keek koel en onverschillig naar ze als naar een terrein dat in de kortst mogelijke tijd moest worden veroverd. Palle was verlegen in het bijzijn van vrouwen, alsof hun rokken van pek waren, hij kon nauwelijks wachten op het moment dat hij zich vrij kon maken en weggaan. Hij moest lachen om vrouwen en tegelijk boezemden ze hem vrees in; hij was zo mannelijk dat hij haast niet met ze kon praten.

Ze waren niet sentimenteel en evenmin was er bij hen een gevoel voor sensualiteit ontwikkeld.

De liefde die Palle voor zijn moeder voelde was ascetisch, niet meer van deze aarde, bestond uit toewijding en liet geen woorden toe, en hij hield van zijn vriend als van een integrerend bestanddeel van hemzelf, zoals hij van het leven hield. De seksuele daad was voor Palle een buitengewoon simpele fysiologische zaak, maar geestelijk zo verheven dat hij niet kon begrijpen hoe jongens er zo onverschillig over konden doen;

als hij gedwongen werd om erover te spreken, wendde hij zijn gezicht af om te lachen, zoals hij zich aan tafel een beetje achter een arm verborg om te eten: hij werd er alleen door aangetrokken door het voorbeeld of liever de stroom waarop hij meedreef en hij vermeed het niet uit mannelijkheid, maar hij behield in elke omgeving zijn mannelijke schroom. Het leek hem iets wat je niet zo onverschillig moest doen en het lukte hem ook niet om over zijn ongunstige indruk heen te komen, maar het was voor hem iets wat alleen kon plaatsvinden tussen twee mensen die door een onverbrekelijke band verenigd waren en aan wie het geheim van de natuur onthuld was. Op de dag dat hij met genegenheid met een meisje zou praten zou zij zijn vrouw worden; hij zou een trouwe echtgenoot worden en een goede vader.

Te midden van Remo's vrienden, die vrij van scrupules waren, ervaren, en zich gedroegen als lieden uit de gegoede burgerij, nam Palle, met zijn handen in zijn zakken, zijn pet over zijn voorhoofd en zijn wiebelende gang de plaats in van de hond, hij was er altijd alsof hij er niet was; hij was altijd binnen bereik wanneer hij dat moest zijn en kon aanwezig zijn zonder te worden opgemerkt en er niettemin bij zijn. Hij nam niet meer plaats in dan een hond, en hij was blij dat hij precies op zijn plaats was. Af en toe stond hij net als een hond in het middelpunt van de conversatie, iedereen betoonde hem liefdevolle genegenheid, die zo ver ging dat ze hem een klapje gaven, hem omhelsden en streelden. Net als een hond. Iedereen liet hij zijn ronde, massieve schouders zien en zijn even goedaardige als sluwe glimlach.

Hij verschilde in dit gezelschap enorm van zijn kameraad. Remo werd evenmin beheerst door sensualiteit, hij stond er zelfs volkomen boven, maar had vrij snel begrepen welke waarde vrouwen hebben in het leven, en wat voor invloed hij op hen kon uitoefenen, wat zij te betekenen hebben in onze maatschappij. Hij bleef altijd zijn koelheid bewaren, zijn raadselachtige houding en zijn nauwelijks opvallende superieure glimlach.

Palle kreeg ook van Remo soms een paar tikjes om een gespreksonderwerp af te breken waarover absoluut niet kon worden gediscussieerd, gezien het grote onderscheid tussen hen.

Om te zien hoezeer ze ondanks hun grote verschillen overeenstemden moest je hen observeren bij een auto, hen eromheen bezig zien, en in de ingewanden om de motor te repareren, om te ontdekken wat er stuk was, mis mee was, hem weer op gang te brengen; en aangezien ze altijd auto's onder handen hadden die versleten of heel weinig waard waren, vaak kapot, werd hun vaardigheid onovertroffen. Ze waren in staat elk kadaver tijdelijk tot leven te brengen. Palles lichaam was niet meer een menselijk lichaam, het was een bol, een hooivork, een wiel, een boog, een hefboom, een as, een balk, een plug, van zijn hele lichaam kon hij maken wat hij nodig had. Het lichaam van Remo bleef bij alles onveranderlijk: hij was altijd een magnifiek menselijk lichaam dat zich laat zien, buigt, losmaakt, ontwikkelt en door zijn bewegingen heen zijn ziel aan het licht brengt. Ook de auto werd gedomineerd door de mens. Palle was er de liefhebbende, trouwe dienaar van en dat bleef hij wanneer hij instapte en hem liet rijden; zijn aanwezigheid achter het stuur was alleen maar een noodzaak. Maar voor Remo was de auto niet compleet zolang de bestuurder niet was ingestapt, het leek alsof hij hem riep, op hem wachtte zoals een vrouw wacht op haar minnaar, en zodra hij erin zat gaf de auto zich aan hem over en werd één geheel met hem, waarbij alles samenkwam in zijn hoofd, dat er de heerschappij over had.

Om hun verschillen en hun eenheid te zien moest je hen ook

observeren bij een race op een baan of op een weg, in de lucht of op het water. Om bij die wedstrijden aanwezig te zijn, waar ze ook werden gehouden, hadden ze met alle soorten problemen en gevaren te kampen gehad, ze waren erheen gegaan met alle middelen, ook de absurdste, met auto's in hopeloze staat. Daaruit bestond het geloof dat hun harten verenigde. Bij een raceauto gingen Remo's wimpers zo ver omlaag dat ze bijna bijeenkwamen, om een schaduw onder zijn wenkbrauwen te vormen, alsof hij een verrekijker scherp stelde, maar aan de rest van zijn lichaam was niet te zien hoe gespannen hij was; de ogen van Palle werden almaar kleiner, heel klein en terwijl hij geleidelijk vooroverboog zagen ze er tussen zijn schouders uit als twee scherpe punten, twee pijlen.

Dit soort leven van dag tot dag gaf de twee jongens de mogelijkheid tot heroïek die voor hen fysiek was, gewoon, alledaags: maar wel iets wat helaas niet zo was als datgene waarnaar zij streefden. Later zouden ze, als het van hen gevraagd werd, beiden in staat zijn tot grote waagstukken die ze zouden volbrengen met als enige doel de schoonheid van de daad, zonder dat er bij hen ook maar een greintje zelfopoffering zou opkomen.

En zoals vrienden en kennissen, familie en buren, en zelfs degenen die hun producten aan hem hadden toevertrouwd gevoelig waren voor schoonheid, zo moesten ook andere personen van andere categorieën daar gevoelig voor zijn. Het is niet bekend hoe het kwam, maar Remo, die altijd ontwijkend en onverschillig had gereageerd op iedereen om hem heen, hield sinds een poosje en met een zekere hardnekkigheid de klanten van zijn tantes in het oog. Hij deed of hij zich daar toevallig bevond en onverschillig en verstrooid was, maar observeerde de soorten vrouwen die daar kwamen voor hun bestellingen. Bij alle respect en eerbied die de gezusters hadden voor hun klanten, waren ze buiten zichzelf van vreugde wanneer ze konden vertellen wie die jongeman was die daar bij de deur of bij het hek stond of met een auto manoeuvreerde of ongedwongen door de kamer liep om naar binnen of buiten te gaan. Eén blik was voor hen voldoende om te menen dat ze recht van spreken hadden; een blik waarvan de klanten meestal liever niet hadden dat die onderschept werd door de naaisters, die daar nu meer interesse in toonden dan in het praten over directoires en hemden.

'Dat is onze neef.'

'De zoon van een zuster die nog jong in Ancona is gestorven.'

'Hij is een wees, ook zijn vader is dood.'

'Hij is tweeëntwintig.'

'Hij woont al acht jaar bij ons.'

Als Remo erbij was maakte hij, zonder de indruk te hebben dat hij werd voorgesteld, voor de dame en de jongedame een buiging die tegelijk respectvol en uitdagend was; een plicht die je haastig vervult omdat je er niet onderuit kunt. Onderhand observeerde hij bliksemsnel die verschillende typen en als het kon bleef hij bij het hek hangen, niet om te zien hoe ze naar buiten gingen en in de auto stapten, hij bekeek hen nauwelijks, maar om hun de gelegenheid te geven hém te zien; en hij wachtte zich er wel voor om nu de tantes hem niet zagen opnieuw te groeten, zelfs niet koel en afwezig: daarmee maakte hij duidelijk dat zijn eerdere beleefdheid tot hen was gericht en niet tot de dames; en hij zou ook een gesprek met Palle niet onderbreken om hen te groeten. Omdat hij onovertroffen was in deze kunst merkte hij, zonder ook maar vluchtig naar hen te kijken, precies hoeveel belangstelling hij wekte bij hen die, terwijl ze dachten dat hij wie weet waar was met zijn gedachten, bleven talmen om hem te observeren zoals ze niet hadden gekund ten overstaan van de vrouwen, en ook was het niet mogelijk te weten wie het gretigst naar hem keek, de dochter of de moeder. De eerstgenoemde maakte aan de vooravond van haar huwelijk misschien een melancholieke vergelijking en stelde zich tevreden met bewondering, aangezien er geen trouwe echtgenote bestaat (hier kan ik geen cijfers bij geven, ik ken de statistieken niet) die niet minstens met haar ogen haar wederhelft verscheidene malen heeft bedrogen.

Wanneer er priesters kwamen, stelden de tantes hem officieel voor, en Remo nam haastig de hand aan die de priester hem goedmoedig toestak, meer als vriend dan als klant. Ze praatten met elkaar over willekeurige onderwerpen, Remo glimlachte openlijk en werd spraakzaam, zodat de tantes elkaar aankeken omdat ze zich afvroegen waar al die welsprekendheid en jovialiteit vandaan kwamen. Bij priesters maakte hij gebruik van een speciale tactiek die niets te maken had met die welke hij bij vrouwen bezigde en in het algemeen ook niet bij andere mannen, en die zeker hun sympathie zou wekken: hij deed alsof hij zich helemaal gaf; en terwijl vrouwen hem nooit kregen als ze achter hem aan zaten, ging zo'n priester weg in de overtuiging dat hij hem in de vlucht had gevangen en hem meenam, maar hij had niets gevangen. Bij zijn vertrek uitte hij zijn genoegen tegen de gezusters: 'Knappe jongen, sympathiek, levendig, u zult wel blij zijn dat u hem hier hebt.' Ze waren niet in staat te antwoorden. Teresa's gezicht verloor haar door het werken verharde blik en werd als was die smelt in de warmte, en Carolina bleef zich vastklampen aan haar stoel uit angst dat ze zou vallen. Alleen wanneer er nonnen kwamen, liep Remo snel langs zonder zich ook maar om te draaien. En zij op hun beurt gingen er snel vandoor, waarbij het leek alsof ze een kruis in de lucht sloegen. De tantes wisten hoe ze zich ook op hen konden wreken; ze lieten hen vijftig keer terugkomen om te vragen of het fameuze altaardoek of de fameuze albe klaar was, en dan antwoordden ze treiterig: 'Nee, we zijn er nog niet aan toe gekomen.'

Sinds enige tijd was een merkwaardige vrouw die in een villa in Settignano woonde een vaste klant van de borduursters; een Russische gravin die als door een wonder aan Lenins revolutie was ontsnapt en over wie veel geruchten en fantasieën de ronde deden. Haar man, een politicus van het ancien régime, was gedood in de revolutie en de gravin, die haar eigen nationaliteit kwijt was, had alle nationaliteiten aangenomen, ze was een dochter van de Volkenbond. Doordat ze bij het uitbreken van de storm bij toeval naar Parijs was vertrokken, was ze eraan ontkomen. In die tijd had ze een huis in Parijs waar ze een goed deel van het jaar verbleef en naar het schijnt had ze van haar rijkdommen alles of een groot deel kunnen redden; of ze waren voor haar uit gevlucht, wat waarschijnlijk was, want ze had magnifieke auto's, personeel en een villa en ze leidde een luxe en bijzonder leven. In plaats van zich te omringen met dames en heren van haar stand, zoals men kon vermoeden, omgaf ze zich uitsluitend met jeugdige personen, sportieve jongemannen. Je zag haar nooit met een andere vrouw. En ze mocht dan materieel aan een verschrikkelijke cycloon zijn ontsnapt, er was er een losgebarsten in haar geest die even onverbiddelijk was: ze was van een intellectuele vrouw in een sportieve veranderd. Voetbal, boksen, springen, alle soorten races hadden de plaats ingenomen van de diepe gedachten, de menswetenschappen, van haar liefde voor lyrische opwellingen en lyrische harmonieën, van zwaarwichtige of briljante geleerde gesprekken. Ze gaf onomwonden te kennen dat ze negenendertig was, maar het viel gemakkelijk te begrijpen dat ze voor het begin van de vierde boog van de brug had willen stoppen, en niet als een klagerige, smekende of zelfs behoedzame bedelaar, maar als een eigenwijs kind dat huilt en schreeuwt, en met geen mogelijkheid verder te krijgen is. Haar rechtmatige plaats was royaal voorbij de vijfde.

De Materassi's maakten voor haar van een heel fijne stof een speciaal kledingstuk dat 'lelie-combination' heette en dat ze was gaan dragen toen ze zich in Florence had gevestigd; een hemd waaraan een broekje bevestigd was, een geheel dat strak om haar lichaam paste tot ter hoogte van haar borsten en de bovenkant van haar dijen, zoals de bloemkelk waarnaar het genoemd werd.

Uit de eerste begroeting van Remo en de gravin kwamen ware gesprekken voort, over auto's. Ze kwamen elkaar dagelijks tegen op de Via Settignanese, Remo kende de geschiedenis van de dame, die hem doordringend aankeek zonder te bereiken dat haar blik beantwoord werd: want Remo keek niet naar haar maar toonde levendige belangstelling voor haar auto's die zo anders waren dan die waarin hij heen en weer moest rijden over dezelfde weg. Hij was door haar meer dan eens verrast als hij pech had met een auto en druk bezig was om die weer aan de praat te krijgen. Ze lachte, de gravin, ze lachte onbekommerd; en Remo voelde zich niet beledigd doordat ze hem uitlachte, maar lachte met haar mee over de ellendige kwaliteit van zijn vehikel, gezien het feit dat hij zich uitgaf voor een autodealer, voor een vertegenwoordiger; hij nam dat heel serieus terwijl in hem de beslissing rijpte: voor een jongen als hij was een mooie auto een noodzaak, de tijd van de wrakken van twee-, drieduizend lire was voorbij, want alleen zijn en Palles heldhaftigheid hadden die in leven kunnen houden en nu werd het bezit van een fatsoenlijke auto broodnodig. Daaraan dacht Remo terwijl hij met de gravin stond te lachen. Maar toen ze hem op de man af voorstelde met haar mee te rijden naar Settignano voor een bezoek aan haar villa, weigerde hij met evenveel spontaneïteit en voerde hij aan dat hij naar Florence moest. De vrolijkheid van de dame stokte even, maar daarna begon ze weer moedig te lachen: ze was niet een vrouw die zich liet afschrikken door weerstand en ze bleef lachen terwijl ze in haar voertuig stapte en Remo groette op een manier waaruit hij niet kon opmaken of ze iets van hem wilde meenemen of iets van zichzelf voor hem achterlaten. Of nu het een of het ander het geval was, Remo leek zich er niet om te bekommeren, niet om het aannemen van wat hem zo royaal werd aangeboden, noch om het afstaan van wat ze hem lachend vroeg.

Twee dagen later kwam de gravin terug om nieuwe, kleine veranderingen en toevoegingen te bespreken aan haar lelie-combinations, waarvan de Materassi's deze keer een heel dozijn voor haar moesten maken.

Remo wachtte haar op.

Het gesprek werd hervat en op persoonlijker onderwerpen gebracht; en toen de gravin vertrok, nam Remo de uitnodiging aan en stapte in haar auto om met haar naar Florence te gaan.

Nog maar twee dagen later: opnieuw een bezoek. De gravin was er elke dag en kwam natuurlijk terug omdat het haar niet lukte de basis waarop ze elkaar ontmoetten te verplaatsen en een nieuwe te vinden. Als ze Remo wilde zien moest ze hem gaan opzoeken waar ze hem zeker zou aantreffen, waar hij alleen maar te vinden was; nergens anders; en wanneer ze hem bij haar vertrek uitnodigde mee te gaan naar Florence nam hij haar uitnodiging heel nonchalant aan en stapte in de auto; maar wanneer ze voorstelde hem mee te nemen naar Settignano voor een bezoek aan haar villa, weigerde hij prompt en gedecideerd, tot groeiende teleurstelling van de gravin: hij had het druk, hij moest naar de stad, waar op hem gewacht werd, hij was al te laat en moest opschieten, hij riep tegen Palle dat hij de koffiemolen moest starten, het draaispit, de stoommachine, zoals hij lachend tegen de gravin zei, en wanneer Palle klaar was stapte hij haastig in na de dame naar haar auto te hebben vergezeld.

In de tijd dat ze zich daar ophield, die almaar langer duurde, slenterden ze heen en weer voor het huis, langs het lage muurtje, als schildwachten, en praatten ze over sport, uitsluitend over sport, het enige onderwerp waarover je een gesprek met Remo kon voeren, en nu ook het enige voor de dame, die buitengewoon sportief was geworden nadat ze zonder dat het haar speet het terrein van de geest had verlaten. Je kon in haar villa de befaamdste en meest uiteenlopende kampioenen van het moment ontmoeten met wie ze bevriend was: zwemmers, kanovaarders, duikers, springers, boksers, voetballers, waterpoloërs, basketballers, wielrenners en hardlopers, vliegeniers en automobilisten. Zij beoefende zelf ook een paar van die sporten, ze was een sterke roeister en een zwemster met uithoudingsvermogen; ze had thuis een zwembad en elke ochtend oefende ze met halters en aan de barre voordat ze een duik nam. Dat was niet de enige reden waarom slimme inwoners van Settignano haar villa 'de sportschool' noemden. Ze sloeg geen race, geen match over en er was geen plek en geen weer waardoor ze werd weerhouden of overrompeld; en tijdens de wedstrijd werd ze zo enthousiast dat ze bereid was met een andere vrouw te gaan vechten. En omdat ze adoptief-Romeinse was, had ze de gewoonte om aan het eind van een wedstrijd haar baret naar de kampioen te gooien. Boze tongen beweerden dat niet alle baretten terugkeerden naar waar ze vandaan kwamen, ook al stonden naam, wapen en adres van de gravin erin. Zoals destijds haar huis in Parijs werd gefrequenteerd door de beroemdste schilders en beeldhouwers, musici, literatoren en filosofen had ze, nadat ze jarenlang hun debatten had voorgezeten en hun cerebrale kwellingen had gedeeld, hun intimiteit en vriendschap had genoten, vervolgens bij de beschreven omwenteling – waarbij ze de openlucht had verkozen en lichamelijke actie die alle problemen oplost – hen *en bloc* afgewezen, de kunstenaars en dergelijken *emmerdants* genoemd en de literatuur- en filosofieprofessoren met hun onzinnige moraal en hun pessimistische twijfels *vieux cocus*. Er is geen betere filosofie dan die je beoefent met armen en benen, waarbij je je hersens intact houdt, terwijl alle andere filosofieën voortkomen uit het feit dat ze zijn opgezwollen: 'Je suis grecque,' herhaalde de gravin en ze gooide alle bagage van haar Geneefse nationaliteit overboord: 'Je suis grecque', en daar voegde ze aan toe dat de Italiaanse jeugd de beste van alle is, goed in balans '*dans sa chaleur*' en dat zij in Toscane '*formidable*' materiaal had gevonden, ze had er zonder meer 'de mens' gevonden. Het staat vast dat Diogenes haar vanuit het hiernamaals afgunstig moet hebben bezien, en ook een beetje boos, nadat hij daar zo zonder resultaat naar had gezocht; en zich verbijtend zou hij tegen zichzelf zeggen: 'Zie nu eens wie hem moest vinden.'

Alle gesprekken over dit onderwerp werden gevoerd terwijl ze een eindeloos aantal malen heen en weer liepen voor het huis, en dat aantal nam toe bij elk nieuw bezoek.

Aanvankelijk hieven de Materassi's elke keer dat de twee voor de deur langskwamen hun hoofd op, maar zonder elkaar aan te kijken; daarna keken ze niet eens meer op en bleven ze over hun werk gebogen, hoe de toon van het gesprek ook was: of ze nu op luide of gedempte toon spraken, of als de gravin een woede-uitbarsting had of schallend lachte. En we hoeven niet te geloven dat ze eraan gewend raakten of het rustig verduurden, ze voelden dat het knaagde aan hun lever en hun hart kwelde, en ze werden almaar kwader op die vrouw vanwege haar manier van doen en hoe ze te werk ging, op haar belachelijke uiterlijk, haar brutale stem; vanwege dat bezoek dat nu onbeschaamd zijn ware motief onthulde met als voorwendsel de hemden en directoires. Nu eens voelden ze zich tijdens de fasen van die gesprekken alsof ze van ijs waren, dan weer alsof ze in een gloeiend hete oven zaten. Ging Giselda nu maar zingen op de verdieping! Ze zong alleen wanneer ze had moeten zwijgen, en nooit deed ze iets wat haar zusters beviel, zoals nu haar stem met twee goed te pas komende strofen een effect had kunnen hebben alsof de hemel tussenbeide kwam, maar het helse schepsel bleef stom als een vis. Zijzelf gaven commentaar wanneer ze bijna uit hun vel sprongen en zich niet meer konden inhouden. Toen de gravin even zo vrolijk had gezegd dat ze negenendertig was riep Teresa: 'In de wieg!' en Carolina zette dat kracht bij met: 'Schaamteloos!' En ze bekroonden haar beweringen met opmerkingen alsof ze de antwoorden van litanieën gaven.

'Charmant, zo'n roeister.'

'Verdrink maar' – wanneer ze zei dat ze graag zwom.

'Ik wil haar wel eens zien springen.'

'Zal wel springen als een beer.'

'Als ze haar nek maar breekt!'

'Ze moet aan het spit worden geregen.'

En ze namen het Lenin kwalijk dat hij na zoveel beste brave mensen te hebben gedood juist haar had laten ontsnappen.

De gravin schonk nu niet meer de minste aandacht aan hen, ze gedroeg zich alsof ze in een café was, verwaardigde zich zelfs niet een blik op hen te werpen en ging weg zonder hen te groeten.

Ze praatten erover met Remo. Het moest afgelopen zijn met die bezoeken, voor de goede naam van de firma moest deze vrouw onverwijld worden weggestuurd. Remo antwoordde onverschillig dat hij niets te maken had met die bezoeken, en als de gravin lang bleef was het niet zijn taak haar weg te sturen, hij was niet de baas en kon niet grof zijn tegenover iemand die aardig tegen hem was.

Toen namen de tantes een heldhaftig besluit: alle werk opzijzetten, ook 's nachts doorwerken om de lelie-combinations zo snel mogelijk af te maken en van de lastige klant af te zijn.

Binnen een week werden de twaalf combinations vervaardigd en meteen met de factuur door Giselda afgeleverd bij de gravin. En al hadden ze haar de vorige keer vijftig lire per stuk laten betalen, een prijs die ze waren overeengekomen, nu berekenden ze zestig lire om haar te treiteren.

De volgende dag stopte de auto van de gravin en stapte de chauffeur uit met een pakket en een envelop met de rekening en de betaling ervan: de gravin betaalde zonder te morren over de prijsverhoging. In het pak zat stof voor nog eens twaalf combinations, die ze deze keer op hun gemak mochten uitvoeren, zijzelf zou langskomen om het ontwerp en het borduurwerk te bespreken.

De Materassi's stonden verbijsterd met het geld en de stof in hun handen, zonder te weten wat ze moesten doen, Teresa tekende de rekening zo bezorgd af alsof ze een belangrijke akte tekende, en toen ze eenmaal alleen waren keken ze elkaar aan: 'Wat nu? Wat moeten we doen?'

Die dag had Remo na het middagmaal, toen Giselda net de deur uit was, een belangrijke aangelegenheid met zijn tantes te bespreken. Hij was nu tweeëntwintig en het werd tijd dat hij ging denken aan een concreet soort werk; hij had mogelijkheden op het oog die hij zich niet wou laten ontsnappen: de vertegenwoordiging voor het rayon Florence van een nieuwe auto, die een groot succes zou worden, maar om contact op te nemen met het bedrijf dat ze bouwde en om een goede indruk te maken moest hijzelf een auto van vijfendertigduizend lire bezitten. Daar hing zijn toekomst van af.

'Vijfendertigduizend lire?'

'Gespreid te betalen.'

De gezusters hadden nog nooit met zoveel eenvoud een dergelijk bedrag horen uitspreken; bedragen waren in hun leven moeizame en lange etappes geweest, zoals de beklimming van ontoegankelijke bergen, waarvan ze de toppen met volledige zelfopoffering hadden bereikt. Tot op die dag was het gegaan om twee- of drieduizend lire om een rekening te betalen, voor de een of andere noodzakelijke aanschaf, voor de dagelijkse boodschappen; ze schrokken van dat getal en hadden de kracht niet om ertegen te protesteren of het te weigeren, om te rebelleren tegen een verzoek dat dermate buiten de proporties van hun gedachteleven lag en nog meer van hun mogelijkheden. Ze bogen het hoofd om bedroefd 'nee' te zeggen alsof ze een dodelijke klap hadden gekregen.

'Hindert niet,' antwoordde Remo rustig en berustend, 'jullie hebben gelijk, dat weet ik.'

Daarna wendde hij zich tot Palle en zei hem dat hij de auto moest gereedmaken omdat hij twee dagen weg zou blijven en dat hij, wat werkelijk ongewoon was, in zijn eentje zou vertrekken. Intussen ging hij naar zijn kamer om een koffer te pakken. Nadat de auto was gearriveerd, de koffer gesloten, hoe verbaasd waren toen zijn tantes, die hem niet richting Florence zagen rijden maar in tegengestelde richting, de Via Settignanese op.

Ze hadden zelfs niet de kracht om uiting te geven aan hun bange vermoedens en die naam te noemen. Er verstreken twee dagen van droefgeestige stilte waarin alle vragen werden gesmoord, en daarna verscheen Remo te Santa Maria in een schitterende automobiel.

Het was een treurige terugkeer. In plaats van vrolijkheid te wekken, bracht de prachtige auto in huis droefheid en pijn teweeg. Zwijgen en onverschilligheid aan de ene kant, aan de andere een zwijgen boordevol verwijten en dreigementen.

Toen deze onbehaaglijke sfeer en deze stiltes, die aan de ene kant steeds ernstiger werden en loodzwaar en aan de andere kant steeds luchtiger, twee dagen hadden geduurd, brak de neef het ijs met zijn gebruikelijke onbevangenheid en een bijna lieve glimlach om zijn lippen, maar een van een liefheid die de tantes maar beter niet kon verleiden.

'Nu, wat willen jullie eigenlijk van mij?'

Omdat de vrouwen zo'n inleiding niet verwachtten keken ze

elkaar verschrikt aan en waren ze nog meer verbijsterd tegenover hun gesprekspartner, die, bij gebrek aan een antwoord, elke lettergreep articulerend herhaalde: 'Wat willen jullie van mij?'

Ze keken elkaar nog eens twee keer aan, en daarna keken ze naar hem toen ze dachten dat ze een antwoord hadden bedacht.

'Wij willen duidelijkheid,' zei Teresa, die herstelde van haar ontreddering en de vuurproef wilde aangaan.

'Waarover?'

'Hoe ben je aan die auto gekomen?'

Remo maakte duidelijk dat hij zich wilde wapenen met alle geduld van de wereld en een goede dosis nederigheid: hij sprak alsof hij hen wilde overtuigen: 'Ik heb die auto nodig, dat heb ik al gezegd, ik kan niet zonder, ik moet een carrière, een positie opbouwen, ik kan zo niet langer meer. Ik hoop die vertegenwoordiging voor het rayon Florence te krijgen voor deze of een andere auto. En verder… en verder… ook al krijg ik die niet, de auto zou toch zijn diensten bewijzen, een mooie auto is als een mooi pak, hij heeft een waarde die jullie beter moeten kennen dan anderen, maar jullie doen alsof jullie het niet begrijpen: zo zit de wereld in elkaar, ik hoop mijn doel te bereiken.'

'En hoe kon je hem betalen?'

Teresa was al begonnen aan die vragen-met-betaald-antwoord, en Carolina staarde Remo gretig en stralend aan omdat zij al overtuigd was door zijn woorden.

'Omdat jullie mij je hulp hebben geweigerd gaat dat jullie niets aan.'

Nu verhief Teresa haar stem om haar neef niet te laten weten dat ze al was overgelopen naar zijn kant.

'Dat gaat ons wel aan, jawel, het gaat ons aan, en omdat

het ons aangaat, gaat het ons zeer ter harte; en omdat je deel uitmaakt van de familie hebben wij het recht en de plicht om bepaalde dingen van je te weten.' Ze verhief haar stem nog meer: 'Dit is een huis zonder mysteries, zo is het altijd geweest, wij zijn een open boek en we hebben geen zin om dat te veranderen' – ze sprak nog luider –, 'ons leven heeft altijd het daglicht kunnen verdragen, dat is onze methode en zo zal die altijd blijven.'

Remo, die precies had gemerkt waar hij zijn tante over de brug had gekregen, liet haar stemverheffing en woordenvloed over zich heen gaan en boog melancholiek zijn hoofd onder een gewicht dat zwaar drukte op zijn zo mooie, glanzende, golvende, goed verzorgde hoofd dat tot in het oneindige het stempel van de jeugd droeg.

'En verder... ik moet hem afbetalen. Morgen moet ik de eerste termijn voldoen.' Hij deed alsof hij wegging en de zucht van opluchting van zijn tante niet hoorde.

'Dus de auto is nog niet betaald?'

'Nee, tot nog toe niet.'

'En heb je morgen het geld?'

'Zeker.'

'En waar haal je het vandaan?'

'Ik heb gezegd dat het jullie niet aangaat.'

'Ik herhaal dat het ons ten zeerste aangaat, wij kunnen niet toestaan dat je geld van ongeoorloofde herkomst krijgt. Waar haal je het geld, bij de Russin in Settignano? Betaalt zij auto's voor jou?'

Remo antwoordde niet en hij zag eruit alsof hij tegen zichzelf zei: 'Was het maar waar!' Terwijl hij zijn tantes het tegengestelde liet denken.

'Overigens, bij wijze van lening kun je geld aannemen van iedereen.'

'Maar niet van haar, van haar niet, nee...' Door de gedachte aan die vrouw raakte ze buiten zichzelf, net als toen deze heen en weer liep langs de deur en met de jongen grappen maakte en lachte. 'Niet van haar, begrijp je, je neemt geen geld aan van dat soort vrouwen, wij weten maar al te goed wat dat betekent. En hoe wil je het haar teruggeven?'

'Zodra ik kan.'

'En hoeveel is de eerste termijn?'

'Twaalfduizend lire.'

Door dat bedrag raakte Teresa nog meer opgelucht dan toen ze hoorde dat de auto niet betaald was.

'Tot ziens, het is laat, ik moet weg.' Remo ging snel de trap op en kwam even later weer beneden. 'Vanavond eet ik niet mee, tot ziens,' herhaalde hij terwijl hij als een pijl door de kamer liep.

'Luister eens!'

Toen Teresa hem terugriep bleef hij bij de deur staan als iemand die geen tijd heeft om te luisteren.

'Luister!... Als het waar is dat die auto broodnodig is om voor jou een positie te scheppen, om een weg voor je te openen...' Teresa zei dat zo, maar ze zag niet in wat voor weg haar neef voor zich kon openen door middel van die auto die alle wegen zou openen zodat hij er zonder problemen door kon. 'We hebben besloten hem voor je te betalen. Trouwens, als je had willen studeren hadden we ook geld voor je uitgegeven; dat wil zeggen dat we de auto voor je kopen, maar op één voorwaarde, dat je ons verzekert niets met die vrouw te maken te hebben, een jongen van jouw leeftijd kan geen relatie hebben met dat soort vrouwen, wij willen niets meer over haar horen, over haar stoffen, over haar hemden, over haar directoires, laat ze die maar bestellen waar ze wil, bij wie ze wil, wij sturen haar alles terug, wij zijn niet van plan om ze voor haar te maken, wij willen haar niet meer zien...'

Je zou zeggen dat Teresa nog meer geobsedeerd was door de gedachte aan die vervloekte vrouw dan door de prijs van de auto; en Remo, die sommige dingen al begreep voordat ze geboren waren omdat hij er de legitieme vader van was, wekte terwijl zijn gedrag gedecideerd was en scherpomlijnd, toch de indruk dat hij in grote verwarring verkeerde. Het leek alsof hij verdwaald was in een hopeloos ingewikkelde en onvermijdelijke situatie, en daarna besloot hij alsof hij een plotselinge ingeving had gekregen: 'Overigens... ik kan zelf haar stof terugbrengen, dat zal voor iedereen het meest overtuigende bewijs zijn.'

Teresa's ogen schoten vonken bij dit sublieme idee, en Carolina trok zichzelf zo omhoog vanuit haar middel dat het leek alsof ze zich in tweeën wilde breken.

Op dat moment was Palle voor het hek aangekomen met de auto.

'Geef maar hier', en hij nam het pak met de nog onaangeroerde stof onder zijn arm en maakte aanstalten om te vertrekken, maar stopte en draaide zich midden in de kamer om.

'Onder één voorwaarde.' De vrouwen sidderden beiden van vrees vanwege een voorwaarde die ver verwijderd was van wat ze zich konden voorstellen. 'Over een halfuur ben ik terug, zorg dat jullie dan klaarstaan, we gaan een ritje maken en vanavond blijven jullie met mij in Florence: we dineren samen.'

En toen ze hem verschrikt aankeken zonder zich te verroeren, als soldaten aan wie wordt voorgesteld om te deserteren, zette hij het pak neer en nam hen bij hun middel, dwong hen op te staan en te blijven staan, nam hun werk uit hun handen en legde het weg.

‘Kom… kom op, gauw, binnen een halfuur ben ik terug, zorg dat jullie klaarstaan, laat niet op je wachten.’

Niobe stond in de deuropening te lachen, met haar handen op haar heupen lachte ze met haar hele lichaam, waarbij ze de twee rollen vlees die bij haar middel bijeenkwamen liet dansen zodat ze als twee enorme lippen de indruk wekten dat ze ook daarmee lachte.

‘Goed zo, ja, zo is het goed.’ Zo beantwoordde ze die resolute actie, die was als een vonk die een revolte ontketent en een verouderde, in ere gehouden instelling omverwerpt die voor eeuwig en onfeilbaar werd gehouden. ‘Ja, zo is het goed, goed zo!’

De arme zielen besloten de trap op te gaan alsof de duivel hen op de hielen zat, en Remo nam het pak weer onder zijn arm en stapte in zijn auto.

De gravin liet een beetje op zich wachten en gaf haar huisknecht opdracht de heer in een salon binnen te laten. Remo weigerde, zei dat hij grote haast had en bleef in de hal staan met het pak onder zijn arm, als een leverancier.

Toen de gravin verscheen was ze verbaasd hem daar in die houding en met dat pak aan te treffen.

‘Ik wilde juist vandaag bij uw tantes langsgaan.’

‘Neem me niet kwalijk, mevrouw de gravin, en wilt u mijn tantes ook vergeven, het zijn van die – hoe moet ik het zeggen? –, van die grillige, nogal eigenaardige vrouwen; maar zo zijn ze nu eenmaal, de stakkers, en op hun leeftijd valt daar niets aan te doen, ze zijn wereldvreemd, ze hebben nooit iets anders gekend dan hard werken en dat heeft ze wispelturig gemaakt, eigenaardig, ze lijden aan waanvoorstellingen, aan fantasieën, en ze maken met het grootste gemak blunders… maar daar kunnen ze niets aan doen en u moet het ze vergeven, het zijn ondanks alles goede schepsels. Hier is uw stof, ze zeggen dat ze er niet meer voor voelen om dit soort ondergoed uit te voeren dat te gecompliceerd is en zoveel aandacht vereist.'

Remo praatte opgewekt en ironisch, door zijn ironie viel alles terug op zijn tantes en maskeerde hij zijn onbeschofte daden en woorden; en de gravin, die de ware betekenis van zijn daden en woorden begreep, was geleidelijk opgehouden met lachen en verborg ook heel handig haar teleurstelling.

'Hindert niet, hindert niet, laat daar maar, leg de stof maar neer, ik laat ze wel door een ander maken, maakt niets uit.' Maar omdat ze vastbesloten was om de zaak tot op de bodem uit te zoeken, probeerde ze de jongeman in plaats van hem weg te sturen bezig te houden, en aangezien hij duidelijk liet merken dat hij veel haast had vergezelde ze hem over de oprijlaan tot aan het hek van de villa.

'Oh, wat een mooie auto! Is hij nieuw?'

'Gloednieuw.'

'Eindelijk. Goed zo… Heb je hem net gekocht?'

'Twee dagen geleden,' antwoordde Remo en hij maakte een buiging alsof hij de gravin wilde bedanken: waarvoor?

'Oh! Oh! Je mikt hoog, bravo, goed zo, je hebt gelijk.' Nu praatte ze met hem als met een kameraad, op een mannelijke toon. 'Je hebt werkelijk gelijk, bravo!'

'Wanneer het kan… waarom zou je laag mikken.'

'Ja, inderdaad, inderdaad.'

'Er zijn op deze wereld vrouwen die veel willen in ruil voor weinig… of niets.' De gravin keek hem aan met een vragende blik. 'En er zijn er ook die alles geven voor weinig… of niets.'

'En heb je er zo een gevonden?'

'Wel… wie weet… misschien.'

'Prachtig, daar ben ik echt blij mee.'

De gravin had alles begrepen en liet merken dat ze het begrepen had door luid te lachen. Ze lachten samen als goede kameraden. Overigens liet de gravin goedgehumeurd merken dat als hij veel kon krijgen voor weinig, ook zij koopwaar kon vinden voor een schappelijker prijs. Ze lachten samen: ze waren nu twee mannen die praatten over hun interesses en hun zaken die floreerden.

'En uiteindelijk geven de anderen ook iets,' besloot Remo.

'Hahaha!'

'Hahaha!'

De gravin lachte nog harder en Remo onderbrak het gelach door met een buiging afscheid te nemen.

Nadat Remo had gelachen met de gravin was zijn gezicht, dat zo goed het stempel van de jeugd had behouden, somber en stil geworden, zoals dat van een kind dat de naakte waarheden van het leven leert kennen. Onderweg zei hij na een diepe zucht tegen Palle deze zin: 'Jawel, beste Palle, het geld is helemaal in handen van de oudere mensen.' Iets anders zei hij niet, en hij voegde er ook niet aan toe wat je moest doen om het over te brengen in de handen van de jongere. Palle keek hem aan en lachte, alsof hij had gezegd dat het na twee uur drie uur wordt, alsof het iets was wat hij altijd had geweten, al wist hij niets.

Toen Giselda even later haar zusters glinsterend en fladderend zag instappen in de mooie auto en ze fier en met veren uitgedost gingen zitten, omringd door een bewonderende, opgewonden drom mensen, had ze niet de kracht om te zingen, ze had het gewild maar het lukte haar niet, haar adem zat in de knoop in haar keel en kneep die af, en ze moest de Heer danken dat er nog zoveel ruimte over was dat ze kon ademen. En Niobe, die daar juichend te midden van al die mensen stond en de enige was die haar mond kon openen, volgde haar meesteressen met haar blik, zwaaide met haar armen en riep: 'Ja, dat is mooi, nu gaat het goed, je leeft maar één keer, genieten jullie ook maar een beetje, arme stakkers!'

De mooie auto had heel wat veranderd in Santa Maria, Remo had er op zijn weg omhoog een zeer aanzienlijke sprong mee gemaakt. Hij bevond zich eindelijk op zijn niveau, in een juiste omlijsting, niets ontbrak hem. En in die juiste lijst paste ook Palle, die ermee manoeuvreerde en er onbekommerd in rondreed als hij niets te doen had, en leek op een werknemer met pensioen, want met deze auto hoefde hij niets te vrezen, ook geen verrassingen, en hij hoefde geen bloed te zweten om hem te starten, nu eens was hij een asceet in extase en dan weer de bewaker van de tempel, bereid om met de zweep elk profanerend contact te verwijderen. De tantes hadden de wereld leren kennen, de theaters, de cafés, de restaurants. Minstens één keer in de week nam Remo hen mee uit, dwong hij hen uit te gaan: ze waren er vol van.

Teresa had de kracht om zittend aan een restauranttafeltje de spijslijst te lezen en een bestelling te doen; maar Carolina's benen trilden en ze zei heel zachtjes tegen haar zus: 'Doe jij maar, bestel jij; ja, ja, dat is goed, dat vind ik ook best.'

In plaats van hen verborgen te houden en naar afgelegen, bescheiden gelegenheden te brengen, nam Remo hen mee naar de meest gefrequenteerde en schitterendste. Die hijzelf ook geregeld bezocht en waar velen hem kenden; en omdat die niet wisten wie de vrouwen waren met wie hij was, groetten ze hem lachend of lonkten naar hem: 'Wie heeft hij bij zich?

Wie zijn die feeksen? Waar zijn ze ontsnapt? Waar heeft hij ze losgelaten?' en ze bleven hen bekijken als zeldzame dieren. 'Hij is met zijn tantes, dat zijn zijn tantes, hij heeft zijn tantes mee uit eten genomen.' Maar weinig mannen hebben oog voor het groteske bij vrouwen, of ze schenken er maar heel kort aandacht aan en reserveren al hun belangstelling voor de mooie. En hijzelf gaf als men ernaar vroeg de volgende informatie: 'Het zijn mijn getemde apen, af en toe lucht ik mijn apen een beetje, ik breng mijn papegaaien mee om ze te laten zien, ik wil een kermistent opzetten, ik moet geld verdienen.' En hoe goed hij ook wist hoe vrouwen gekleed gingen – en hij hield van de meest elegante, jonge en mooie vrouwen –, hij gaf hun niet de geringste raad, maakte geen enkele aanmerking op hun kapsel opdat ze er een beetje minder komisch uitzagen; het leek juist alsof hij meer plezier in hen had naarmate ze er koddiger uitzagen; hij liet hen zonder voorbehoud zijn wie ze waren, als ze maar tevreden waren, en bracht ze zelfs in de zomer tot aan Montecatini en Viareggio.

De kluizenaressen zagen de wereld, het leven, ze zagen hoe en waar de vrouwen waren die onder hun jurk de vruchten droegen van hun werk, van hun liefde, vrouwen die ze al veertig jaar met blinde trouw dienden. Ze werden erdoor verblind en geschokt, aangetrokken en ontmoedigd. Wanneer ze terug waren in Santa Maria en hun werk hervatten, keken ze onzeker om zich heen en zuchtten ze voordat ze weer konden beginnen. Waar lag de waarheid? leken ze zich af te vragen. De fascinerende, mysterieuze uitstapjes die hun ogen openden en hun zoveel lieten zien, maakten hen ouder, beroofden hen van hun frisheid, kracht, geloof, en wanneer ze werkten voelden ze zich onverschillig, verstrooid, hun gedachten waren ver weg, de klanten moesten de dingen herhalen die ze altijd meteen hadden begrepen. Ze weigerden werk dat te veel moeite kostte en waren alleen uit op wat nuttig was, zo nuttig mogelijk, want ze hadden dringend veel geld nodig. Ook de cliëntèle veranderde geleidelijk, die was niet meer zoals vroeger, ze namen tweederangs werk aan, van mensen uit een lagere stand, ze kozen werk uit waar ze het snelst geld mee konden verdienen en vertrouwden op de incompetentie of de blindheid van een klasse die minder geraffineerd en oordeelkundig was. Overigens vroegen hun ogen, door almaar dikkere brillenglazen, om dispensatie van de grote avonturen met de naald. Ze hadden leerlingen aangenomen om hen te helpen met het uitvoeren van een steeds omvangrijkere berg werk. En ze beschouwden hun werk koel en voelden hoe zwaar het op hen drukte, als een juk, als hun onmisbare bron van inkomsten. Vroeger zouden ze zich hebben opgewonden over werk dat ze niet in alle opzichten volmaakt vonden, maar nu haalden ze hun schouders op en besloten uiteindelijk dat ze toch al te veel deden en leek het alsof ze ervan genoten als ze zagen dat anderen niet eens de trucjes, de noodoplossingen, de gebreken opmerkten, en hoe gemakkelijk het was om hen te bedriegen en iets wat alleen maar mooi leek voor authentiek te laten doorgaan. Ze lieten zich helpen door middelmatige en onervaren handen, behandelden hun werk als iemand van wie je te veel en met hart en ziel hebt gehouden en van wie je op een gegeven moment niet meer hield: die persoon, die geen eigenschap vertoonde, geen daad verrichtte die niet mooi, volmaakt was en over wie geen twijfel, geen argwaan, geen verwijt geoorloofd was of door anderen mocht worden geuit, stond nu bloot aan kritiek, daar was je nu sceptisch over, die persoon vertoonde zijn rimpels, zijn kreukels, en hem herkennen was een bitter genoegen, je praatte er koel over. Wat was het lang geleden dat Carolina haar bloed had gegoten in de wonden van Christus aan het kruis en haar ziel had gelegd in de onlichamelijke blankheid van die hostie op de stool van de Heilige Vader.

Ook hun omgeving was niet meer die uit de goede tijden, toen de gezusters aan het venster stonden om te genieten van de zondagse wandelaars of naar buiten holden om de soldaten te zien; laat ze maar langskomen, de soldaten met hun trompetgeschal en hun patriottische of nostalgische gezang, en het huis laten schudden door het gewicht van hun affuiten. En al in geen jaren waren ze nog naar Fiesole gegaan voor de jaarmarkt op 4 oktober. Niemand waagde het om het hek binnen te gaan zonder aanvaardbare, belangrijke reden of om zomaar wat te praten, want hun gastvrijheid was net als de houding van de bezoeker te zeer veranderd; en ze namen ook niet de moeite om te weten te komen wat er gebeurde buiten hun huis, dat hen totaal in beslag nam. De buren kwamen alleen naar buiten om hen per auto te zien vertrekken, de afstand was te groot: sinds de aankomst van Remo was die afstand gestaag groter geworden.

Remo was in die omgeving bij niemand nog geliefd, maar werd wel, zoals altijd het geval is bij sterke karakters, door iedereen gevreesd en gerespecteerd. 'Arme Materassi's! Arme Materassi's!' zeiden ze wanneer ze over hem spraken, en dan vroegen ze zich af waar hij het geld vandaan haalde om op grote voet te leven, want van werk was geen sprake. Ondanks alle wrok en afgunst sprak uit elk woord bewondering. De meisjes vergeleken hem met de verblindendste filmsterren, en niemand weet hoe vaak hij een plaats innam in hun dromen. Zijn lichaam was betoverend als een beeldhouwwerk. 'Arme Materassi's!' bleven ze maar herhalen. En wanneer ze hen zagen vertrekken met de auto zeiden ze: 'Ze leven er maar op los! Net als zijn grootvader!' en verweten ze hen hoe slap ze waren tegenover hun neef. 'Net als hun vader,' verweten ze hen. Een uur van ontreddering en gedachteloosheid wiste onverbiddelijk zestig jaren van verdriet en opoffering uit. En als Remo af en toe een paar woorden met iemand wisselde, beschouwde die dat als een grote eer, vertelde iedereen wat hij met hem had besproken, voegde er heel wat eigen bijdragen aan toe, en was er trots op dat hij hem kende, met hem kon spreken en zijn vriend was, die door hem in vertrouwen werd genomen.

Sinds een paar dagen hingen er boven het huis donkere wolken, die op geheimzinnige wijze, bijna onmerkbaar zwaarder werden; Niobe had het privilege dat te onthullen en wat ze had gemerkt had ze heel terughoudend en omzichtig overgebracht aan haar meesteressen. Niobe dacht voor het eerst ernstig na over de wederwaardigheden van het leven.

Totdat er op een dag, toen men erop vertrouwde dat Remo afwezig zou zijn en Giselda naar Florence was gestuurd met een eindeloze lijst boodschappen, een jonge vrouw door het deurtje naar het veld werd binnengelaten en via de keuken in de eetkamer werd gebracht. Zodra ze binnen was sloten de gezusters bezorgd en voorzichtig de deur.

Een hinderlaag? Roof? Een samenzwering? Een ontsnapping?

De sfeer die zich rondom deze verschijning was gaan vormen was zo fantastisch dat terecht kon worden gedacht aan alles wat mogelijk was in romans en drama's. En wat het nog fantastischer maakte was de opmerkelijke schoonheid van het meisje, met een prachtig figuur, groot en blond, met grote blauwe ogen, rode lippen en lichtroze wangen. Het zou niet overdreven zijn om haar kleuren, wat maar zelden toepasselijk is, te vergelijken met de pracht van alle tuinen in de hemel en op aarde. Door haar fiere houding en de droevige uitdrukking op haar gezicht leek ze op een prinses die door een ongelukkige samenloop van omstandigheden in armoedige kleren had moeten vluchten.

Ze lieten haar aan tafel plaatsnemen en tegenover haar gingen de gezusters heel dicht naast elkaar zitten alsof ze door zo dicht bij elkaar te zijn de warmte die door een verkilde stemming aan hun lichamen was onttrokken terug wilden krijgen en ze elkaar ermee wilden beschermen. Ze wisten ook niet hoe ze het gesprek moesten beginnen, dat, zoals ze meteen begrepen, niet door het meisje kon worden geopend. Het valt niet voor te stellen wat voor woord uit die mond kon komen die bijna koortsachtig beefde.

Maar juist zij begon, zonder ook maar een lettergreep uit te spreken. Terwijl ze haar hoofd nog meer boog totdat ze haar borst raakte met haar kin en instinctief haar gezicht verborg achter haar handen, begon ze te huilen, maar ingehouden, waarbij ze trachtte het geluid te smoren en liet merken dat ze de tranen die ze tot op dat moment had bedwongen, niet meer kon inhouden.

'Is het dan echt waar?'

Door zich te laten gaan in een heviger huilbui en haar voorhoofd nog meer voorover te buigen antwoordde het meisje zonder woorden, en haar zwijgen was een biecht.

Teresa krabde zich op haar hoofd bij de haargrens, almaar en in het rond en rond en rond, een handeling en aanraking die haar terugbracht bij de realiteit, die ze het hoofd moest bieden. En Carolina omvatte haar middel en kneep in haar arm zoals kinderen doen die zich wanneer ze bang zijn vastklampen aan het lichaam van hun moeder.

'Het is erg... erg... ja... erg, ja, heel erg.' Eigenlijk wist Teresa niet wat te zeggen, in haar hart botsten de meest uiteenlopende gevoelens, en omdat er een prop in haar keel zat leverden die gevoelens een verwarring op waaruit alleen maar domme, gebroken woorden kwamen, zonder logica en zonder enig belang voor de kennelijk ernstige situatie.

'Heel erg... heel erg...'

En Carolina deed, nu ze het meisje zag huilen, haar uiterste best om niet mee te huilen.

'Ook wij zijn twee meisjes...' Het feit dat deze aanzet geen schijntje hilariteit wekte toonde duidelijk aan hoe belangrijk deze aangelegenheid was. 'Ook wij zijn twee meisjes, en ook wij zijn jong geweest, en niemand kon iets aan te merken hebben op ons gedrag, niemand kon daar ook maar iets over zeggen, vraag dat maar na, vraag dat maar...'

In werkelijkheid waren hun verklaringen neutraal, alleen maar bedoeld om het zwijgen te verbreken, ze leverden een geluid op dat noodzakelijk was om een stilte te vermijden die zo gevaarlijk en ondraaglijk was.

'Ons hebben ze nooit zwanger aangetroffen, nee...'

Al sloegen deze ongewild uitgesproken woorden nergens op, zoals altijd het geval is in dergelijke omstandigheden, toen ze eenmaal waren geuit, herstelden ze het contact met de logica.

'Nu zitten we met de gebakken peren... en moet dat worden goedgemaakt. Goedgemaakt... bij wijze van spreken... goedmaken... maar hoe? Ik vraag het je, kom op, zeg op, hoe! Zeg het als je het hart hebt, wat nu? Zeg jij het maar, want ik weet echt niet wat te doen.'

Het groeiende venijn in Teresa's stem begon langzamerhand inhoud te geven aan haar onsamenhangende woorden.

'Wie kaatst, moet de bal verwachten. Als je zulke grappen maakt, wat komt er dan van! Hoe lang is het geleden dat jullie hebben gevreeën?'

Of ze het niet kon of het in haar eigen belang beter vond, het meisje antwoordde op geen enkele manier op Teresa's verhoor, dat steeds strenger werd.

'Met een jongeman gaan die geen maatschappelijke positie heeft... Je had toch moeten weten hoe de zaken staan, je bent achttien, je bent geen kind meer, je had het moeten weten... hallo! Wat een gevolgen... Wie kaatst, moet de bal verwachten.'

Nu ze een steunpunt had gevonden, leek het alsof ze zich wilde verschansen achter deze niet erg christelijke stelregel.

'Zo staan de zaken, begrijp je? Zo is het. We zullen je roepen als we je nodig hebben. Ik weet van niets, ik heb niets gehoord, ik wil er niets mee te maken hebben, ik wil er niets van weten...'

Voorlopig liet het meisje alleen maar merken dat ze niet wilde reageren en zich niet meer wilde onderwerpen dan van haar gevraagd werd.

Ze was een paar maanden bij hen geweest om te leren borduren, ze was zelfs hun eerste hulp geweest sinds de dag dat ze hadden besloten een hulp te nemen, ze was het levendigste, mooiste meisje uit de buurt en al befaamd; nu voerde ze thuis wat werk uit voor eigen rekening. Ze was de dochter van een tuinder, een arme man die een stukje grond had gehuurd aan de Via Settignanese, hij was hovenier en tuinder, had kleine kassen neergezet, ze waren heel arm en ploeterden op talloze manieren om in hun levensonderhoud te voorzien. Remo stopte vaak op zomerochtenden voor hun hek en als hij driemaal toeterde kwam haar vader naar buiten, of een broer, maar vaker zijzelf. Palle zei lachend: 'Bloem', want omdat hij op het platteland was geboren en getogen, waar bloemen in overvloed zijn, ook bij de nederigste woningen, kende hij de namen van bloemen niet en noemde ze allemaal 'bloemen', of 'rozen'; zoals hij alles waarmee vrouwen zich konden tooien 'parels' noemde als het werkelijk parels waren, of stenen, metaal, glas, porselein van welke soort of kleur ook. 'Bloem,' zei Palle, en de tuinder of het meisje bracht Remo een gardenia, die hij in zijn knoopsgat stak, waarna hij meteen zijn handen weer aan het stuur zette. Dat was het enige zichtbare contact dat Remo met die familie had; er was dus geen reden om iets dergelijks te veronderstellen, niemand in de buurt had kunnen merken dat de twee met elkaar omgingen, dat ze een verhouding hadden; niemand had hen samen gezien. En in die omgeving liet men zich niet zo gemakkelijk bepaalde smeuïge hapjes ontgaan. En daar kwam nog bij dat toen het meisje bij de tantes kwam werken, Remo zich tegenover haar ongeïnteresseerd had gedragen, wat de vrouwen niet was ontgaan en hun een bijna onwaarschijnlijk genoegen had gedaan. Dat schreven ze toe aan de uitzonderlijke deugdzaamheid van hun neef (gezien de schoonheid van de leerlinge), aan zijn zelfrespect, aan zijn respect voor zijn huis en, vooral, voor zijn tantes. Burgerlijke deugden die konden dienen als voorbeeld voor iedereen. Maar u moet ook een ander gebruik kennen dat betrekking heeft op deze natuurlijke omgang en dat u weer met beide benen op de grond zal zetten, namelijk dit: stadsmensen verlangen met hart en ziel naar de heuvels en trachten er zo vaak mogelijk heen te gaan om zich te laven aan poëzie; ze gaan in rijen, in zwermen, in troepen, en vooral in paren verstrooiing zoeken in de aangename bosjes, langs de beekjes, boven op de toppen of in de aanlokkelijke en inspirerende grotten; maar de mensen uit de heuvels, die verzadigd zijn van poëzie en aangename plekjes vlak bij de deur hebben, die ze meer dan genoeg kennen, waarvan ze naar hartenlust kunnen genieten en waarmee ze om zo te zeggen bevriend zijn, laten hun gevoelens juist de vrije loop binnen de stadsmuren en verstoppen zich allemaal midden in de stad om de liefde te bedrijven.

Toen Remo thuiskwam werd hij in de eetsalon geroepen, waar hij op dezelfde plaats waar het meisje had gezeten aan de tafel moest gaan zitten die het beklaagdenbankje van een rechtbank was geworden.

Op dezelfde plaatsen, maar veel zelfverzekerder, gingen de tantes zitten; ditmaal klaar om onverdroten aan te vallen.

Al was het onverwacht, Remo begreep meteen wat ze met hem wilden bespreken, maar hij bleef zijn hoofd bewonderenswaardig hoog houden.

'Weet je, Laurina is hier geweest,' zei Teresa onomwonden en op harde toon, waarbij haar vertrokken gezicht een wrede uitdrukking aannam, zo'n uitdrukking die ze kon aannemen wanneer er een vrouw in het spel was, maar die ze eigenlijk niet op haar gezicht had gehad in het bijzijn van het meisje.

'Wel...' antwoordde Remo, om de omhaal van het proces te bekorten.

'Weet je wat ze zegt?'

'Ja, dat weet ik, of liever, nee, maar ik kan het me voorstellen.'

'Is het waar...?'

'Ja.' Deze lettergreep sprak hij zelfverzekerd uit, waarbij hij er al zijn mannelijke verantwoordelijkheidsgevoel in legde.

Bij dit 'ja' leek Teresa in een ijsklomp te veranderen. En het mooiste is dat een paar dagen eerder de arme Laurina in ijs was veranderd toen ze hem tussen snikken door had gezegd: 'Ik krijg een kind', en hij had geantwoord: 'En ik niet', zonder er ook maar een lettergreep aan toe te voegen. De tranen waren op haar wimpers blijven zitten en haar gezicht was net zo geworden als dat van zijn tante.

'En wat ben je van plan?' ging Teresa door met dreigende stem.

'Wat elke jongeman van eer in mijn plaats zou doen,' zei Remo met de plechtige eenvoud van wie een belangrijke beslissing heeft genomen.

Het scheelde maar weinig of ze vroegen hem wat voor plicht dat was. Wisten ze dat niet? Waren ze het vergeten? Of wilden ze het niet geloven? Maar ze hielden zich in en antwoordden, zij het wat vertraagd, verstrooid en verbijsterd: 'Ja.'

'Ja, natuurlijk.'

'Zeker.'

'Natuurlijk.'

Hij is een jongeman van eer, dacht Carolina, alsof ze wou zeggen: 'Nee, er is niets aan te doen', terwijl Teresa haar hoofd vooruit leek te steken naar die rots van rechtschapenheid.

Ze lieten die zin, die niet goed tot hen doordrong en die ze ook niet hoefden te onthouden, in hun mond spelen, zoals kinderen die met moeite een les leren: 'Wat elke jongeman van eer... in mijn plaats zou doen.'

Hij is een jongeman van eer, dacht Carolina, *er valt niets aan te doen*. En Teresa hield nog steeds haar hoofd stevig tegen de rots van die rechtschapenheid.

Hier moet worden opgemerkt dat Remo in die woorden een behoorlijke dosis oprechtheid had gelegd: eigenlijk gokte hij met het leven, en dat deed hij heel bekwaam; hoe de stukken ook voor hem waren neergezet, hij voelde zich altijd sterk genoeg om te winnen.

'Ja, ja...'

'Zeker.'

'Natuurlijk.'

De volgende dag moest Giselda weer een hele lijst boodschappen afwerken, een heel lange, die ze in Florence moest doen.

De Materassi's zouden de pastoor van Santa Maria ontvangen, een heel jonge man, hij was pas vijfentwintig, blond en met lichte ogen, en eentje van zo'n soort christelijke vriendelijkheid en bereidwilligheid dat hij onbuigzaam werd waar het om zijn plicht ging, Twee dames in een nabije villa hadden over hem de volgende woorden gewisseld. 'Een missionaris, hij is een echte missionaris!' had de ene gezegd toen ze hem voor het eerst zag, en de ander, die hem ook voor het eerst zag, had bijna smekend geantwoord: 'Hij is zo lief, waarom?'

Remo kende hem goed, en wanneer hij hem 's morgens zag wachten op de tram naar Florence, vroeg hij hem in te stappen zodat hij hem kon wegbrengen naar waar hij heen moest. De twee jonge mannen, de ascetische en de wereldse, zaten naast elkaar, praatten vol sympathie met elkaar, wisselden vriendelijke woorden en hadden behoefte aan hartelijkheid, je zou zeggen aan begrip; en al waren ze geestelijk ver van elkaar verwijderd, het lukte hen elkaar te ontmoeten en elkaar gezelschap te houden zonder zich aan elkaar te ergeren, alsof ze twee pelgrims waren die wisten dat ze dezelfde bestemming via verschillende wegen zouden bereiken. Palle zei, wanneer hij hem uit de verte zag: 'De priester.' Zoals alle bloemen rozen waren en alle edelstenen parels, zo waren alle geestelijken priesters, van de laagste pastoor tot aan de paus. Maar Remo zei: 'Kom, mijnheer pastoor, kom, stap in', en verwelkomde hem hartelijk in de auto: 'Waar gaat u heen? Waar kan ik u naartoe brengen?'

Het belangrijkste, en tegelijk het moeilijkste, was te zorgen dat geen levende ziel van de kwestie op de hoogte raakte, want als het schandaal eenmaal was losgebarsten werd elke discussie zinloos.

Toen de jonge priester het verhaal van Teresa gehoord had, kon hij niet een onbevangen glimlach onderdrukken die getuigde van de intense zuiverheid van zijn hart en de eenvoud van de oplossing. Hij bleef even nadenken terwijl de twee vrouwen aan zijn lippen hingen, maar toen hij hun liet weten dat zijn aarzeling voortkwam uit zijn beleefdheid, de delicaatheid van de kwestie en het feit hij op geen enkele wijze invloed kon uitoefenen op het antwoord daarop, en hij met serene mildheid herinnerde aan het nobele antwoord van hun neef, besloot hij dat dat de enige ware weg was en toonde hij zich onmiddellijk bereid met de twee jonge mensen afzonderlijk een gesprek te hebben.

De Materassi's, die zijn woorden hadden begeleid met 'ja', met 'inderdaad, dat is waar, natuurlijk, hij is een jongeman van eer...' – waarbij ze een teleurstelling verborgen die ze vooral voor zichzelf wilden verzwijgen –, protesteerden samen toen de pastoor aanbood met de jonge mensen te gaan praten: 'Rustig aan, nog niet zo gauw gaan praten', want voorlopig wilden ze dat de grootste terughoudendheid werd betracht over deze heikele aangelegenheid, de diepste geheimhouding. Er was tijd genoeg, er was geen haast bij.

'Als u eens wist, als u eens wist, mijnheer pastoor, dat is het laatste wat nodig is, dat mankeert er nog maar aan...'

Maar mijnheer pastoor wist alles en begreep alles en hij bleef glimlachend en onverzettelijk bij zijn antwoord, terwijl de vrouwen hem bleven vragen en zich afvroegen 'waarom' – waarop zij geen van beiden een antwoord wisten en niet durfden te antwoorden.

En Niobe, die niet kon lachen om zo'n simpele, natuurlijke aangelegenheid, die zij uit ervaring kende en zo gemakkelijk hersteld kon worden, zei ook: waarom?

De volgende dag werd de dokter geroepen.

Giselda's leven speelde zich niet meer af in Santa Maria maar in Florence. Wat jammer was voor de arme Giselda: nu ze haar hele repertoire had kunnen afwerken terwijl ze bespeurde dat er iets heel ernstigs stak achter al die visites, stuurden ze haar steeds naar Florence om belachelijke dingen te gaan halen.

De dokter was een vrolijke dikke man van iets meer dan

vijftig, die alleen zijn geduld verloor en kwaad kon worden door de koppigheid van de boeren, die met hun geweld slechts bereikten dat hij ze snel de deur uit werkte; en zodra ze weg waren werd hij meteen weer kalm, vriendelijk, blij. Dat was het moment waarop men zijn hart kon stelen. Hij deed zijn plicht met zoveel kalmte en goedmoedigheid dat hij zichzelf en zijn eigen belang vergat.

Zodra hij op de hoogte was gebracht, begon hij te lachen met zijn mooie grote gezicht dat rozig en rond was en verhelderde bij de gedachte aan het meisje, dat hij goed kende; mooie meisjes oefenden natuurlijk nog een grote bekoring uit op deze blakende man van rijpere leeftijd. Hij kende Remo en wist dat zijn tantes bemiddeld waren en op hem gesteld, en hij zag dat niets eenvoudiger was dan dat de twee de zonde die ze bij wijze van voorschot hadden gepleegd door een huwelijk zouden uitboeten, en dat deed hem glimlachen en vervulde hem van vaderlijke liefde.

'Het zijn arme mensen, dat weet u, heel arm, ze danken God als ze genoeg verdienen om te kunnen eten, het is een meisje dat geen hemd aan haar lijf heeft, bij wijze van spreken...'

'Maar dat kunnen jullie voor haar maken, jullie maken er zoveel...'

'Ze is hier twee, drie maanden in de leer geweest, nu maakt ze wat op eigen gelegenheid, maar ja, er is meer nodig, ze kan het niet echt... kleinigheden, net genoeg om een jurkje te kopen of schoenen... Remo heeft geen baan... momenteel heeft hij niets... hij houdt zich bezig met auto's.'

'Maar jullie zijn rijk.'

'Niet zo rijk als men denkt,' reageerde Teresa geërgerd.

'Hoe dan ook, jullie zitten er warmpjes bij.'

'Niet zoals de mensen zeggen,' herhaalde ze nog meer geërgerd doordat ze de reputatie hadden rijk te zijn, wat nu in hun nadeel werkte. 'De laatste tijd hebben we zoveel onkosten gehad, als u eens wist... zoveel tegenslagen, als u dat eens wist... we hebben zoveel noodzakelijke uitgaven moeten doen... Deze jongen heeft ons veel geld gekost, veel, begrijpt u...'

Carolina hield haar hoofd gebogen om te kennen te geven dat ze het overal mee eens was, want wat haar zus zei was een evangelie, heilige woorden, en ze begon nu 'ja' te knikken zonder haar hoofd op te richten om duidelijk te maken dat die woorden dubbel heilig waren, en om die reden zwaar moesten wegen.

'We verdienen ook niet meer zoveel, de mensen raken de laatste tijd hun smaak voor verfijnde dingen, voor mooie dingen kwijt, waarom weten we niet, ze zijn tevreden met dingen waarvoor ze maar weinig geld hoeven uit te geven; en wij zijn geen achttien meer, we worden met de dag zwakker, we kunnen niet meer zo werken als vroeger, we hebben rust nodig, we zijn moe...'

Het was niet duidelijk waarom Teresa haar hart zo luchtte met confidenties die niets te maken hadden met waar het om ging, alsof ze dat om een mysterieuze reden opzij wilde zetten, eromheen wilde draaien, het wilde ontwijken, om er daarna op terug te komen wanneer de dokter anders gestemd was: haar toon was zo overtuigend dat hij alleen maar medelijden met haar kon hebben.

Maar de dokter bleef knikken om te laten merken dat hij wel begreep wat hem verteld werd, maar geen millimeter van zijn standpunt afweek. Het meisje was dan wel arm, maar het was een flink en goed kind, en ze was bovendien heel mooi, en Remo was van plan met haar te trouwen. Bij deze woorden hielden de gezusters hun mond hermetisch gesloten, ze hadden niet de moed om het tegendeel te beweren, maar bleven bij hun oordeel: zij was op zijn minst te toegeeflijk geweest toen ze door een man werd belaagd.

'Ziet u, beste dokter, ook wij zijn meisjes, en ook wij zijn net als alle andere meisjes jong geweest en ook in onze tijd waren er mannen, en die deden net als nu, als ze hun zin kregen, maar toch... op ons heeft niemand iets aan te merken, bepaalde dingen konden ons niet overkomen.'

'De man is een jager,' bracht Carolina, die nog niet eerder haar mond had geopend, in het midden terwijl ze heldhaftig haar hoofd ophief.

De dokter keek naar haar en begon opnieuw te lachen: 'En vaak, heel vaak, jaagt hij op hazen met twee benen.'

Het was duidelijk dat het komische aspect hem heel goed beviel.

'Eer... eer...' herhaalde Teresa. 'Ik weet het, Remo is een jongeman van eer, ik ben de eerste om hem te prijzen en het doet mij veel plezier dat hij zo is, het zou me spijten als hij anders was, maar ook met eer moet je niet overdrijven.'

Op dat punt wilden de gezusters geen expliciet antwoord van de dokter uitlokken, die ze met veel respect bedankten na hem wat te drinken te hebben aangeboden; zodat alles in de lucht bleef hangen, niet werd uitgesproken en in het laatste deel van het gesprek werd begraven in vele malen 'ja... jawel... we zullen zien, zeker, natuurlijk...', afgewisseld met zuchten. En ze gingen op eigen houtje door met uitstellen, een antwoord zoeken, de tijd nemen om te zoeken.

Waar zochten ze naar? Het leek alsof ze iets zochten terwijl ze naar de verschillende meningen luisterden zoals de voorzitter van een rechtbank tijdens een proces luistert naar de getuigen. En wat zocht Niobe? Ja, ook Niobe zocht nog, ze zocht nog steeds, ze uitte geen opinie, zoals de pastoor en de dokter, maar ze zocht zoals haar meesteressen zochten; en toen die haar zeiden dat Remo met Laurina moest trouwen en het tegen haar zeiden om haar onzeker te maken, om er zelf steeds zekerder van te zijn, luisterde Niobe verstrooid en antwoordde een aantal malen 'ja... jawel...' maar was met haar gedachten heel ergens anders.

Teresa had een verregaande beslissing genomen die haar niet weinig inspanning moest kosten: Giselda raadplegen. Hoe had dat idee bij haar kunnen opkomen? Om haar zus te laten delen in het familiegeheim, haar om raad te vragen? Zij wist uit ervaring hoe huwelijken waren die onder een verkeerd gesternte waren gesloten, zij kon een veel betrouwbaarder oordeel geven dan de pastoor of de dokter.

Na lange, herhaalde tochtjes naar Florence ging ook Giselda aan die tafel in de eetsalon zitten, tegenover haar zusters, die in het geheim, als in een biecht, met haar spraken.

Terwijl ze hoorde wat er gebeurd was, begonnen haar ogen te schitteren van een bitter, boosaardig genoegen; ze was zielsblij dat er in huis iets ernstigs gebeurde, iets onherstelbaars, dat Remo een meisje in problemen had gebracht. En omdat ze er diep van overtuigd was dat een onder die voortekenen gesloten huwelijk niet gelukkig kon zijn, en dat het meisje misschien nog ongelukkiger zou worden dan zijzelf – alles was beter dan een gedwongen huwelijk met zo'n soort jongeman – begon ze met de vraag: 'Wat vindt Remo ervan?'

'Remo is, zoals je weet, een jongeman van eer, misschien te zeer in dit geval, maar wij kunnen hem dat niet kwalijk nemen, het is goed dat hij zo is, hij heeft zonder aarzelen gezegd dat zijn plicht alleen maar dit is: trouwen, en zo gauw mogelijk.'

'Ah!... trouwen...'

'Zo gauw mogelijk,' herhaalde Teresa duidelijk.

'Kijk eens aan, kijk eens aan...' Giselda was verbijsterd door die mededeling en aarzelde, als een wandelaar bij een kruispunt, om niet de verkeerde weg in te slaan.

'Ah! Trouwen... kijk eens aan, kijk eens aan...' herhaalde ze, 'en wel zo gauw mogelijk.'

'Je begrijpt, een jongeman van eer kan niet anders reageren, het is aan ons om erover te oordelen: tenslotte is het een jongen, een onvoorzichtige jongen zonder levenservaring, hij heeft zich natuurlijk door zijn hartstocht laten meeslepen, en wij zijn degenen die moeten beoordelen waar de verantwoordelijkheid ligt.'

'Ja, ja...' Giselda voelde dat het lot van een slachtoffer afhing van wat zij zou zeggen, maar omdat ze aan de ogen van haar zusters duidelijk zag dat ze op haar vonnis wachtten, voelde ze tegelijk dat dit het moment was om zich te wreken op Remo en hen, en nam ze een strenge, uiterst waardige houding aan.

'Trouwen, trouwen, nou en of, trouwen, natuurlijk trouwen, wie het kwaad heeft gedaan moet het herstellen, trouwen... en zo gauw mogelijk, er is geen tijd te verliezen: in de hoeveelste maand is ze?'

'De tweede, waarschijnlijk.'

'Er is geen tijd te verliezen.'

Ze antwoordden niet en hielden hun mond dicht, haar zusters, ze voelden dat ze loog alsof het gedrukt stond; en toen ze vertrokken was, gesloten en grimmig, zei Carolina boos: 'We hadden haar beter niets kunnen zeggen.'

'Ze zal het niet doorvertellen, wees daar zeker van, ze zal de moed niet hebben om erover te praten.'

Alleen hun oordeel ontbrak nog en dat hielden ze voor zich nadat allen dezelfde opinie hadden geuit. Er zat niets anders op dan op stel en sprong het huwelijk voor te bereiden van Remo en de dochter van de tuinder, voor wie ze hemden moesten naaien zodat ze kon trouwen, want haar familie zou niet in staat zijn om ze voor haar te maken. Teresa doolde ongerust en verdrietig rond als iemand die niet meer kan vechten en zich gaat overgeven.

'Hoe wist ze hem te grazen te nemen,' zei Carolina, ontroostbaar haar gal spuwend. 'Hoe schaamteloos!' Het leek alsof ze droomde, en haar zus hief het hoofd alsof ze uit haar diepste wezen haar laatste energie opdiepte.

'We zullen zien wie er wint!' verklaarde ze dreigend en met gefronst voorhoofd.

Wat Remo aangaat, na zijn nobele antwoord aan zijn tantes hebben we alleen een zin kunnen opvangen die hij liet vallen tegen Palle terwijl ze samen naar Florence reden.

'Nou, beste Palle, er zijn op de wereld niet alleen maar oude vrouwen, reken maar!'

Palle keek hem aan en lachte op zijn manier, snel en vluchtig: wist hij dat er op deze wereld niet alleen maar oude vrouwen zijn? Het leek alsof hij dat heel goed wist, dat al geweten had voordat hij geboren werd, maar toch kende hij deze elementaire waarheid niet.

'Maar… maar…' voegde Remo eraan toe alsof hij het tegen zichzelf had, terwijl hij de snelheid van de auto opvoerde, 'ook oude vrouwen spelen hun rol heel behoorlijk.'

Meer zei hij niet, en Palle lachte opnieuw sluw, maar degene die echt sluw was, was hij natuurlijk niet.

De Materassi's waren zwijgzaam, nadenkend, somber, en soms verloren ze de moed en raakten ze uitgeput door de spanning bij hun allesoverheersende gedachte. Soms waren er momenten van opluchting wanneer ze bovennatuurlijke tussenkomst verwachtten.

Er was geen tijd te verliezen, elke dag maakte de zaak ernstiger; misschien kon de familie van het meisje binnenkort tussenbeide komen, zij kon alles bekennen tegen haar moeder of haar vader; er waren grote broers en die konden de schuldige om rekenschap vragen. Bij bepaalde ideeën in hun hoofd werd de ongerustheid van de arme vrouwen kwellende opwinding. Ook Niobe was somber en gesloten, zonder een glimlachje, je zag haar geheimzinnig verschijnen en verdwijnen, het leek alsof ze iets wilde zeggen en dan ging ze weer weg zonder iets te zeggen. De meesteressen wachtten zich er wel voor om haar te vragen waar ze heen ging, of waar ze ook maar vandaan kwam; het lukte hun niet iets te begrijpen van haar doen en laten, dat altijd zo helder was geweest als de zon, en ze wilden het niet interpreteren, niet raden. Ze keek naar de grond als iemand die iets zoekt waarvan het hem erg spijt dat hij het verloren heeft; de zo dappere vrouw had ook haar moed verloren: ze was een andere vrouw.

Toen ze haar hoofd weer ophief en haar levendige, glimlachende aanzien weer terug had gevonden, zagen de buren haar op straat in een zijden jurk, die natuurlijk niet van haar was, en stond ze goed gewassen en gekapt met een koffertje op de tram te wachten.

Waar ging Niobe naartoe?

'Tot gauw! Tot gauw!' antwoordde ze degenen die haar groetten.

'Tot gauw! Ik ben over twee, drie dagen terug, ik ga naar huis, ik ga druiven plukken.'

En ook haar meesteressen, die bij het hek stonden, zagen haar vertrekken en groetten haar: 'Ze gaat druiven plukken,' herhaalden ze tegen iedereen en daarbij deden ze hun best om te lachen en vrolijk te doen: 'Ze gaat naar huis, ze gaat druiven plukken.' En ze keken toe hoe ze vertrok alsof ze de redenen van haar reis van a tot z kenden, maar ze wisten niet meer dan de anderen en deden alsof ze werkelijk ging oogsten.

'Tot gauw! Tot gauw!'

Zodra de vrouw had gezegd: 'Ik ga' en een jurk had gevraagd, hadden de gezusters zich naar de kast gehaast en haar niet eens gevraagd waar ze heen ging en waarom, zozeer vertrouwden ze haar, ze begrepen alles zonder hun mond open te doen. Zodat ze, terwijl ze net als de anderen zeiden 'ze gaat oogsten', en een lachend gezicht trokken, er net zoveel vanaf wisten als de anderen en werkelijk niet wisten waarom ze lachten; maar ze wisten inwendig dat ze helemaal geen zin hadden om te lachen, al bleven ze lachen. En de buren, die al gewend waren aan alle vreemde gebeurtenissen die sinds enige tijd in die familie plaatsvonden, herhaalden dat Niobe naar huis was gegaan, dat ze druiven was gaan plukken, alsof dat gebruikelijk was – het gebeurde immers elk jaar om die tijd –, al had ze in geen dertig jaar ooit gezegd dat ze een huis had en was ze zelfs niet voor een dag weg geweest.

Het waren zeven dagen van spanning, van gissingen, van loodzware stiltes, van onuitgesproken hoop, een sprankje in de verte.

Toen ze terugkwam in Santa Maria en bij avondschemering uit de tram stapte, was ze vervuld van iets wat uit haar ogen trachtte te ontsnappen, uit haar mond, uit haar hele houding, en dat ze voor zich moest houden. En omdat ze degenen die haar tegemoet snelden niets kon geven van wat ze in haar binnenste had – een schat van andere vruchten – gaf ze wat ze om zich heen had: ze was als een bacchante beladen met druiven: wijnranken, trossen; te midden van die mensen lachte ze met haar tandeloze mond en liet ze zich plukken, de bladeren en het fruit afnemen, en maakte ze zo veel mogelijk drukke bewegingen om iedereen een tros of meer aan elkaar zittende trossen te geven: eersteklas druiven, sappig en zoet, van de heuvels, niet zoals die van Santa Maria, die zuur waren en een en al schil. Zo groot was de vreugde dat de heuvels daar uiteindelijk in triomf en door een kier binnendrongen.

Een paar dagen later verspreidde zich razendsnel het nieuws: Laurina ging trouwen, met een jongeman van 'daar boven'. De mensen uit de onmiddellijke omgeving, van de eerste heuvelrij rondom de stad, die in het grote amfitheater bevoorrechte posities innemen, bezigen de uitdrukking 'daar boven' om de anderen aan te duiden die zich erachter bevinden, hoger, veel hoger, en die de galerijen, het schellinkje vormen, en ze zeggen enigszins minachtend 'daar boven', zoals de dames in de voorste rijen de menigte aanduiden die zich tegen het plafond genesteld heeft, en ze trekken net als zij hun neusjes des te meer op naarmate je meer 'naar boven' moet, waar de mensen grove schoenen hebben maar subtiele hersens. Die jongeman was sterk en niet onknap, hij had een goed voorkomen, niet te grof gezien zijn afkomst. Hij was de zoon van een tuinier die in een grote villa woonde daar boven, daar boven... een villa die al het aanzien had gekregen van een sprookjeskasteel. Het huwelijk zou met grote haast voltrokken moeten worden omdat de jongeman in kwestie een bloemenwinkel in het centrum van Florence had overgenomen, en om daar aan het werk te gaan had hij de hulp van zijn vrouw nodig.

Het was een grootse, vrolijke bruiloft, heel Santa Maria was aanwezig, behalve natuurlijk de Materassi's, Remo en Niobe. Maar de Materassi's en Remo werden nu beschouwd als behorende tot een andere klasse die niet deelnam aan volkse bruiloften, zij waren de aristocratie van het dorp. En wat Niobe aanging, zij ging zoals iedereen wel wist nooit en om geen enkele reden van huis. Niemand herinnerde zich dat ze er zeven dagen was weg geweest om druiven te gaan plukken.

Er ontstond een nauwe band tussen de dienstbode en de meesteressen, die een bepaald papier moesten tekenen, een eerste hypotheek van vijftigduizend lire op de huizen; maar ze waren blij en triomfantelijk vanwege het winnen van een veldslag.

Naar het schijnt heeft Laurina een paar dagen voordat ze trouwde Remo onderweg aangehouden om de zaak voor het laatst uit te praten, maar van het zeer korte gesprek dat de twee hadden kennen we alleen de laatste woorden, die een windvlaag naar ons toe wilde brengen.

'Kom je af een toe een gardenia bij mij halen?'

Zonder te merken dat hij net zo'n antwoord gaf als hij de sportieve gravin had gegeven toen zij vroeg of hij vrouwen had gevonden die alles voor niets geven.

'Wel… wie weet… misschien.'

‘GISELDA! NIOBE!’

‘Net als zijn grootvader, net zo.’ Dat zeiden de leeftijdgenoten van de oude man die zich diens slapte tegenover zijn zoon herinnerden: ‘Arme oude man, hij had er geen idee van. Wat een ongelukkige familie! Wat een vloek rust er op hen. Wat een tegenspoed. Arme Materassi’s!’ En wanneer ze hen zagen instappen om te gaan eten in Florence voegden kwaadwillenden daaraan toe: ‘Wat een air!’ En als ze tochtjes gingen maken naar de vakantieoorden die in de mode waren: ‘Zij genieten ook van het leven, naar het schijnt. Iedereen houdt van het goede leventje. Net als hun vader. Hij heeft ze op hun beurt zijn hersens gegeven! Ze gaan als gekken genieten! Ze hebben het hoofd verloren!’

Iedereen wist met wat voor kritieke omstandigheden ze sinds enige tijd worstelden, en allen waren op de hoogte van de nieuwe hypotheken op de huizen; omdat het bekend was dat ze niet meer de absolute eigendom hadden begonnen ze het respect en het gezag te verliezen dat ze altijd hadden genoten. Hun huurders begonnen hen minder serieus te bejegenen terwijl zijzelf dubbel zo hooghartig werden. Maar wanneer Remo met zijn trouwe Palle arriveerde of vertrok stonden ze met hun monden open van bewondering: namen van filmsterren speelden om de lippen van de meisjes. Rudolph Valentino, Charles Farrell, Ramon Novarro, Gary Cooper… En alleen wanneer ze uit het zicht verdwenen waren gingen ze weer commentaar leveren: 'In dat huis is het altijd carnaval. Zolang als het duurt! Maar de vastentijd komt ook gauw, dat staat vast.' Vooral konden ze niet verdragen wat een geluk Palle had gehad, die ook genoot van dat luizenleventje, al had hij er geen recht op: 'Hij heeft een grote tiet gevonden. Moge de hemel ons leiden naar waar je te eten krijgt,' besloten ze hun uitspraken. En terwijl de gezusters steeds minder bezoek kregen van klanten, kregen ze er elke dag meer van schuldeisers die Remo, omdat ze hem niet in de stad konden betrappen, daar kwamen opzoeken, in Santa Maria, waar ze werden ontvangen door de tantes en gesust met voorschotten en beloften.

Het tafereel dat ik u ga beschrijven vond plaats op een dag dat ze net klaar waren met hun middagmaal.

Zoals in elke familie is dit de tijd waarop twisten losbranden, discussies waarin men lucht geeft aan humeurigheid, rivaliteit, rancune, jaloezie; als nagerecht komt de huiselijke ellende op tafel. Niemand zou erover denken aan een dergelijke voorstelling te beginnen vóór de soep en wanneer dat toevallig toch gebeurt zonder uit de hand te lopen volstaat de dampende soep om dat te onderbreken door een stilte te veroorzaken als van een heilig ritueel. Maar wanneer het lichaam goed is voorzien en zo goed mogelijk gevuld, dan lijkt het alsof de geest zijn slechtste deel wil lossen, zijn ballast. Hoe heerlijk is het om brutale dingen te zeggen met volle maag, wanneer er niets anders noodzakelijks te doen is, om elkaar iets te verwijten, elkaars gebreken, ijdelheid, zwakheden aan de kaak te stellen; elkaar de maat nemen, eronder krijgen, op de een of andere manier kleineren, je eigen gewicht laten voelen. Wanneer allen bijeen zijn en moedig, is dat het geschiktste moment.

Giselda was vertrokken. Nu had zij een scherp zintuig om te ruiken dat de bui op komst was, zoals varkens truffels onder de grond ruiken. Ze was blij dat ze kon vertrekken en het terrein vrijmaken voor alles wat mogelijk was, zonder de natuurlijke ontwikkeling ervan te schaden of verstoren. Haar zusters mochten zich bezighouden met de neef en desnoods met de dienstbode, zij zou zich er eventueel toe beperken vanaf de bovenverdieping een sentimenteel, hartstochtelijk of weemoedig, of desnoods heldhaftig of vrolijk wijsje te laten horen, maar wel op momenten dat zij op de begane grond zich in de minst gepaste geestesgesteldheid bevonden om te genieten van belcanto. Zodat de ernstige gebeurtenissen binnen de familiekring zich voltrokken met muziek zoals in een opera.

Ook Palle was weggegaan. Ook hij wist te bespeuren wanneer het juiste moment was aangebroken om ertussenuit te knijpen, om naar de garage te gaan en daar de auto te poetsen en gereed te maken.

Elke keer dat er twisten waren ontstaan, woordenwisselingen of heftige scènes, had Remo er kalm uitgezien, glimlachend, en dat weerspiegelde zijn ijskoude, ongeïnteresseerde gevoel, wat de uitkomst of de oorzaken ook mochten zijn; nooit verdedigde hij wat hij had gedaan of drong hij aan om zijn doel te bereiken; hij bereikte dat juist door zich terug te trekken. Maar die dag was zijn gezicht somber en gefronst, en opvallend wilskrachtig; voor het eerst tekende zich een verticale groef af tussen zijn wenkbrauwen en die deed zijn jeugdige zuiverheid, die nog op zijn gezicht was gebleven toen hij een man was, geweld aan. Nog voordat hij zijn mond opende, voelde je dat hij vastbesloten was om wat hij wilde met geweld door te zetten, hard en wreed.

Het gesprek kwam op een bepaalde aanzienlijke rekening die betaald moest worden, waarop hardnekkig werd aangedrongen; die moest dus worden toegevoegd aan de andere die ze het hoofd moesten bieden en die almaar toenamen in aantal. Remo was zichtbaar geïrriteerd, alsof hij opeens voelde dat op zijn schouders het gewicht rustte van een onhoudbare situatie.

'Het moet afgelopen zijn met die mensen die geld komen vragen.'

Teresa, die hem vastberaden en krachtig wilde aanpakken, keek hem strak aan.

'Ze komen vragen om datgene waar ze recht op hebben,' begon ze kalm, waarbij ze haar bedenkingen maskeerde; daarna zei ze, zich enigszins oprichtend: 'Het moet afgelopen zijn met al die uitgaven die in geen verhouding staan tot wat mogelijk is, het moet afgelopen zijn met het maken van schulden die wij niet kunnen betalen.'

Haar neef observeerde haar om haar tegenstand af te meten tegen haar bedoelingen.

'En de schulden die er al zijn?' liet hij zich ontsnappen met een nonchalance die het midden hield tussen jongensachtig en geslepen.

'Die er al zijn moeten vroeg of laat betaald worden, anders willen alle anderen ook meteen geld zien.'

'Nee.'

'Wat nee?'

'We moeten ze allemaal tegelijk betalen, er zit niets anders op. Allemaal tegelijk,' zei hij duidelijk en resoluut.

Teresa lachte bitter.

'Allemaal tegelijk?' Ze deed alsof ze het niet meteen begreep. 'O, allemaal tegelijk, ja... en waarmee?'

'Er moet een eind komen aan die kwestie van de schulden, die heeft al te lang geduurd, ik wil er niets meer over horen.'

Teresa keek hem aan met een ironische blik die haar woede verborg.

'Ja... jawel... het heeft al te lang geduurd, dat is precies wat ik wou zeggen, ja, het heeft te lang geduurd, ja, dat weet ik, ook ik weet dat het te lang geduurd heeft, ja...'

Ze keek hem bitter en dreigend aan, boosaardig.

'Alles tegelijk... en waarmee? Weet je niet dat we geen stuiver meer hebben, en alleen maar schulden en verhypothekeerde huizen?'

'Juist daarom moet alles tegelijk betaald worden.'

'Waarmee?' riep ze woedend.

'Met een wissel,' antwoordde haar neef kalm.

'Een wissel?'

Ze voelde zich beledigd en onthutst door dat verschrikkelijke woord dat onder haar dak in geen veertig jaar was uitgesproken, een woord dat zo'n treurnis over haar jeugd had gebracht en waarvan ze dacht dat het voorgoed was uitgebannen: een wissel. Een wissel om mee te betalen; de troosteloosheid in huis onder die dreiging, de ogen van haar moeder rood van het huilen. Hoe vaak had in haar kindertijd dat treurige woord op hun huis gedrukt. Een zieke vader, een wissel om te betalen. Haar moeder kleedde zich aan terwijl ze haar ogen droogde en ging naar Florence nadat ze eerst in de buurt bij vrienden en kennissen van deur tot deur was gegaan om wisselprotesten te ontlopen, bezoek van deurwaarders, de beslaglegging op de inboedel. En soms, wanneer ze het geld niet op tijd bijeen had kunnen krijgen, werd de wissel geprotesteerd, tot schrik en verslagenheid van alle familieleden, haar moeder en de arme dochters, terwijl haar vader hun vanuit zijn invalidenstoel verwensingen en vloeken naar het hoofd slingerde. Uit dat verdriet hadden de meisjes zoveel levenskracht geput. De spookbeelden uit hun kindertijd doken nu weer op, de hypotheken, de wissels, de wisselprotesten, de beslaglegging, de deurwaarders, de schuldeisers: ze doemden weer op uit deuren, uit ramen, ze kwamen weer het huis binnen, namen weer gestalte aan door een onverbiddelijk noodlot.

'In de veertig jaar dat ik mijn beroep uitoefen heb ik nog nooit een wissel getekend,' besloot ze wanhopig gedecideerd en ze verschanste zich aan de rand van de afgrond in de bewering: 'Ik teken geen wissels...'

'En toch is dat de enige manier, de beste die ons overblijft op dit moeilijke moment, daarna voelen we ons opgelucht en kunnen we weer ademen. Dan is dat gedoe met die schulden voorbij... we maken geen nieuwe meer. En ik krijg eindelijk mijn baan...'

Hij praatte kalm om te laten voelen dat zijn wil rotsvast was.

Meer dan door de aanstaande, hypothetische baan van haar neef, die al jarenlang elke dag had moeten verschijnen maar nooit kwam – waardoor haar vertrouwen te zeer geschokt was –, werd Teresa's aandacht getroffen door deze woorden: '...we maken geen nieuwe meer...' Hij beschouwde die schulden dus alsof ze gemeenschappelijk gemaakt waren en legde een deel van de verantwoordelijkheid, van de schuld bij zijn tantes, zij waren met hem verantwoordelijk voor hun eigen ondergang, dat beweerde hij ongestraft; in zijn zwijgzaamheid lag een onuitgesproken aanklacht die hij nu suggereerde, insinueerde, en die hij vervolgens met luider stem en zonder terughoudendheid zou proclameren.

Ook al was Teresa verbijsterd door deze onthullende woorden, toch had ze nog de kracht om bij haar standpunt te blijven.

'Nooit ofte nimmer, het is een kwestie van principe, ik laat me nog liever vermoorden dan dat ik een wissel ga tekenen.'

Tijdens deze scène bleef Carolina kijken naar Remo omdat ze voelde dat het verzet van haar zus van voorbijgaande aard was en ze rekende uit of het kort of lang zou duren voordat ze zich overgaf. Nu eens keek ze hem smekend aan, dan weer maakte ze grimassen met haar mond die een stortvloed van heftige beledigingen leken aan te kondigen; of ze keek zo woedend dat je zou denken dat ze hem elk moment kon aanvallen, krabben of bijten; uiteindelijk viel ze terug in haar smekende houding. Op dat moment haalde Remo een rechthoekig papier uit zijn zak: de wissel die getekend moest worden. Toen die tevoorschijn kwam in de handen van de jongeman, verscheen Niobe aan de deur van de salon en bleef staan met haar handen op haar heupen alsof ze op dat cruciale moment ergens over nadacht. Het was ook niet gemakkelijk te begrijpen of haar komst gunstig zou zijn voor de wensen van de neef of het moedige verzet van de gezusters kwam versterken.

Alles begon zo plechtig en tegelijk zo automatisch te worden als in een toneelstuk en niet als een tafereel uit het ruwe, eenvoudige leven waarvan het geluk en het ware bestaan van een familie afhing.

'Ik zet geen handtekeningen!' riep Teresa opspringend en op steeds luider toon, en ze versperde de weg voor dat stukje papier dat van Remo's handen in de hare had moeten overgaan. 'Ik zet geen handtekeningen,' herhaalde ze terwijl ze met haar vuist op tafel sloeg en zich steeds meer oprichtte om haar woorden en haar hardnekkige standpunt kracht bij te zetten. 'Wij zullen betalen wat we menen te moeten betalen en wanneer we dat kunnen, begrijp je, wij zijn niet verplicht het te betalen, en wat de toekomst aangaat, we zetten een waarschuwing in de krant. We hebben alles uitgegeven wat we hadden, we hebben de huizen verhypothekeerd, maar we zijn niet van plan om vanwege jou te gaan bedelen, dat zou een doodzonde zijn die niemand ons zou vergeven.'

Ze maakte aanstalten om de kamer uit te gaan.

Carolina, die geen moment haar ogen van haar neef had afgehouden, stond op en bleef hem aankijken, en alsof ze alles over hem heen wilde storten wat haar hart voor en tegen hem had wierp ze zich tegen hem aan en klemde zich aan hem vast, omklemde hem uit alle macht en barstte in tranen uit.

Remo maakte geen beweging van weerzin, hij liet zich omklemmen: de heftige manier van doen van vrouwen maakte hem niet bang en ook de zachte niet, de flauwtes of tranen waarvoor hij immuun was. Hij liet zich omklemmen, liet zich omhelzen. Carolina omklemde hem met de moed der wanhoop. Ze krabde hem en hij liet zich krabben. En toen ze zijn hoofd naar het hare trok zocht ze zijn mond en gaf hij die aan haar over net als tien jaar eerder, in de trein, of de eerste dagen nadat hij was aangekomen in Santa Maria. De mond van hem als man gaf zich nog met dezelfde kilte over als die van toen hij jong was, en wond haar op en bracht haar in verwarring. En in haar totale confusie liet ze hem niet los maar drukte hem nog strakker tegen zich aan.

'Weg! Weg! Weg!' schreeuwde Teresa, die werd overvallen door onbeheerste vrouwelijke woede: 'Weg! Weg!', terwijl ze haar zus losrukte van het lichaam van haar neef. 'Weg!' schreeuwde ze, ze schreeuwde, ze krijste. Haar stem had niets menselijks meer, en het viel niet te begrijpen hoeveel werkelijke energie achter die kreten lag en hoeveel van dat instinct, die duistere, onbewuste wrok zou je kunnen zeggen, die haar in de trein met haar voeten deed stampen, in de tunnel, toen Carolina de jongen kuste in het bijzijn van de varkensverkopers. 'Weg! Weg! Weg!'

Het lukte haar uiteindelijk haar zus van hem los te trekken en haar met geweld naar de deur te duwen om samen de kamer uit te gaan, de een ten prooi aan woede, de ander aan verwarring. Maar Remo kwam achter hen aan. Nadat hij passief was gebleven bij Carolina's gevoelsuitbarsting, nam hij zijn hardvochtige gelaatsuitdrukking weer aan en riep: 'Jullie moeten tekenen.'

Deze woorden waren een zweepslag.

Teresa draaide zich om met opengesperde ogen, wilde zich op hem storten en hem slaan en keek om zich heen om een voorwerp te vinden waarmee ze hem kon aanvallen. Ze voelde een woeste drang om hem te treffen, en niet om zich wanhopig aan hem vast te klemmen zoals haar zus: haar wanhoop was actief, zodat de jongeman zich in tweeën moest splitsen om het hoofd te bieden aan de tegenstrijdige gevoelens van de vrouwen. Maar nu hield Carolina haar zuster vast en zwaaide met haar armen om haar handen vast te kunnen houden en te verhinderen dat ze hem aanviel. En Remo richtte zich op om zich op haar te storten en haar machteloos te maken, waarmee hij aantoonde dat hij geweld met geweld beantwoordde, net zoals hij de impulsen van het hart beantwoordde met totale overgave. Hij greep hen beiden vast en drukte ze strak tegen elkaar in zijn armen zodat ze niets meer konden doen, in een greep die geen twijfel meer liet bestaan aan de kracht van zijn biceps, en daarna duwde hij hen de salon uit naar de keuken, terwijl de een zich wilde losmaken door hem te slaan en de ander haar juist wilde vasthouden om dat te verhinderen; daarna draaide hij hen rond terwijl Niobe, die zich bij de groep had gevoegd, haar best deed om hen met alle geweld te beschermen, nu eens van de ene kant en dan weer van de andere, alsof het om een voorwerp ging dat tijdens een moeilijk transport dreigde te vallen. En het was niet duidelijk of ze de pogingen van de tantes wilde steunen, die zich wilden losmaken van de kracht die hen in zijn greep hield en hen een andere kant op duwde dan ze wilden, of die van de neef om hen daarheen te duwen waar hij hen wilde hebben. Zo bracht hij hen tot aan de trapkast die diende als provisieruimte, opende de deur en duwde hen erin.

Toen ze begrepen wat zijn bedoeling was, reageerden ze niet

meer. Ze waren opgesloten in dat weerzinwekkende hok: zover was het gekomen. Bij de een viel de drang om te slaan weg, bij de ander die om zich over te geven. Ze waren opgesloten en moesten misschien sterven zoals de heldinnen uit verhalen, uit liederen, uit opera's en tragedies. Ten overstaan van dit enorme feit hadden ze geen wil meer, waren ze machteloos; ze hadden zich laten opsluiten en merkten dat hun neef, die het elektrische lampje had aangestoken en wat ruimte had gemaakt op een tafeltje vol potten en flessen, daar de wissel neerlegde met een vulpen ernaast. De vrouwen keken verbijsterd naar deze handelingen, totdat hun neef, zonder zijn mond te openen en ook maar naar hen te kijken, de kast uit ging, de deur op slot deed en de sleutel in zijn zak stak.

Niobe, die had deelgenomen aan het tumult zonder precies te weten wat ze wilde, bleef bij de deur waarachter haar meesteressen waren opgesloten; er kwam geen teken van leven uit de kast nadat zij de sleutel in het slot hadden horen draaien.

Wat deden ze terwijl ze opgesloten zaten?

De dienstbode keek nu eens kinderlijk verbaasd naar de deur en dan weer naar Remo, ze probeerde te glimlachen in de hoop dat ze een geruststellende glimlach ten antwoord kreeg en trachtte te raden wat dit voor spel was, want het kon alleen maar een spel zijn, een grap, dat hij hen daar had opgesloten. Zij had hem laten begaan, ze had zich niet tegen hem verzet, in de zekerheid dat alles goed zou aflopen, ze kon niet toestaan dat haar meesteressen ook maar een haar gekrenkt werd en voelde zich overvallen door een kinderlijk onbehagen doordat ze nu waren opgesloten in de provisiekast. Ze had geen actieve rol gespeeld in de scène want ze dacht dat de scènes van weinig belang waren en nergens goed voor waren als de schulden waren voldaan, de enige remedie was betalen: de wissel ondertekenen. Daarom was ze blijven toekijken. Haar instinct gaf haar in dat het niet nodig was om in te grijpen bij deze huiselijke scène die, gezien de omstandigheden, precies zo moest plaatsvinden, en dat die niet zo tragisch was als het leek. In die overtuiging werd ze gerustgesteld doordat Remo, toen hij de vrouwen eenmaal in de trapkast had geduwd en opgesloten, met een hardvochtig gezicht en een energie in zijn armen waaraan men zich niet gemakkelijk kon onttrekken en die men evenmin kon weerstaan, opeens kalm en sereen was teruggekomen, glimlachend, een sigaret had opgestoken, in de keuken had rondgelopen en met zijn handen in zijn zakken wijdbeens was blijven staan wiebelen bij het deurtje naar het veld en al rokend naar de horizon had gestaard.

'Ik zei het al,' herhaalde Niobe tegen zichzelf om zich te weer te stellen tegen de onrust waardoor ze steeds meer bevangen werd wanneer ze naar de deur keek waarachter haar meesteressen waren opgesloten: 'Het zijn net twee kinderen, zo moet je ze behandelen, er zit niets anders op.' Ze keek naar Remo, die vergeefs probeerde te glimlachen, en ze bedelde van hem een glimlach af die haar gerust moest stellen door te verzekeren dat het maar een grap was: 'Het zijn geen serieuze vrouwen, potdorie, schulden zijn schulden en als ze die gemaakt hebben, of als ze die hebben laten maken, dan zweer ik dat ze betaald moeten worden, reken maar! Daar hadden ze eerder aan moeten denken. Het zijn net twee kinderen.'

En Remo, die berustend door het vertrek rondliep, zag eruit alsof hij wilde antwoorden: *dat weet ik, dat weet ik, het is een weerzinwekkende, stuitende, belachelijke, kinderlijke vertoning, maar het is de enige manier waarop je sommige mensen kunt behandelen, in deze wereld moet je alles doen om vooruit te komen, om te leven.* Net alsof dit hele schandaal hoorde bij zijn beroep, iets wat hij meer voor de anderen deed dan voor zichzelf, een onaangename taak waarvoor hij niet meer dan een billijke vergoeding kreeg.

Niobe keek naar hem en begon, wijzend naar het deurtje, haar best te doen om met de jongeman een blik van verstandhouding te wisselen en zichzelf gerust te stellen aangaande de twijfels die haar hinderden: *ze tekenen, ze tekenen natuurlijk, het zijn net twee kinderen, ze zijn een beetje nukkig, maar je moet een beetje toegeeflijk zijn.* Ze wenkte, gaf een knipoogje, maar had niet de kracht om te glimlachen, dat lukte haar niet, want ze kon haar lippen niet van elkaar krijgen, het deed te veel pijn, de spieren verhinderden het. En het is onbeschrijflijk hoe angstaanjagend haar ernstige gezicht eruitzag wanneer ze probeerde te knipogen: *ze tekenen wel, ze tekenen; en van nu af aan zal Remo voorzichtiger zijn met geld uitgeven, hij raakt zijn wilde haren kwijt, hij gaat echt werken na die uitspattingen die zo natuurlijk zijn als je jong bent.* Ze voelde in haar hart zoveel toegeeflijkheid voor hem, voor het ongeremde verlangen om te leven dat jonge mannen hebben, voor hun strapatsen, hun vergissingen en dwaasheden, ze voelde dat het mooie van het leven voor hem klaarstond en dat je dat op tijd moest plukken: 'Je bent maar één keer jong, wat drommels, daarna heb je alleen nog herinneringen', en ze had diep in haar binnenste medelijden met haar arme meesteressen, die zich niets anders konden herinneren dan pijn en moeite.

En wat deden de twee zusters in die provisiekast waar ze tien jaar eerder op een ochtend een halfuur achter het raampje hadden doorgebracht om hun neef te verrassen die niet over de trap naar beneden kwam maar door de ramen? Vertoonden ze zich ook nu aan het raampje?

Ook deze dag verliep er een halfuur zonder teken van leven van binnenuit.

Uiteindelijk was er in de trapkast gefluister te horen, wat

rumoer, een paar afgebroken woorden, daarna gesnik, gesnik als van een kind, Carolina huilde. Het huilen nam geleidelijk af, eindigde in onhoorbare snikjes; en toen het was afgelopen, de stilte was hersteld, kwam er een smekende, klagende stem die van onder de grond leek te komen: 'Giselda! Giselda!', met een heel lange 'e'. Uit het raam op de verdieping waar Giselda achter stond, begon zij te zingen:

Una voce poco fa
qui nel cor mi risuonò;
il mio cor ferito è già,
e Lindor fu che il piagò,
Sì, Lindoro mio sarà;
lo giurai, la vincerò.*

'Giselda!' herhaalde de stem steeds smekender. Maar Giselda kon het niet horen, zo geconcentreerd was ze haar lied als een nachtegaal aan het moduleren; en ze leek werkelijk op een nachtegaal in die landelijke stilte, ze kon het zwakke geroep van haar oudste zuster niet horen.

Il tutor ricuserà
io l'ingegno aguzzerò
alla fin s'accheterà
e contenta io resterò.**

'Giselda!' De roep werd herhaald, maar zo zwakjes dat het de

* Een stem heeft zojuist hier in mijn hart weerklonken, mijn hart is al gekwetst en het was Lindoro die het verwondde. Ja, Lindoro zal de mijne zijn, ik heb het gezworen, ik zal winnen. (Rossini, *De barbier van Sevilla*)
** De wachter zal weigeren maar ik zal mijn geest scherpen en uiteindelijk zal hij kalmeren en zal ik tevreden zijn.

vraag was of degene die riep werkelijk gehoord wilde worden, en vooral gehoord door degene die met hoge stem zong.

> Io sono docile, – son rispettosa
> sono obbediente, – dolce, amorosa,
> mi lascio reggere, – mi fo guidar.*

Stierf in Carolina's stem de hoop dat ze gehoord werd of begon haar angst erdoorheen te klinken?

> Ma se mi toccano – dov'è il mio debole,
> sarò una vipera – e cento trappole
> prima di cedere, – farò giocar.**

Een stem van binnenuit die even klaaglijk was, maar luider, was nu ook te horen: 'Niobe!'

Niobe begon nerveus te worden, ze moest iets doen, haar meesteres riep haar en ze moest antwoord geven. Ze keek angstig, ongeduldig naar Remo, maar hij gebaarde dat hij haar zou tegenhouden als ze zich bewoog en haar de weg zou versperren als ze een of ander initiatief wilde nemen.

'Niobe!' herhaalde een heel zwak stemmetje, met een zo lange en zo dunne 'i' dat die wel een draad van glas leek.

En daarna herhaalde de luidere stem, op een toon die ook smekend klonk maar gebiedend bedoeld was: 'Niobe!'

Wat moest ze doen? Moest ze antwoorden?

'Ik kan niets doen,' antwoordde ze als iemand die na een aardbeving levend onder het puin ligt of vastzit in een huis

* Ik ben gedwee, ik ben respectvol, ik ben gehoorzaam, lief en liefhebbend, ik laat me sturen, ik laat me leiden.

** Maar als ze me raken waar ik zwak ben, zal ik een adder zijn en honderd hinderlagen leggen voordat ik me gewonnen geef.

waar inbrekers alvorens hun slag te slaan de bewoners hebben vastgebonden en hun een prop in de mond hebben geduwd: 'Ik kan de deur niet openen, ik heb de sleutel niet.'

Daarop volgde een lange stilte waarin bij Remo een zekere spanning zichtbaar werd.

Geen gehuil, geen geluiden, geen smeekbeden.

Overigens ontbrak in de provisiekast niets van wat nodig is om te kunnen leven; er was lucht en licht, en het was ook mogelijk om te zitten; en er was wijn en brood; er waren eieren, ham, en worst, er was fruit. Ook onder die omstandigheden gunde de neef zijn tantes een fatsoenlijke behandeling.

Zo verstreek er een tweede halfuur. Remo bleef heen en weer lopen door de keuken en rookte de ene sigaret na de andere. Hij had het gespannen maar rustige uiterlijk van een man die zijn plicht doet.

Opeens waren er geluiden in de trapkast te horen, daarna twee droge, harde, gedecideerde, bijna arrogante slagen op de deur. De jongeman snoof een beetje, haalde daarna beslist en snel de sleutel uit zijn broekzak, opende de deur en ging, na het tafereel met het oog van de meester te hebben beoordeeld, beleefd opzij zodat zijn tantes hun plek konden verlaten.

De vrouwen, die stonden te wachten achter de deur, kwamen een voor een naar buiten. Teresa beantwoordde met opgeheven hoofd de vuilste schanddaad met het opperste dedain. Ze was een koningin die in handen gevallen was van het plebs dat zich voorbereidde op haar terechtstelling: kaarsrecht, niet meer van deze aarde, vol nobele trots, met om haar lippen een grimas van diepe walging, zonder ook maar iets van zichzelf prijs te geven aan de menigte die haar in materiële zin in bezit had. Zo kwam ze naar voren met in de hand de ondertekende wissel, de enige, broze band die haar nog met de aarde verenigde, en die haar vingers nauwelijks aanraakten, zoals een droog blad aan een tak dat zal vallen door de geringste beweging in de lucht. Carolina, met gebogen hoofd en loshangend haar, met armen die even slap en als tranen samen met haar haren neerhingen langs haar lichaam, met rode ogen, die niet meer huilden omdat al haar tranen op waren, was de Magdalena die vanaf de voet van de Calvarieberg haar Heer zal volgen tot op de top.

Bij al deze kwellingen was Remo natuurlijk al zeker van de wissel waarop onveranderd het bedrag stond en onderaan in kleine letters: 'Gezusters Materassi'. Hij wilde hem uit de handen van zijn tante aannemen, maar het papiertje viel, net als een dood blad dat losraakt van een tak, nog voordat het werd aangeraakt door die onwaardige hand. Zelfs dat contact tussen neef en tante ontbrak: hij moest zich bukken om het op te rapen.

'Kijk eens aan, goed zo... O! Nu wel... zo is het goed... uitstekend, perfect.' En met de haast van iemand die dringende zaken moet doen en geen minuut te verliezen heeft, stak hij de wissel zorgvuldig in zijn zak en keek op zijn polshorloge – 'Uitstekend!' – zonder zich ook maar in het minst te bekommeren om de uiterst tragische houding van de vrouwen, die zich zo anders gedroegen dan gewoonlijk, alsof het de gewoonste zaak was geweest, en die zo ver verwijderd waren van zijn haastige, praktische manier van doen – 'Heel goed, kijk eens aan, het is precies vier uur, geen minuut te verliezen, ik rijd snel naar Florence, ik heb nog maar een halfuur, om vijf uur ben ik terug om jullie af te halen, precies om vijf uur, denk eraan,' herhaalde hij duidelijk om misverstanden te voorkomen: 'precies om vijf uur' –, hij wist dat vrouwen op zich laten wachten: 'We gaan een aperitief nemen bij Narciso in het Cascine-park, daarna dineren in Fiesole, en dan naar de Follie Estive.'

Het leek alsof de vrouwen de uitnodiging niet eens hoorden

met die frivole woorden, die ronduit beledigend waren in een dermate ernstige situatie, en bevrijd uit hun gevangenis gingen ze, verenigd door de gevoelens die ik u al heb beschreven, een voor een weer hun treurige weg afleggen en bewogen ze zich naar de trap om zich te gaan opsluiten in hun kamer, zoals tijdens de hoogtepunten van hun levens.

'Precies om vijf uur,' herhaalde de neef terwijl hij in allerijl vertrok, 'denk eraan, laat niet op je wachten.'

Voor het hek stond Palle klaar met de auto.

Maar deze keer vond zelfs Niobe een dergelijke uitnodiging ongepast en het feit dat hij zoveel nadruk legde op de afspraak om vijf uur ergerde haar: 'Welja, vijf uur, welja, diner!' Niobe peinsde erover in haar verwarde hoofd: 'Welja, Narciso, en Cascine, en Follie Estive!' En ze wist niet eens dat de stakkers een wissel van honderdduizend lire hadden getekend.

Zelfs Giselda was ondanks al haar venijn niet in staat nog een teugje bitterheid aan het hart van haar zusters toe te voegen, want ook zij vond dat de onbeschaamdheid van de neef alle perken te buiten ging. Die uitnodiging was meer beledigend dan zinloos en werkelijk cynisch. Deze keer had de jongeman alle grenzen overschreden. Arme vrouwen, ze moesten al genoeg aan hun eigen zaken denken nu de afgrond hen had opgeslokt door deze laatste slag met die wissel: 'Welja, Fiesole! Welja, Cascine! Welja, aperitiefje en diner! Welja, Follie Estive!'

Bovendien was Niobe ontevreden omdat ze niet al het mogelijke had gedaan om tot elke prijs de weerzinwekkende scène van het opsluiten te voorkomen; met haar passiviteit was ze de medeplichtige van de neef en daar had ze bittere spijt van. De stemmen van de in de trapkast opgesloten meesteressen sneden nu door haar hart: 'Giselda! Niobe!' Ze was net zo wreed geweest als de wrede zus, meer nog, want ze had hen in haar hoedanigheid van dienstbode verraden en verkocht. Nu de jongeman er niet meer bij was voelde ze dat het haar plicht was geweest zich met alle middelen te verzetten tegen zijn misdadige plan; ze had moeten vechten, met hem worstelen, roepen, een oploop van mensen moeten veroorzaken; haar toewijding jegens hem, door de bekoring die van zijn persoon uitging, leek haar nu schuldig, een ware schuld tegenover haar meesteressen die de arrogante losbol in zijn macht had gekregen. Ze was erdoor meegesleept zonder het te merken, zonder tijd te hebben gehad om het te beseffen, en ze had het te laat gemerkt. Ze had zich moeten laten kelen, en ze voelde dat ze daar alle moed voor had bij zulk onrecht en bij wat ze zo onwaardig vond, ze had moeten voorkomen dat die wissel werd getekend op die onwettige, walgelijke, gewelddadige manier. En alles zei tegen haar: *ga naar je meesteressen, ga je verontschuldigen, zeg hoe het mogelijk was dat je je plicht niet hebt gedaan, dat je passief bent gebleven op het moment dat ze je nodig hadden, dat je niet hebt gereageerd toen ze werden overmeesterd en buitensporig behandeld door een losbol die ongeoorloofde doeleinden nastreefde. Ga je hart uitstorten in het hunne zoals op de allerbeste en allerslechtste momenten.* Ze durfde het niet, ze voelde zich schuldig en laf, het was voor het eerst dat haar de moed ontbrak om met opgeheven hoofd naar hen toe te gaan. Ze voelde zich laf en wachtte af of ze haar riepen, zoals een hond die uit angst voor klappen niet over de drempel van het huis durft te gaan totdat er een vriendelijke stem, een liefkozende roep klinkt: maar daar dachten zij zelfs niet aan.

Ze begon de keuken op te ruimen, die er nog rommelig uitzag na het middagmaal, en ging afwassen, ook het vaatwerk. Tijdens de discussies en het gedoe met het opsluiten was het vier uur geworden, in het fornuis waren de kolen zinloos opgebrand, het water in de kookpot kookte al een poosje niet meer. Af en toe hield ze haar oor bij de deur, liep op haar tenen tot onder aan de trap, maar de meesteressen riepen haar niet. Wie weet hoe ze eraantoe waren, de stakkers, ze gaven geen teken van leven. Haar hart werd steeds dieper doorboord door een scherp mes: de smekende stem uit de trapkast die haar deed huiveren: 'Giselda! Niobe!' Niemand had zich verroerd om hen te hulp te komen. Zij was net zo trouweloos geweest als die zus die ze verafschuwde om haar trouweloosheid: en erger dan zij. In de wasbak vielen haar tranen: 'Giselda! Niobe!' Ze had zich gedragen als die helse vrouw die aan haar raam had staan zingen terwijl ze een van de pijnlijkste momenten van hun leven doormaakten: een uur van doodsnood, opgesloten in dat hol, slachtoffers van een afschuwelijk soort afpersing. Giselda had niet geantwoord omdat ze iedereen haatte, en zijzelf had gedaan alsof ze hen niet kon komen helpen, zij die zich had laten doden voor haar meesteressen; en dat door een overdreven sympathie voor de schurk die nergens voor terugdeinsde omwille van zijn materiële voordeel: 'Giselda! Niobe!' Wie zou haar de kracht kunnen geven om naar hen toe te gaan? Hoe zou ze hun blikken kunnen verdragen? Dikke tranen bleven druppelen. Ze hield op, begon haar handen af te drogen aan haar schort en haar ogen met haar onderarm, hield haar oor tegen de deur, ging naar de trap, maar had niet de moed die op te gaan, ging terug om haar handen weer in het water te steken en zette haar werk voort. Waarom riepen ze haar niet? Een paar keer hield ze plotseling op, terwijl ze een bord of een glas afdroogde en hield haar adem in... dan was het alsof ze hoorde: 'Niobe!' Ach wat, een illusie, die stem kwam uit wat haar kwelde, wat haar steeds meer kwelde. Ze luisterde beter, nee, niets, het was de stem van het hart dat zo vaak was doorstoken.

Op de verdieping een stilte als van het graf.

Giselda had zich opgesloten in haar kamer om geen deel te

hebben aan de lotgevallen van de familie, en de gezusters hadden zich opgesloten in de hunne zonder dat daar ook maar het geringste geluid uit doordrong.

Het had vijf uur geslagen. Remo was niet verschenen. Natuurlijk, waarschijnlijk kwam hij niet, hij kwam vast niet, hij vond het zinloos om te komen, het zou het toppunt van schaamteloosheid zijn geweest als hij hen was komen halen, een vertoon van geslepenheid, zinloze bravoure, misschien om zijn ware, heel andere gevoel te verbergen; hij had het natuurlijk gedaan om het belang van het kwaad dat hij had gedaan te bagatelliseren, als hijzelf er niet te veel belang aan hechtte zouden anderen er ook niet te veel belang aan hechten, dat was zijn gebruikelijke spel, en ook al begreep hij hoe ernstig het was, hij nam het luchtig op. Maar het was beter, beter zo, beter ze met rust te laten in hun verdriet, de stakkers, in hun zorgen vanwege hun handtekening op de wissel. Op deze manier gaf hij blijk van meer respect voor hen, van beter begrip voor het kwaad dat hij had verricht, en het gaf vertrouwen voor de toekomst. In plaats van Follie Estive, Zomerzotheid, was er gezond verstand nodig, en veel, en niet alleen voor de zomer, maar ook voor de winter en het voorjaar, en het najaar, voor alle jaargetijden. Dat zou de grootste streek zijn geweest van deze rotjongen, die het leven zou gaan bezien in een heel ander licht. Beter, zo zou het beter zijn. En wat het verleden aanging, alles zou op den duur wel in orde komen, er is altijd een remedie voor het verleden, waar het om gaat is de blik op de toekomst gericht houden.

Toen ze klaar was met de afwas en het afdrogen, alles weer op zijn plaats had gezet, de keuken had geveegd en het raam zorgvuldig op een kier had gezet vanwege de vliegen, leek ze te hebben besloten naar haar meesteressen te gaan om te vragen of ze niets van haar wilden, niets nodig hadden, of ze zich beroerd voelden en wat ze voor hen kon doen; ze was bereid verwijten in ontvangst te nemen en ook uitbranders, die ze meende te verdienen, en om zich te verontschuldigen zoals haar hart haar ingaf, omdat ze niet had verhinderd dat alles was verlopen volgens de onbehoorlijke wensen van de jongeman. Maar ze bleef bij de onderste trede staan en draaide daarna om: ze sliepen waarschijnlijk na al die ontreddering, na zoveel emoties hebben ze slaap nodig, laat ze maar, we gaan ze niet storen. Eigenlijk wilde ze zichzelf graag kalmeren, want ze voelde zich heel slecht op haar gemak nu ze hen weer onder ogen moest komen. Ze ging naar de deur om het geluid van de auto te horen: 'Niets. Beter, des te beter, alles komt natuurlijk weer vanzelf in orde.' Het leek er echt op alsof het gezond verstand na die laatste beproeving in huis was teruggekeerd en weer begon te werken. 'Geen sprake van amusement! We praten er niet eens meer over. Ze lagen natuurlijk op bed, met hun ogen dicht, ook al konden ze niet slapen, het waren twee zieke kinderen in dat bed, en ze hielden hun ogen dicht om niets te zien, niets te weten, en ze deden alsof ze sliepen om hun overspannen zenuwen te kalmeren. Daarna zouden ze kalm in slaap vallen en echt slapen, een verkwikkend slaapje zou een begin van herstel zijn, het zou hun redding zijn. Wanneer ze wakker werden zou de nare herinnering aan wat er gebeurd is gaan wegebben, en de rest komt vanzelf. Daarom riepen ze haar niet, het was beter hen met rust te laten. En Remo, vooral Remo, zou gaan bewijzen dat hij serieus was geworden, een andere weg insloeg – dat was het meest troostgevend – zodat hij nieuwe problemen zou voorkomen. Tot dan toe had hij er al genoeg veroorzaakt, hij begon zelf ook in te zien dat het er te veel waren en dat het tijd werd daarmee op te houden, hij was het zelf gaan merken en had er misschien spijt van, het kon niet anders. *Hoe zorgeloos en ondeugend ze ook zijn, jongemannen zijn altijd ruimhartig.* Terwijl ze zich overgaf aan deze troostende gedachte, schrok ze van de claxon van de auto, die ze uit duizenden herkende; daarna hoorde ze de auto met grote snelheid aankomen: *Hij is het. Hij is het zeker. Hij heeft wel veel lef nodig om te komen. En wat komt hij doen? Nog een scène misschien? Nee, nee, ook hij komt uitrusten, hij gaat naar zijn kamer om te rusten, om wat op bed te gaan liggen, hij heeft slaap nodig, hij komt natuurlijk om te gaan slapen. Hij zou wel heel erg schaamteloos zijn als hij kwam vragen of ze mee uit willen, of ze zin hebben in een uitje onder deze mooie omstandigheden, geen sprake van een uitje, uitgaan, kom nou!* Ze ging op weg naar het hek en was bereid hem te vertellen hoe het met de stakkers stond, om hem te laten weten dat zijn uitnodiging ongepast was voor het geval dat hij zou durven aandringen, ze was bereid tot alles, tot elk soort van strijd om gerechtigheid, om haar meesteressen te beschermen, om zich geen tweede keer te laten ontwapenen of overrompelen: *het is tijd om er een eind aan te maken*, ze richtte zich zo op dat al haar vlees zich uitspreidde en alles liet schommelen terwijl ze zich zo merkwaardig voortbewoog. Deze keer zou ze, wat er ook gebeurde, niet passief zijn, daarvoor hoefde je maar naar haar te kijken.

'*Zi' Tè, Zi' Cà...*' riep Remo vanaf de straat en hij stapte tegenover het raam van zijn tantes uit de auto zonder zich tot Niobe te wenden: '*Zi' Tè, Zi' Cà...*' Zijn stem had zijn gebruikelijke natuurlijkheid en hartelijkheid, met een zweem van zijn aantrekkelijke spot: '*Zi' Tè, Zi' Cà*,' herhaalde hij terwijl hij het hek door ging zonder op te kijken en zijn stem ook iets haastigs kreeg.

Toen hij Niobe tegenkwam, vroeg hij een glas fris water want hij verging van de dorst, terwijl Palle, op straat, met veel rumoer de auto richting Florence keerde. De vrouw, die hem tegemoet was gekomen om hem te vragen niet zo te roepen, om te zeggen dat hij niet die twee ongelukkige vrouwen moest storen die geen teken van leven hadden gegeven en zich in god weet wat voor toestand bevonden, dat hij hen niet moest wekken, dat hij hen vredig moest laten slapen, want hoogstwaarschijnlijk sliepen ze, en als ze niet sliepen deden ze alsof ze sliepen om niets te zien, niets te weten, om te vergeten wat er gebeurd was, want ze wilden niet gestoord worden door wat dan ook omdat ze geen zin hadden om te praten en ook niet om een levende ziel te zien, en daarom hadden ze zich in hun kamer opgesloten... reageerde op het verzoek om het glas water instinctief dienstbaar: de baas verging van de dorst en wilde drinken; en toen ze aarzelde tussen haar twee neigingen, de ene die haar dwong om de jongeman het hoofd te bieden en zijn ogen te openen voor de toestand van zijn tantes, en die welke haar dwong om hem meteen te drinken te geven omdat hij verging van de dorst, had de tweede de overhand.

Ze haastte zich naar de keuken om een glas te halen: *maar dit is het toppunt van brutaliteit, ze op deze manier roepen na wat er is gebeurd, alsof er niets gebeurd is, hij moet wel een plaat voor zijn hoofd hebben om zo te doen*, dacht ze terwijl ze een fles vulde met fris water; *maar zijn niet alle mannen zo?* bedacht ze daarna, *of zijn alleen degenen zo die ons het best bevallen? Wat we met de fatsoenlijke aan moeten, weten we niet, wij breken liever onze nek met wispelturige mannen, dat is ons lot, zij brengen ons het hoofd op hol, en daarna slaan ze ons verrot. Maar deze keer heb je het bij het verkeerde eind, beste vent, je wist niet hoe ver je kon gaan, je kunt lang blijven wachten met je auto.* Ze schonk bij de deur een glas water voor hem in en bleef staan, keek naar hem met de fles in haar hand en wachtte tot hij klaar was met drinken om tot de aanval over te gaan.

Remo dronk het glas leeg met een genoegen dat een genoegen was om te zien: zijn manier van drinken was net zo helder als de vloeistof die hij in zijn keel liet glijden.

'Wil jij ook wat drinken, Palle, heb je geen dorst?'

Palle, die de auto gekeerd had en de motorkap had geopend om de motor te inspecteren, keek op, knikte 'ja', sloot de motorkap en kwam naderbij terwijl hij al uit de verte een gebaar maakte alsof hij het glas overnam uit de hand van de dienstbode die het vulde. Hij sloeg het even gulzig achterover als zijn vriend, maar het leek alsof het water slinks zijn korte keel in gleed om de ruwe beweging niet te laten opvallen die zijn hele lichaam wilde verbergen, en daarbij was hij zo verlegen dat hij een woord mompelde dat eerder een excuus was dan een 'dankjewel'.

Niobe wist niet waar te beginnen, maar ze wilde tot elke prijs tot de aanval overgaan; en van leer trekken tegen dat even ontijdige als nutteloze wachten.

'Weet u... ze hebben zich opgesloten in hun kamer en zelfs mij niet geroepen, zelfs mij niet, stel u voor... ze antwoorden niet, snapt u... in die toestand... ze hebben geen ongelijk... ze zullen wel in slaap zijn gevallen, ze waren zo moe, de stakkers... en toch hebt u ze gezien, u hebt zelf gezien hoe ze eraan toe waren... Of hebt u ze soms niet gezien?'

Remo luisterde en keek haar aan alsof hij niet begreep wat haar woorden betekenden, alsof ze een onbekende taal sprak of raaskalde, maar hij toonde zich niet in het minst geërgerd. Zodat Niobe, om te worden begrepen, er nog een schepje bovenop deed: 'U begrijpt... ze kunnen geen zin hebben om zich te amuseren, om tochtjes te maken, om in hun toestand buitenshuis te dineren, dat valt gemakkelijk te begrijpen... Misschien een andere keer, wanneer ze zich goed voelen, wanneer hun woede bekoeld is, vanavond kunt u beter alleen gaan.' Voor het eerst sprak ze op deze toon tegen de jongeman.

Remo keek naar haar en keek daarna om zich heen, naar het

land, de horizon, de lucht die rossig was van de zoele laatste dagen van een schitterende meimaand, met hun bedwelmende warmte en geuren; hij keek naar de vrouw zonder ook maar met een knik te antwoorden. Het leek alsof hij niet het minste belang hechtte aan haar woorden, maar hij riep niet opnieuw en maakte ook geen aanstalten om naar zijn tantes te gaan: hij bleef op de bovenste trede voor de deur staan, met zijn handen in zijn zakken, en stond afwachtend te wiebelen, met zijn benen een beetje uit elkaar.

Op dat moment kwam er uit de kamer een eerste geluid, daarna een luider rumoer, het openen van een deur, stemmen en veel geritsel op de trap. Niobe hield haar adem in: 'Lieve-Heer, wat gebeurt er? Beginnen de tragedies opnieuw?' Ze sidderde, ze sidderde bij het idee dat ze haar meesteressen terug zou zien, ze sidderde vanwege hen, vanwege de neef, vanwege zichzelf, ze sidderde vanwege een onmogelijke toestand, en ze vatte moed om zich niet opnieuw te laten verrassen, klaar te staan om tussenbeide te komen, hen te verdedigen. Nu kwam vast de afrekening, voor de jongeman en voor haar. Na rijp beraad hadden de gezusters beslist actie te ondernemen, ze hadden overlegd, ze hadden tijd gehad om hun plannen te formuleren, en nu gingen ze handelen, energiek optreden, de noodzakelijke maatregelen nemen, ze kwamen naar beneden als twee furiën, ze kwamen woest naar beneden en joegen dienstbode en neef het huis uit, ze hadden daartoe het volste recht... het rumoer op de trap was enorm: 'Ze hebben hem aangegeven bij de justitie, en ook haar als medeplichtige, het ging om regelrechte afpersing met een echte gijzeling, een zeer ernstige zaak, ze zullen te maken krijgen met de gestrengheid van de wet.' Die geluiden en die stemmen op de trap deden haar benen trillen, juist op het moment dat ze sterk moesten zijn. En toen de gezusters samen in de kamer verschenen, viel ze bijna. Ze waren nog nooit zo mooi en charmant geweest in hun feestkleding. Teresa in het paars met groene garneringen en gele veren, en Carolina helemaal in het lichtblauw met roze veren. Ze waren nog nooit zo goed opgedoft geweest, met heel veel frutsels; rinkelend, glinsterend en bepoederd; voorzover nog achter het poeder te zien was droeg de een de sporen van de verontwaardiging, de ander die van de tranen. Met armbanden en halskettingen, waaiers, face-à-mains, parasols voor de zonsondergang in het Cascine of in Fiesole. De dienstbode kon met moeite overeind blijven terwijl ze naar hen keek.

'Oh, Niobe!'

'Waar heb je gezeten?

Ze glimlachten samen tegen haar.

De vrouw had geen adem om te antwoorden, ze probeerde te lachen, maar die lach gaf haar in haar buik en haar lippen een schokje zodat ze meteen weer ophield. Het lukte haar niet om te lachen, daarom ging ze het niet meteen opnieuw proberen. En ze had even goed kunnen proberen te huilen door eenzelfde beweging te maken met haar lippen en haar buik, zonder dat het haar zou lukken om te huilen, zoals het haar niet lukte om te lachen: recht voor haar stond iets wat al haar energie verlamde zodra die wilde opkomen. Ze geloofde haar ogen niet. Waren dat werkelijk haar meesteressen?

'Ik was in de keuken... ja... oh... aan het schoonmaken... de vaat aan het doen,' stamelde ze verward. 'Goed zo... goed zo... daar doet u goed aan, u doet er goed aan een beetje afleiding te zoeken... u hebt... een goed idee gehad... het is... zo'n mooie avond...'

'Remo.'

'Remo.'

De tantes kwetterden: 'Waar breng je ons heen?'

'Waar gaan we naartoe?'

'Dat heb ik jullie toch gezegd, lieve tantes,' herhaalde Remo met een strelende, wervende stem terwijl hij hen voorging naar de auto. 'Naar Narciso in het Cascine voor een aperitief, daarna dineren in Fiesole en tegen tien uur naar de Follie Estive, ik heb al een loge.'

'Naar Narciso in het Cascine… dineren in Fiesole… en naar de Follie Estive,' herhaalden de tantes terwijl ze in de auto stapten, en deden alsof ze vernamen wat ze al wisten.

'En wat speelt er in de Follie Estive?'

'Wat is daar?'

'Een nieuwe revue: *Vrouwen in de hemel, op aarde en op zee*.'

'Hahaha!'

'Hahaha!'

Veel volk was om hen heen gaan staan om ze te zien vertrekken: vrouwen en meisjes, massa's jongens, het vertrouwde kringetje dat door hen die vertrokken steeds werd gegroet met steeds meer waardigheid. En degenen die achter hun ruggen commentaar gaven – 'Net als zijn grootvader! Net als hun vader! Ze zijn gek geworden!' – stonden hen met open mond te bewonderen. En op dat spannende moment dat voorafging aan het wegrijden van de auto, nadat de gezusters hadden gezegd: 'Tot ziens dan, tot ziens, Niobe! Tot ziens, kinderen! Tot ziens, mensen,' kwam vanuit het raam van hun kamer een stem als de schreeuw van een roofvogel: 'Rotzak!'

Op dit pijnlijke moment wisten de dames hun nobele houding zo goed te bewaren dat ze op geen enkele manier lieten merken dat ze die stem hadden gehoord; en de persoon waartegen die gericht was draaide met zijn vertrouwde zorgeloosheid en elegantie aan het stuur en bracht bij wijze van gevat antwoord de auto op gang. Alleen Palle kon een onmerkbare glimlach niet onderdrukken en maakte een kinderlijk gebaar dat deed denken aan jongens van wie de een woedend een steen naar zijn kameraad gooit en de ander een spottend gebaar maakt nadat hij die handig heeft weten te ontwijken.

Niobe bleef met haar handen op haar heupen onbeweeglijk en verbaasd bij het hek staan. Dit zonnige schepsel begon schaduwen voor zich te zien, en ze kon ook niet goed meer voor zich uit kijken met de buitengewone helderheid waarmee ze altijd gezien had en die uit haar hart kwam. En al wist ze niet precies wat deze twee dingen waren, ze vroeg zich af: *was dat het leven, of werd er een toneelstuk opgevoerd?* Het een zat in het ander, het was allebei tegelijk.

PEGGY

Remo had nooit lange brieven geschreven, alleen een paar kaarten met vriendelijke groeten aan zijn tantes: 'Ik maak het goed, hoe maken jullie het? Hartelijke groeten.' Hij was in Bologna geweest, in Milaan, en nu was hij in Venetië, waar hij de zomer zou doorbrengen.

De tantes draaiden deze kaarten om en om, bekeken ze aandachtig van alle kanten, bestudeerden elk tekentje, vlekje, stipje, de postzegel; ze zouden ze nooit uit handen geven. En terwijl er bijna altijd in een hoekje 'Groeten, Palle' stond was dat het enige wat ze probeerden niet te zien; het is onmogelijk te begrijpen hoe dat hun lukte, het was alsof je doet alsof je iemand die je op straat tegenkomt niet ziet, al ken je hem goed. Alles had iets waarvan ze de waarde erkenden, behalve die signatuur waarvan ze de waarde niet wilden erkennen. Ze bewaarden de kaarten op de tafel of op het borduurraam en al werkend bewonderden ze de afbeeldingen.

Had hij eindelijk werk gevonden, ging hij zijn leven op orde brengen? Had hij goede hoop, de arme jongen? Zij hadden geantwoord met kaartjes geadresseerd aan verscheidene hotels die hij had aangegeven, en daarin vroegen ze hem wat langere brieven te schrijven, te vertellen hoe hij het maakte, hun iets te berichten over zijn plannen, zijn verwachtingen, het leven dat hij leidde. Maar als hij niet meer schreef, kwam dat natuurlijk doordat hij zijn tantes niets opbeurends te vertellen had. Vooral tijdens zijn verblijf in Milaan verlangden ze gretig naar berichten van hem. Ze wisten dat Milaan een stad was van handel, van grootindustrie, waar je gemakkelijk een baan kon vinden, vastigheid, en toen ze vernamen dat hij van Milaan naar Venetië was vertrokken, vroegen ze zich af wat hij daar ging doen. Ze waren er onthutst over. Wat voor werk had hij kunnen vinden in een stad waar je alleen naartoe gaat om geld uit te geven? Om te leven, om te genieten. Hij was eind mei vertrokken, twee dagen na de scène met de gijzeling, en pas midden september kregen ze een brief. Ze werden bleek toen ze die zagen en openden de envelop zo opgewonden dat ze hem verscheurden in plaats van hem te openen en de brief zelf samen scheurden, minder uit ongeduld om hem te lezen dan omdat ze hem zo nodig moesten aanpakken, ruiken. Ook Niobe stond sidderend te wachten.

Lieve tantes,

Neem me niet kwalijk dat ik al die tijd nooit uitvoerig heb geschreven, maar ik had jullie niets belangrijks te melden; ik wilde alleen maar laten weten dat ik het goed maak en vernemen dat ook jullie het goed maken.

Nu schrijf ik jullie om mijn huwelijk aan te kondigen. Ik heb me verloofd met een Amerikaanse jongedame die ik hier in Venetië heb leren kennen en die ik over een paar dagen meebreng naar Florence om haar aan jullie voor te stellen. We blijven een paar dagen in Florence, de tijd die nodig is voor de sluiting van ons huwelijk, daarna vertrekken we meteen naar New York, waar mijn verloofde woont, om kennis te maken met haar vader, die daar een industrieel is. Peggy, die Florence en de schilderachtige omgeving van de stad goed kent, doet u haar hartelijke groeten, waar ik de mijne aan toevoeg.

Jullie neef Remo.

Hun teleurstelling bij het vervliegen van hun aanvankelijke hoop, hun bezorgdheid de eerste keren dat ze zaten te wachten op de avontuurlijke, vroegrijpe jongeman, die niet wilde studeren maar besloten had te kiezen voor onafhankelijkheid en dag en nacht uren en uren op zich liet wachten, zijn ernstige emotionele fouten die ze hadden hersteld tegen een hoge prijs en met veel verdriet, de almaar toenemende schulden die ze moesten betalen, en uiteindelijk de tragedie van de wissel die ondertekend was in de provisiekast – niets van dat alles had hen zo diep gegriefd als de woorden in deze brief; je zou kunnen zeggen dat ze op dat moment alle wederwaardigheden begrepen die ze met hun neef hadden doorgemaakt, dat de ruzies en de tragedies geen echt verdriet hadden veroorzaakt, en dat ze nu voor het eerst het naakte, ware verdriet ondervonden. Bij alles wat er gebeurd was, wat hij ook gedaan had, en wat hij ook tot nu toe, ver weg, deed, hadden ze het gevoel gehad dat hij van hen was, maar door deze weinige kille, afgemeten woorden voelden ze dat hij in de handen van een ander was overgegaan. Verloofd. Al had Remo alle soorten streken uitgehaald, ze konden hem uiteindelijk altijd begrijpen, ze accepteerden hem altijd na heftige, woedende scènes die alleen maar tot doel hadden dat zij hem te hulp kwamen en zonder dat ze het zelf wisten hun band met hem verstevigden. Een verloofde Remo konden zij niet accepteren, begrijpen, iets diep in hun bloed, in hun wezen verzette zich ertegen en drong in hen binnen als een scherp snijdend zwaard. Verloofd. Aan elk ander woord hadden ze de voorkeur gegeven. Ze lazen en herlazen de brief: '...een Amerikaanse jongedame die ik hier in Venetië heb leren kennen en die ik over een paar dagen meebreng naar Florence om haar aan jullie voor te stellen...' Ze hielden op met lezen en keken elkaar radeloos aan, verbijsterd, en opeens wonden ze zich op bij een pijnlijke gedachte die hun verdriet nog verergerde: het maakte hun niets uit of ze haar leerden kennen of niet, helemaal niets, het liet hen totaal onverschillig om Amerikaanse jongedames te leren kennen. Toen Remo voor het eerst acht of tien kwajongens om twee uur 's nachts had meegenomen naar Santa Maria en het hele huis wakker had gemaakt, de provisiekast geleegd, de salon en de keuken overhoopgehaald, veroorzaakte dat niet zoveel onrust als dit bezoek dat vast en zeker op de kalmste en beleefdste manier zou verlopen.

'Zijn ze mooi, die Amerikaansen?'

'Ze zijn net als alle andere vrouwen,' antwoordde Teresa (en ze zei 'vrouwen' alsof ze koopwaar wilde aanduiden, *comestibles en gros*), 'je hebt mooie en lelijke en de lelijke zijn altijd in de meerderheid, wees daar zeker van, het is overal op aarde hetzelfde.'

Als iemand hun gevraagd had hoe alle vrouwen van de hele wereld waren, een voor een, was het aantal van hen dat mooi was alleen te zien geweest door middel van een stelsel van zeer sterke lenzen. 'Over het algemeen zijn ze onaantrekkelijk.'

Carolina begon zich omhoog te wringen om haar eigen aantrekkelijkheid te laten contrasteren met de onaantrekkelijkheid van de Amerikaanse vrouwen.

Ze lieten de Amerikaanse klanten die ze hadden gehad de revue passeren, en ook de Amerikaanse vrouwen die in de omgeving hadden gewoond of over wie ze hadden horen spreken, maar dat overzicht kon hen niet bemoedigen, integendeel.

'Het zijn moderne vrouwen,' antwoordde Carolina.

'Hoe bedoel je?'

'Ze zijn niet zoals wij, altijd thuis om te werken of het huishouden te doen, ze zijn geëmancipeerd, doen aan gymnastiek, aan sport, ze rijden op motoren en in auto's, ze doen net als mannen, en wanneer hun man hun niet bevalt, zeggen ze aju en nemen ze een ander.'

'Mooie boel.'

'Wij zijn maar achterlijk.'

'Wie weet... op deze aarde kun je nooit zeggen wie er gelijk heeft. En als ze niet rijk zijn en willen eten moeten ze net zo doen als wij, die Amerikaanse jongedames. En als ze geen dienstbode hebben, maken ze zelf hun huis schoon, anders leven ze in hun vuil, die Amerikaanse jongedames.' Ze trok een ruwe grimas.

'...we blijven een paar dagen in Florence, de tijd die nodig is voor de sluiting van ons huwelijk.'

'Ze komen hier trouwen.'

Bij deze gedachte voelde Carolina hoe haar keel werd dichtgeknepen en raakte ze in ademnood.

'Ja.'

'...daarna vertrekken we meteen naar New York.'

'Nuova York...' Voor de twee arme vrouwen verzwolg de naam van die stad de mensen net zo als de naam van de dood.

Ze hadden de moed niet om zich af te vragen of de verloofde rijk zou zijn, ze wilden tegenover elkaar die kwellende gedachte niet bevestigen. Ze voelden dat deze keer zelfs de onnavolgbare Niobe er niets aan kon doen: het was niet alleen waar maar ook ophanden.

Ze waren verdoofd alsof ze een dreun midden op hun schedel hadden gekregen.

Aan tafel moesten ze Giselda wel het nieuws overbrengen dat hun lippen niet konden inhouden.

'Weet je...' zei Teresa met een kalmte die haar innerlijke moedeloosheid verborg.

'Remo is verloofd, hij gaat trouwen.'

'Met wie, met een slet?'

'Ja, een zoals jij.'

Giselda zei niets meer, en zodra ze klaar waren met eten stond ze op en verdween ze.

Een paar dagen later ontvingen ze een kaartje:

Lieve tantes,

Begin volgende week zullen we in Florence zijn en komen we jullie meteen opzoeken, ik wil jullie zo graag terugzien. Tot dan, hartelijke groeten van Peggy en mij.

Remo.

In een hoekje stond de naam 'Palle'.

'Maar wat is dat voor naam? Peggy... Peggy... wat betekent dat?'

'Wat een belachelijke naam!'

'Als ze denkt dat we haar een behoorlijke ontvangst bereiden heeft ze het mis, de stakker. Ik geef haar zelfs niets te drinken.'

'Ik kom naar beneden op mijn sloffen.'

Drie dagen later kwam Remo terug in Santa Maria, in zijn eentje, en bracht het hele dorp in rep en roer.

'Hij is alleen.'

'Hij laat haar niet zien.'

'Hij schaamt zich.'

'Ze zal wel lelijk zijn.'

'En oud.'

'Hij trouwt natuurlijk met een aftands oud mens met veel geld.'

'En dan doet hij haar gauw weer weg.'

'Zou het echt waar zijn dat hij verloofd is?'

'God mag weten wat hij allemaal verzint.'

Er was ook geen Palle die men aan zijn jasje kon trekken. Kennelijk had Remo haast.

'Een Amerikaanse.'

'Nu hij ze tot op het bot heeft uitgezogen, gaat hij weg, zijn fortuin zoeken in Amerika.'

'De arme stakkers.'

'Ze hebben hun portie wel gehad met die neef.'

'Als je ellende over jezelf afroept, krijg je er nooit te veel van.'

Toen de tantes hem zo plotseling zagen verschijnen, bleven ze hun opwinding niet de baas: ze huilden, kusten hem zonder schroom, en zonder erdoor in verwarring te raken, namen ze hem in hun armen en klampten ze zich allebei vast aan zijn frisse lichaam.

Om hun de gelegenheid te geven hun diepe emotie te uiten, liet hij hen hun gang gaan. En pas toen ze kalmeerden, lieten ze hem los om naar hem te kijken, om te zien hoe hij was, of hij nog steeds dezelfde was: hij was mooier, frisser en eleganter dan ooit.

Hij begon heel onbevangen te praten over zijn huwelijk.

De papieren moesten uit Amerika komen en dat zou nog wel een aantal dagen in beslag nemen, voor de rest was alles in orde en het huwelijk zou, omdat de bruid dat graag wilde, worden gesloten in Santa Maria, jawel, op het platteland. Peggy, die was geboren en getogen in het tumult van grote steden en hield van het duizelingwekkende leven aldaar, droomde als het om haar huwelijk ging van een uur van mystiek en poëzie, ze zag in Santa Maria een afgelegen plek, een ascetisch en bijna hemels toevluchtsoord dat een aantrekkelijke tegenstelling vormde tot haar leven als moderne, sportieve vrouw. Maar Remo sprak het woord 'huwelijk' even plechtig en als vanzelfsprekend uit als wanneer je een befaamd restaurant noemt waar je besloten hebt heen te gaan om het middag- of avondmaal te gebruiken.

De tantes keken hem verbaasd aan toen ze zo dat grandioze en ontzagwekkende woord hoorden uitspreken dat was omhuld door mysterie en altijd als een onweerswolk boven hun hoofden was blijven hangen.

'In Santa Maria?' vroegen de tantes verbijsterd.

'Hier?'

'Precies,' antwoordde Remo glimlachend, 'en jullie geleiden Peggy naar het altaar.'

'Nee.'

'Nee.'

'Ik niet.'

'Ik ook niet.'

'Wat denk je wel!'

'Geen sprake van.'

Dat zeiden de vrouwen als in een wervelwind.

'Wij kunnen dat niet doen, wij kunnen dat niet, wat denk je wel... Een Amerikaanse... en ook... het zal wel een schatrijke jongedame zijn, stel ik me voor...'

'Ja... misschien, heel rijk, ze is de enige dochter van een New Yorkse industrieel, haar vader heeft een pan uitgevonden.'

'Een pan?'

Ze schrokken tegelijk op, de vrouwen, ook Niobe aan de deur schrok: 'Hadden ze zelfs geen pannen in Amerika?'

'Een mechanische pan, heel bijzonder, helemaal van metaal, die in zeven minuten rundvlees braadt en uitstekende bouillon oplevert.'

'Goeie genade, dat kost mij twee uur.'

'Ze zegt dat hij door die pan het geld voor het opscheppen heeft.'

'Het is dus een schatrijke jongedame...'

'Peggy ontvangt regelmatig cheques van haar vader. Hij stuurt haar er elke maand een van duizend dollar, maar toen hij hoorde dat ze verloofd was en wij met zijn tweeën zijn, is hij begonnen haar tweeduizend dollar te sturen, het dubbele rantsoen, zonder dat Peggy erop had gezinspeeld; en hij heeft aangekondigd dat hij voor de bruiloft een extra cheque zal sturen.'

Feitelijk was dit alles wat Remo van zijn verloofde wist, hij had niets gedaan om meer aan de weet te komen. Hij was niet schandelijk belust geweest op het bemachtigen van een bruidsschat en had ook geen blijk gegeven van sluwe berekening, gedachten aan de toekomst hadden bij hem nooit een dominerende rol gespeeld, en het verleden viel de duisternis in door een valluik waarvan hij het deksel nooit had willen optillen. Waar het om ging was het heden, het moment dat vervliegt, en hij was geboren met de kennis om dat aan te grijpen en stralend te beleven: wat net in het donkere gat was gevallen, bestond niet meer. Peggy ontving cheques, en voorlopig wilde hij niet meer weten, hij had er geen behoefte aan om gulzige, egoïstische berekeningen voor de lange termijn te maken, om inhalige, weerzinwekkende vragen te stellen met het oog op de toekomst, om schandelijke overeenkomsten te sluiten, geen sprake van! Hij voelde zich heer en meester over het heden. 'Het leven is gemakkelijk' was zijn motto, en dat volstond om het heel gemakkelijk en kinderlijk te maken. Zijn huwelijk was geen huwelijk uit eigenbelang, hij dacht zelfs niet aan zijn eigenbelang: de cheques kwamen vanzelf.

'Leeft haar moeder niet meer?'

'Haar vader is jaren geleden gescheiden.'

'Ah!' Teresa leek terug te schrikken van dat antwoord, zoals iemand die een vinger of een voet verbrandt en niet wil laten merken dat het pijn doet.

Carolina wierp een veelbetekenende blik op haar om te herinneren aan wat ze had gezegd: 'Ik heb het je gezegd, ik wist het, zo doen alle Amerikaanse vrouwen, wanneer ze genoeg hebben van hun man, aju, ze sturen hem de laan uit en nemen een ander. Wij zijn achterlijk, zij houden van verandering.'

De ogen van Niobe schitterden vanuit de deuropening zoals die van katten in het donker. Het had er alle schijn van dat ze het eens was met wat Amerikaanse vrouwen deden: ook zij was voor verandering wanneer het niet goed ging. En overigens, als de oogst zo overvloedig was, waarom zou je dan tevreden zijn met een klein beetje ervan?

'En... is ze jong?'

'Vierentwintig, net als ik.'

'En ze reist in haar eentje op zo jonge leeftijd?'

'Ze is gaan reizen toen ze achttien was, ze kent de hele wereld. In Italië is ze drie keer geweest, ze houdt erg van Italië, haar vader noemt zich Romein van geest en van afkomst.'

'En jij... natuurlijk...' Het lukte haar niet haar zin uit te spreken, 'jij bent verliefd... en je hebt haar lief... natuurlijk.'

'Verliefd!... haha!' Remo liet zich deze lach even ontsnappen en ging weer door: 'Ja... zeker... natuurlijk...' Hij had nog nooit zo goed gelachen. Zijn hele ziel leefde in die glimlach. Het woord 'liefde' had voor hem zo'n andere betekenis dan voor hen dat hij moest lachen dat ze er samen over spraken, en hij kon het niet helpen dat hij er hartelijk om moest lachen. 'Ja, zeker... haha!' Hij had nog nooit zo goed gelachen, hij was nog nooit zo mooi geweest wanneer hij lachte. De ogen van de drie vrouwen schitterden. Ze hielden zich in om niet tegen hem aan te springen en hem te omhelzen, hun zielen waren in hun lichamen aangewakkerd door die gloeiende hitte die hen doortrok, ze begonnen weer vrijuit te praten, ongedwongen en zonder verdriet.

'Peggy en ik zijn twee goede vrienden die elkaar leuk vinden en gek op elkaar zijn, we kunnen goed met elkaar opschieten en een aantrekkelijk, plezierig leven opbouwen, althans voorlopig, we houden van dezelfde dingen, we hebben dezelfde smaak en aan dezelfde dingen hebben we een hekel.'

'We komen, ja, we komen bij de bruiloft, ja.'

'Ja, ja,' bevestigde Carolina.

Niobe zei ook 'ja' vanuit de deuropening: 'Nu is het goed, goed zo, u doet er goed aan te gaan, nou en of!'

'Ja, ja,' herhaalden ze samen, 'ja, zeg ons wanneer, want er is geen tijd te verliezen. We komen zeker.'

'Wanneer zal het zijn?'

Het idee om die bruid naar het altaar te geleiden lachte hun beiden nu toe.

'Over een week of twee, denk ik, zodra de papieren er zijn.'

'Ja, goed... twee weken... ja, goed...'

Teresa zat het uit te rekenen en Carolina antwoordde: 'Twee weken... goed...'

Ze vergezelden hun neef naar de auto en bleven staan om te zien hoe hij vertrok, zich verwijderde... verdween. Daarna gingen ze weer naar binnen en konden een lach van vreugde niet onderdrukken.

'Hahaha!'

'Hahaha!'

'Ze is rijk en hij houdt niet van haar.'

'Hij trouwt haar om haar geld.'

'Dat wisten we.'

'Het was niet moeilijk te begrijpen.'

'Heb je gezien hoe hij lachte?'

'Hahaha!'

'Hahaha!'

'We zijn twee goede vrienden... Ja...'

'Hahaha!'

'...we houden van dezelfde dingen...'

‘Wat een liefde, hè?’
‘...we kunnen goed met elkaar opschieten...’
‘...althans voorlopig...’
‘En komt hij mij dat vertellen? Alsof ik dat niet begrijp!’
‘...we hebben dezelfde smaak...’
‘De pan van haar vader.’
‘Hahaha!’
‘Wat een liefde!’
‘Hij trouwt haar om haar geld.’
‘Dat was duidelijk.’
‘Dat is duidelijk.’
‘Het spreekt vanzelf...’

‘Hoe zou ze zijn?’

‘Hoe zou ze zijn?’

Niet alleen de tantes vroegen zich af hoe de jongedame zou zijn die Remo tot vrouw had gekozen, of door wie Remo tot echtgenoot was gekozen, want zelfs de ongelovigen waren uiteindelijk gaan geloven. Nu ging het erom te zien hoe die vrouw was over wie zoveel twijfels waren gerezen, zoveel terughoudendheid. En toen het gerucht werd verspreid dat Remo de volgende middag met haar zou arriveren, was het daar op straat vanaf twaalf uur een komen en gaan, met mensen die de wacht hielden, tekens gaven, elkaar waarschuwden, en zich opstelden bij deuren of ramen. Nieuwsgierigheid en ongeduld schoten uit alle hoeken en gaten tevoorschijn.

Hoe kon de verloofde zijn van die jongeman van wiens daden het dorp al tien jaar vervuld was en wiens persoon het meest fascinerende schouwspel had opgeleverd?

Zeker, het was gemakkelijk te begrijpen, het kon niet zomaar een willekeurig schepsel zijn; Remo zou niet verschijnen in gezelschap van een timide, verlegen meisje dat haar ogen neersloeg wanneer er over haar werd gesproken of als men het woord tot haar richtte, dat met trillende benen moest gaan kennismaken met haar toekomstige tantes. De nieuwsgierigheid was gerechtvaardigd, in elk geval zou er iets te zien zijn. En de verrassing zou nog groter zijn als de man die zoveel pretenties had gehad en zoveel zelfverzekerdheid en eigendunk had getoond, zich tevreden had gesteld met een heel bescheiden, normaal wezentje. Als ze nu eens lelijk was? En als ze was als bromvliegen die almaar rond brommen en uiteindelijk neerstrijken op een bepaalde roos die je niet met name mag noemen? Als ze nu eens oud was? Zou hij de een of andere oude heks geaccepteerd hebben voor haar geld, nu hij dat van zijn tantes had opgesoupeerd? Iedereen wist al dat de bruid net als hij vierentwintig was, maar het kon toch ook zo'n opgelapte oude vrouw zijn die ook op haar vijftigste blijft zeggen dat ze twintig is. En als ze scheel is, doof, zwart, geel, of een bochel heeft? Het is niet te begrijpen waarom niemand zich die vrouw als normaal voorstelde. Alleen de meisjes wachtten af zonder iets te zeggen; in hun hart was een geloof dat niet kon liegen.

'Het is Greta Garbo! Het is Greta Garbo!' luidde hun gesmoorde uitroep toen ze uit de auto een heel jonge vrouw zagen stappen, lang, slank, in een zwart wollen jurkje dat een lenig figuur verried, geoefend door dans, sport en spel; op haar hoofd had ze een dopje van rood vilt dat haar magnifieke blonde haar, kortgeknipt en verzorgd, goed deed uitkomen. Haar souplesse was in de verste verte niet te vergelijken met het steriele, aandoenlijke gewring van de arme Carolina.

De jonge vrouw bleef midden op straat staan om de omgeving in ogenschouw te nemen en ze glimlachte beheerst en tevreden. Ze draaide langzaam rond om te kijken naar de plek en de mensen die naargelang ze brutaler of verlegener waren van dichtbij of verderaf naar haar staarden. Ze liet haar handpalm rusten op haar heup, en in haar vingers, die ze een beetje van haar jurk af hield, had ze een sigaret.

'Het is Greta Garbo! Het is Greta Garbo!'

Het hart van de jonge mensen kon niet liegen: Rudolph Valentino, Ramon Novarro, Charles Farrell, Gary Cooper konden alleen trouwen met Greta Garbo.

De anderen waren met stomheid geslagen omdat ze geen zwak punt konden vinden dat afbreuk zou doen aan die eerste gunstige indruk. En omdat ze haar niet konden afkraken op haar uiterlijke kwaliteiten, brachten ze twijfels naar voren over haar morele eigenschappen.

'Zou het een fatsoenlijk meisje zijn?'

'Uhm...'

'Zou ze werkelijk rijk zijn?'

'Waar zou al haar geld vandaan komen?' (Zelf zouden ze het graag hebben aangenomen, waar het ook vandaan kwam.)

'Ze rookt, dat bevalt me niet.'

Maar de jonge vrouwen wilden maar al te graag in haar schoenen staan, hoe ze ook was.

Een geheim instinct maakte dat hun armen trachtten dat elegante gebaar te maken bij het roken.

De tantes lieten zich niet zien, zelfs niet in de deuropening. Ze toonden niet te veel haast om hun toekomstige nichtje tegemoet te snellen, en ze wilden van haar bezoek ook absoluut geen plechtige aangelegenheid maken. Pas toen de twee jonge mensen in de deuropening stonden, keken ze op van hun werk, namen rustig hun bril af en groetten haar zonder ook maar een greintje emotie, alsof ze een klant was. Alleen het werk, waar ze niet meer van hielden en dat nu de harde noodzaak van het leven vertegenwoordigde, kon hun nog zoveel zekerheid verschaffen, zoveel schoonheid. Dat voelden ze onbewust, ze waren als een koning op zijn troon, en ze klampten zich eraan vast in het uur van rampspoed, zodat geen rivaliteit of haat hen kon treffen. Ze stonden als vanzelf tegelijk op, zonder een stap te verzetten en nauwelijks glimlachend, alsof ze een bestelling in ontvangst namen.

‘*Zi’ Tè, Zi’ Cà*,’ zei Remo beleefd, met respect en tevreden, terwijl hij Peggy aan zijn tantes voorstelde. Hij zou hetzelfde onveranderlijke humeur hebben getoond bij elk soort ontvangst, of hij nu eruit was geschopt en op zijn gezicht beland, of met stenen bekogeld, of dat er een bal werd gegeven te zijner ere. En omdat er aan de andere deur iemand was verschenen die de vrouwen van hun kille begroeting afleidde, riep Remo ‘Ninì’ en ging hij naar Niobe toe en drukte haar tegen zich aan, al durfde ze niet verder te komen: ‘Mijn oude Ninì,’ herhaalde hij terwijl hij haar liefdevol tegen zich aan drukte.

Met een glimlachje en twee hoofdknikjes groette Peggy ook Niobe.

‘*Oh yes, all right*.’ En net als eerder op straat toen ze uit de auto was gestapt bleef ze rondkijken, nu in het atelier van de tantes, en liet ze doorschemeren dat ze meer interesse had voor de plekken en de dingen dan voor de mensen. Toen ze daarna een bevlieging van vertedering kreeg, riep ze: ‘Oh! Betoverde apen!’

‘Nee, schatje, nee,’ corrigeerde Remo liefjes, ‘getemd, alleen maar getemd.’

Hij leek een ander. Hij was attent, lief, spraakzaam geworden; en omdat hij goed wist dat het niet gemakkelijk was die tegenstrijdige krachten samen te smelten, bracht hij telkens iets anders ter sprake, legde hij Peggy uit hoe alles in huis in zijn werk ging, wat het beroep van zijn tantes was, die elkaar boosaardige blikken en gemene lachjes toewierpen: *nu is het jouw beurt om je te laten temmen, misschien lukt het hem*. Ze waren niet ontroerd en ook niet geschokt door de aanwezigheid van het meisje, maar op hun hoede, ze wilden al hun vijandige gevoelens verborgen houden, ze waren zelfs lichtelijk ironisch en mondain zoals ze nog nooit waren geweest tussen de directoires en hemden. In tien jaren hadden ze veel geleerd.

In hun hart droegen ze het antwoord van Remo op hun wezenlijke vraag: *hij houdt niet van haar, hij houdt niet van haar.* Deze woorden klopten in hun hart als de slinger van een klok: *hij houdt niet van haar, hij trouwt haar om haar geld*, en die woorden bewaarden ze zorgvuldig. Van deze innerlijke kracht die hun zielen verlichtte en hun verdriet, moesten ze niets laten blijken, niet tegen haar en niet tegen hem: *hij houdt niet van haar.* De nabijheid van het slachtoffer verschafte hun een diep en venijnig genoegen: en ze waren dubbel verheugd doordat ze het verborgen en voor zichzelf hielden en totale onverschilligheid toonden, zoals voor mensen met wie ze niets te maken hadden. Zij had willen zeggen dat ze papegaaien waren of apen, zonder te weten wat ze zei, het arme stuk onbenul, de echte papegaai was zijzelf die niet eens kon praten, zij was de echte aap die getemd moest worden, en die waarschijnlijk al getemd was. Daar moesten ze om lachen, lachen, zich te barsten lachen, maar ze lachten niet, om niets te laten merken, ze hoedden zich daar wel voor, om diep in hun hart dubbel te kunnen lachen, om geen verdenking bij haar te wekken, om haar in de val te laten lopen die voor haar was opengezet: ze lachten voor zichzelf, voor zichzelf alleen: *laten we hopen dat hij haar minstens het dubbele aandoet van wat hij ons heeft aangedaan*, dat zeiden hun beheerste, onverschillige glimlachjes. En dat wilde zeggen dat zij bereid waren geweest hem hetzelfde te laten doen: *als hij een worst van je zou maken, zou dat nog niet alles zijn wat je verdient.*

Remo liet zijn verloofde het huis zien, de ontvangstsalon, de eetsalon; hij bracht haar naar zijn kamer boven, waar ze lang stil bleven, en pas toen ze naar het raam ging dat op het veld uitzag, kon Peggy zich niet weerhouden om uit te roepen: 'Oh! Verrukkelijk!' Hij sprak over de handigheid van zijn tantes, over de gewoonten van zijn adoptiefamilie, met mannelijke stelligheid en zonder de behoefte om iets te verbergen of te verfraaien, hij vertelde alles openhartig en eenvoudig zoals het was, waarop Peggy steeds antwoordde: '*Oh! Yes!*' terwijl ze verbaasd en met een gelukkig gevoel keek naar het idyllische land: '*Werkelijk, all right!*' De tantes volgden hen met hun glimlachjes – 'Ja, inderdaad, werkelijk, en hoe...' – die zo goed het licht diep in hun harten afdekten: *hij houdt niet van haar, hij trouwt haar om haar geld.*

Ook de hapjes en drankjes konden niet kariger zijn. Niobe bracht een klein dienblad met glaasjes en een schaaltje met een paar koekjes. Hoe anders dan de ontvangst die ze op een middag lang geleden het schoolhoofd Squilloni bereid hadden, toen Remo een lagereschooldiploma moest gaan halen.

'Mejuffrouw zal vast gewend zijn thee te drinken op dit uur, maar wij houden niet van dat afwaswater, wij drinken dat nooit... wij vinden het walgelijk...'

'Bah! Wat een laxeermiddel!'

'Wij zijn er niet aan gewend. Wij hebben wijn van onze heuvels die uitmuntend is' – zelfs etnische rivaliteit kreeg de voorrang boven de rivaliserende gevoelens – 'en die drinken we liever dan thee.'

Waarop Peggy antwoordde dat ze het volkomen met hen eens was: '*Laxeermiddel, yes.*'

Ook zij hield niet van thee en gaf de voorkeur aan de goede wijn, die ze met groot genoegen dronk.

De gezusters keken haar verbaasd aan: *ze is vast een zuiplap, misschien reist ze daarom door ons land, om zoveel te zuipen als ze wil, daar bij haar laten ze haar niet drinken. Jammer dat we geen kop thee voor haar hebben gezet.*

Peggy nam enthousiast een tweede glaasje aan dat haar niet bepaald spontaan maar uit louter beleefdheid werd aangeboden en dat ze achteroversloeg met de woorden: '*Heel goed, yes.*'

'Oh!' Carolina kon haar uitroep niet inhouden terwijl ze met haar zus bleef praten zonder woorden: *ik heb het je wel gezegd, het is een zuiplap, ze drinkt en rookt, de rest komt vanzelf.*

Inderdaad was Peggy geen moment opgehouden met roken; ze stak de ene sigaret aan met de andere, die ze tevoorschijn haalde uit een sigarettenkoker zo groot als een missaal, uit een zak van haar sierlijke jurkje die leek op de zak van een schort.

Op een gegeven moment bood ze de tantes er een aan.

'Hè! Wat?' Teresa schrok beledigd op, alsof ze dat gebaar niet begreep: 'Wat? Roken? Ik?'

Carolina teemde: 'Hè, kom nou, wat denkt u wel, wij zijn dat niet gewend, we weten niet eens hoe het is...'

Remo lachte en Niobe lachte met hem mee.

'Bovendien, wat denkt u, wij zijn arm, wij konden ons bepaalde luxe niet veroorloven, wij zijn arbeidsters... zoals de jongedame wel ziet.'

'*Oh, yes*,' herhaalde Peggy, die alleen aandacht had voor haar eigen idyllische gevoel waardoor voor haar ook die twee vrouwen idyllisch werden, zonder dat ze doorhad hoe zij werkelijk waren en dat ze graag hun nagels in haar vel hadden gestoken.

'Wij zijn arm, wij zijn arbeidsters,' herhaalden ze, waarbij ze veel nadruk legden op die zin, op elke lettergreep. En daarbij waren ze er zeker van dat ze de jonge vrouw treiterden, maar dat was precies wat nodig was om haar genoegen te verschaffen, die wilde niets liever.

Wat Remo aanging, als ze hem hadden gezegd dat ze 's nachts op karwei gingen met een breekijzer, had hij ook geglimlacht.

Peggy verklaarde dat ook haar vader toen hij jong was alleen maar een arbeider was, een eenvoudige, intelligente arbeider die met zijn werk en zijn vindingrijkheid zijn fortuin had gemaakt.

'Met die pan,' zei Teresa venijnig.

'Pan, yes, grote pannenfabriek.'

Vanuit de hemden en directoires was Remo uiteindelijk beland te midden van de pannen, het valt niet te ontkennen dat hij altijd met zijn neus in de boter viel. Desondanks besloot hij een eind te maken aan het bezoek.

'Peggy, het wordt tijd, we moeten weg, we hebben nog veel te doen.'

De jonge vrouw wilde de kerk zien waar ze binnenkort naar het altaar zou worden geleid; en toen ze ervoor stond, op eerbiedige afstand gevolgd en omringd door veel nieuwsgierigen, toonde ze zich verrukt, ontroerd en zei ze dat ze net zo'n huwelijk wilde als de gewoonte was op het platteland, in Florence.

Remo, die al met de pastoor had gesproken, antwoordde: 'Zodra de papieren er zijn, schat.'

'Goed, ja.'

Bij de auto was iedereen Palle aan het lastigvallen om wat van hem los te krijgen: 'Palle! Palle!' Om te weten wat ze deden, waar ze heen gingen, waar ze verbleven in Florence, en of het waar was dat dat meisje zo rijk was. De jongen wist zich met zijn ellebogen en schouders los te wringen uit die nieuwsgierige ondervraging, die hij niet kon verdragen.

Peggy bleef af en toe staan en keek in het rond, langzaam, met een hand op haar heup en de brandende sigaret tussen haar vingers, om de idyllische sfeer van die laatste septemberdagen in te ademen.

'Het is Greta Garbo! Het is Greta Garbo!' fluisterden ze om haar heen. 'Het is Greta Garbo!'

'Bevalt ze je?' vroegen de tantes aan elkaar zodra ze alleen waren.

'Mij niet, en jou?'

'Ze heeft een lelijke mond.'

‘Ze is lelijk als ze praat.’
‘En als ze lacht?’
‘Wat een mond!’
‘Die zou ze nooit open moeten doen.’
Dat was het enige wat ze konden aanmerken op dat bijzonder mooie schepsel, haar overdreven en weinig harmonische mondbewegingen bij het lachen en bij het praten, die duidelijk niet slechts een volkse afkomst, maar ingeboren vulgaire trekken toonden en dissoneerden met het bewonderenswaardige beeld. De Materassi’s wisten dat onmiddellijk waar te nemen.
‘En hoe ze praat!’
‘Je krijgt het aan je lever als je haar hoort.’
‘Vrouwen en runderen moet je uit je eigen streek halen,’ besloot Teresa gedecideerd.
Niobe zette alles weer op zijn plaats.
‘Wel, kom nou… het is een heel mooi paar, hij donker en zij blond, ze heeft een mooi figuur, het is geen lelijk meisje, laten we eerlijk zijn: en dat haar? Ik wist dat hij van blondjes hield.’
Iedereen zal wel denken dat één enkele persoon in Santa Maria Remo’s verloofde niet had willen zien: Giselda. Maar nee, de stakker, die zich in haar kamer had opgesloten, werd betrapt toen ze, zo omzichtig mogelijk, met een half oog vanuit een hoekje van haar raam loerde om haar te kunnen zien. Remo, die met zijn welbekende opmerkzaamheid en nonchalance plotseling opkeek op het meest onverwachte moment, had haar zien verdwijnen.

Zoals we al hebben gezegd, wilde Peggy een zo Florentijns mogelijk huwelijk, zoals zij het noemde, met alles erop en eraan wat op het platteland gebruikelijk was. En omdat ze geen flauw idee had van hun ware proporties en aard, haalde ze deze twee termen door elkaar en bedoelde ze met Florentijns een landelijke bruiloft. Daardoor werd het tegelijk zo Florentijns en zo landelijk dat niemand in die omgeving iets dergelijks ooit gezien had.

Remo stelde geen beperkende voorwaarden, elk adjectief zou hij goed hebben gevonden: natuurlijk was voor hem de kwestie van de cheques het enige waarmee niet gesjacherd kon worden, discussie over alle andere kwesties was overbodig.

Toen ze de naaister had gevraagd hoe lang de sleep was die bruiden in Florence over het algemeen droegen en die haar 'hoogstens vier meter' had geantwoord, reageerde Peggy daar droogjes op met 'acht meter', want vier vond zij te kort. En haar antwoorden waren zo dat ze geen tegenspraak duldden. De naaister beperkte zich tot de opmerking dat twee kinderen die niet konden ophouden, en zij antwoordde 'vier kinderen', en ze zei zo krachtig 'vier' dat je zou denken dat veertig of vierhonderd haar allerminst in verlegenheid hadden gebracht.

De kerk werd bekleed met witte bloemen en tuberozen met lange stelen die schitterende fonteinen vormden te midden van honderden kaarsen.

De geur was zo intens dat nederige, opgewonden toeschouwers er duizelig van werden.

Van de Africo tot aan de Mensola waren er royaal zakjes bruidssuikers uitgedeeld uit sierlijke coupes van glas, porselein of zilver; en de pastoor kreeg een envelop met inhoud zodat ook de armsten op die gedenkwaardige dag waardig konden feestvieren.

De cheque uit Amerika deed niet onder voor de feestvreugde.

Remo had gelijk toen hij zei dat het leven gemakkelijk is: we kunnen hem antwoorden: nu regende het geld rechtstreeks uit de hemel. Hij praatte nooit over inkomsten, berekeningen en getallen, over smerig, grof, laf eigenbelang waarmee de mens het beste deel van zichzelf verprutst en waartegen hij met zijn belangeloosheid zou hebben gerebelleerd, en de cheques kwamen toch wel.

De grootste moeilijkheid leverde het vinden van goede muziek. Uitgesloten waren de elegante, verfijnde orkesten uit de stad, die niet geschikt waren voor het landelijke genre dat ze verlangden, maar in de naburige dorpen was het moeilijk iets van omvang bij elkaar te rapen. Settignano, dat in vervlogen tijden een uitstekend muziekkorps had gehad, stelde zich nu tevreden met een fanfare die voornamelijk bestond uit trompetten waarop een paar overmoedige jongens konden blazen terwijl ze als bersaglieri door het dorp heen en weer stapten. Er was geen sprake van om het trotse Fiesole te vragen; de duizendjarige rivaliteit met de dorpen eromheen heeft er prikkelbaarheid achtergelaten die nooit was verzacht en weer oplaaide en tot uitbarsting kwam bij de geringste schok, zozeer dat ze wanneer iemand stervende was dáár niet om het heilig oliesel vroegen. Alleen in Compiobbi werd een echt muziekkorps gevonden dat de opdracht aannam, samen met de fanfare uit Settignano, die al was aangezocht.

Van de Africo tot aan de Mensola, in de nabije gehuchten, was het bericht verspreid dat het huwelijk die ochtend zou worden ingezegend. Remo was goed bekend in de omgeving, en aan de Via Settignanese kende iedereen hem. Hem kenden ze en ook zijn tantes, ze kenden tot in de kleinste bijzonderheden hun geschiedenis, zodat het volk massaal samendromde in Santa Maria.

De plechtigheid zou plaatsvinden om elf uur en al om negen uur waren de mensen komen toestromen en in groepjes blijven staan om te praten over deze zo uitzonderlijke gebeurtenis die sinds mensenheugenis in die streek niet was geregistreerd. Ze stonden op het plein, op de weg, bij de nog gesloten kerk, waar vanuit de deur een rode loper liep tot waar de auto's zouden stoppen en waarop niemand een voet durfde te zetten, alsof het water of vuur was.

Om halfelf arriveerde vanuit Settignano op een vrachtauto de fanfare, en even later kwam op een grotere het muziekkorps uit Compiobbi. De pastoor had het poortje van de moestuin geopend, en daar kwamen en gingen de muzikanten doorheen die er in afwachting hun instrumenten hadden neergezet, terwijl de menigte eromheen aangroeide en dichter werd, waarbij iedereen wees naar de gesloten deur en de rode loper die ervandaan kwam; het huis van de Materassi's werd, door alle nieuwsgierigheid die men ervoor toonde, een soort gemeentehuis: daar werd gepraat over hen en hun neef. Twee fototoestellen op hoge statieven stonden klaar. De koekkraampjes en de koorddansers ontbraken er nog maar aan, anders zou je zeggen dat er die dag in Santa Maria een jaarmarkt plaatsvond.

Op dat moment voerde een grote dichte auto, schitterend en luxueus, met een lakei naast de chauffeur, zijn manoeuvre uit in de straat, verplaatste de menigte die daar stond als een waaier en stopte voor het witte door roest aangevreten hek, dat altijd half openstond wanneer hertoginnen, gravinnen, prinsessen, gemijterde kanunniken en bijzitten erdoor moesten, maar dat op die dag aan beide zijden openstond om een buitengewoon gezelschap door te laten.

Zodra de grote auto stilstond en de lakei zich in afwachtende houding had opgesteld bij de deur, dromde de menigte als een zwerm bijen eromheen om de tantes te zien instappen, die naar Florence gingen, waar de stoet werd gevormd.

Het was het eerste programmapunt van de dag en het was niet het minst interessante, want na een paar minuten wachten, terwijl allen fantaseerden over de jurken en de hoeden die de twee gezusters zouden dragen, over de vorm en de kleur, over de eventuele garneringen, voer door de bijna stomverbaasde menigte een reeks niet of slecht ingehouden of ronduit ongemanierde ah!'s en oh!'s, en uh!'s, uitgesproken in alle toonaarden. Twee oude vrouwen gekleed als bruiden kwamen uit de deur en bewogen zich langzaam en plechtig voort naar het hek. De Materassi's droegen ritueel witte kledingstukken, geheel bedekt met lange sluiers die boven hun hoofden bevestigd waren, en met heel lange slepen, die Niobe, achter hen aan lopend als een hond die meerdere personen tegelijk wilde begroeten, nauwelijks kon uitspreiden terwijl ze van de een naar de ander ging om te zorgen dat ze onderweg niet verstrikt raakten. In hun haar hadden ze bosjes oranjebloesems, en ze droegen ook oranjebloesems aan hun middel, op hun borst en aan de zomen van hun rokken.

'Oh!'

'Ah!'

'Uh!'

Het was onmogelijk de gevoelens te verbergen die door zo'n schouwspel werden opgewekt.

Terwijl ze de auto naderden, bleven ze zich zeer waardig gedragen, al trilden hun benen, en ze stapten in met gezichten die eerder groen waren dan bleek, spookachtig, lijkkleurig. Bij het instappen trachtten ze eerst de opwinding van de menigte, het gelach en de weinig eerbiedige uitroepen glimlachend als deftige dames te beantwoorden; daarna met blikken van dedain. Toen ze eenmaal in de auto zaten raakten Carolina's ogen gesluierd door tranen, terwijl Teresa, die een almaar grimmiger gezicht trok, zich naar het raampje keerde en, zich tot de menigte wendend, trachtte een lipscheet te produceren. Haar gelaatsspieren die tot het uiterste gespannen waren, verhinderden haar dit obscene gebaar te maken, maar wat ze deed volstond om de joelende menigte op afstand te houden. Ze leek deze ongemanierde mensen aldus hetzelfde antwoord te geven als haar zus toen ze een discussie wilde afbreken die erover ging of ze oranjebloesems in hun haar en op hun jurk mochten dragen: 'Ja, wij mogen oranjebloesems dragen, en met opgeheven hoofd, maar of de bruid dat mag...' En om het effect te versterken voegde ze eraan toe: 'En wat te denken van die dorpssletten die op hun huwelijksdag al zwanger zijn?'

Eigenlijk wist Peggy niet eens wat ze zou dragen en wat de anderen droegen; wat voor de twee oude vrijsters het drama van een heel leven vertegenwoordigde was voor haar niet meer dan een verwaarloosbaar detail dat hooguit een uur zou duren. Zij vond het genoeg om zich zo mooi mogelijk te kleden en dat de anderen dat ook deden, ze was geen vrouw die de vrijheid van de anderen wilde beknotten, ze wilde alleen maar een Florentijns en landelijk huwelijk. En het moet worden toegegeven dat daarvoor alles goed was geregeld.

Wat Remo aanging hadden de tantes kunnen aankomen in harlekijnskostuums of in ondergoed, hij zou geen enkel commentaar hebben geleverd op hun kleding.

Het is goed hieraan toe te voegen dat zich in de menigte, na die eerste en zo spontane uiting van verbazing, een gerucht had verspreid dat de hilariteit sterk dempte, namelijk dat bij de huwelijken in de hoogste kringen, bij prinsessen en koninginnen, ook de dames uit het gevolg in het wit gekleed moeten zijn en een sluier op het hoofd dragen. Sommigen verzekerden dat ze dat hadden gezien in de zondagseditie van de *Corriere della Sera*. En daarom namen ze hun oneerbiedig gejoel terug dat Teresa tot een antwoord had gebracht dat allesbehalve prinselijk en zeker niet koninklijk was.

Nadat de Materassi's waren vertrokken, verplaatste de menigte zich weer om zich op te stellen voor de kerk en twee dichte vleugels te vormen langs die loper waar niemand een voet op durfde te zetten; ze wachtten op de klokslag van elf, die maar niet kwam maar toch zo nabij was. En de fotografen stonden hoog naast hun toestellen, die bedekt waren met een zwarte doek als van een goochelaar. Totdat de stoet werd aangekondigd door degenen die zich op de weg en aan de deuren en ramen bevonden; de weinigen die niet van hun huis of hun werkplaats weg hadden gekund stelden zich tevreden met het langs zien komen, of verlieten op het laatste moment hun huizen om naar de kerk te hollen. En terwijl de eerste auto om de bocht verscheen barstte de fanfare van Settignano los:

> O bersagliere stai fermo con le mani
> Sennò la mamma si desterà.
> Se la si desta noi la farem dormire
> ché questa è l'ora di far l'amor.*

De auto's volgden elkaar op korte en gelijke afstand en naderden met de traagheid van een parade.

* O bersagliere houd je handen stil, anders wordt moeder wakker. Als ze wakker wordt laten wij haar slapen, want dit is het uur van de liefde.

A quattro mesi la luna era crescente
perché è l'amore di un bersaglier.*

In de eerste auto, een twoseater bestuurd door Remo, zat hij met zijn bruid; en achter hen zat als een uil op stok de trouwe Palle in een mooi gloednieuw blauw pak, met een duifgrijze pet die hij tot over zijn ogen had getrokken zoals hij gewend was.

Daarna volgden drie gelijke grote auto's, dicht en met een lakei naast de chauffeur, en daarin zaten degenen die een officiele functie hadden in het gevolg. In de eerste de vier kinderen die de sleep moesten dragen, in de tweede de tantes, alleen, en in de derde de vier getuigen die Remo onder zijn vrienden had uitgekozen. Daarna kwamen acht of tien verschillende auto's, grote en kleine, open en gesloten, waarin de vrienden van de bruidegom zaten, vier of vijf per auto. Allemaal met een hoge hoed en in jacquet, zoals paste bij deze plechtige ceremonie. De tafeltjes in de befaamdste cafés in het centrum van Florence waren die ochtend nauwelijks bezet. De fotografen, die verschenen en verdwenen met hun hoofden onder de zwarte lappen, verrichtten hun goocheltrucs.

Er waren geen vrouwen bij, behalve de bruid en de tantes, of liever, de drie bruiden, een jonge en twee oude, die opgewonden raakten van een nieuw gevoel dat hen hielp bij het spelen van hun rol. In hun binnenste droegen ze woorden die hun steun en kracht verleenden en hen op de been hielden. Hun maagdelijk wit verborg woorden even bloedig als een revolver of een dolk: *hij houdt niet van haar, hij trouwt haar om haar geld.* Ze waren bereid haar te volgen en naar haar te glimlachen, tot het bittere einde. De ware betoverde aap was zij, zonder dat ze het merkte. Dat gaf hun de kracht om uit en in de

* In de vierde maand was de maan wassende, dat komt van de liefde van een bersagliere.

auto te stappen, om met opgeheven hoofd tussen de mensen door te gaan die toen ze hen zagen hun lachen niet konden inhouden, terwijl zij plechtig met hun sluiers drie meter witte sleep meevoerden en met hun boosaardige ogen tegen iedereen zeiden: *het is allemaal schijn, geloof er maar niet in, het is geen huwelijk zoals het hoort, het is geen serieuze zaak, het is een huwelijk uit eigenbelang, hij houdt niet van haar, ze is rijk en hij trouwt haar om haar geld, hij weet nauwelijks wie ze is.*

Peggy gooide toen ze uit de auto stapte haar nog maar net aangestoken sigaret weg, en een jongen die zich tussen de benen van de toeschouwers door had gewurmd, raapte die meteen op. Door haar gebaar liep er een rilling door de menigte, die voor het eerst een in witte sluiers en met witte bloemen getooide bruid een sigaret zag weggooien terwijl ze zich naar het altaar begaf.

'Het zal er wel eentje van dat slag zijn,' fluisterden sommigen achter hun hand.

'Het is Greta Garbo! Het is Greta Garbo!' herhaalden de gefascineerde meisjes. En Greta Garbo mag roken waar ze maar wil. En terwijl ze naar de bruidegom keken fluisterden ze de namen van alle filmsterren die hun dromen bevolkten.

De acht meter lange sleep vormde een ingewikkelde aangelegenheid bij het uitstappen uit de auto, bij het uitspreiden; en bij het regelmatig voortschrijden, gedragen door de vier kinderen, twee aan elke kant. De vaardigheid en souplesse van de draagster kwamen daarbij aan het licht, want ze wist zo snel te draaien dat het een ware vertoning voor het verbaasde volk leek, waarbij ze omringd werd door veertig jonge mannen die uit de auto's sprongen, haar kwamen escorteren, om haar heen een echte caleidoscoop vormden met hun glanzende hoge hoeden en zich druk bewogen omdat ze als krachtige, sportieve jongens hun uitbundige vrolijkheid niet konden inhouden. En toen Peggy bij de knielbank voor het altaar kwam, te midden van het publiek dat rilde van verbazing alsof het een onbekende ster aan de hemel zag, reikte haar sleep bijna tot aan de deur van het kerkje, dat nauwelijks langer was.

De menigte mocht het kerkje in en stormde als in den blinde naar binnen, in de hoop een plaatsje te bemachtigen vanwaar ze de ceremonie kon volgen.

Het mocht dan geen Florentijnse of landelijke bruiloft zijn, zoals de bedoeling was, het was in elk geval een heel originele huwelijksplechtigheid. Iedereen had iets wat ook de grofste criticus kon verrassen.

Peggy behield in dat engelachtige toilet haar souplesse als sportieve vrouw en danseres, bedreven in de allermodernste dansen; haar concentratie, die nogal uitzonderlijk was, werd af en toe verbroken door korte momenten die de oppervlakkigheid onthulden van wie een rol slecht speelt. Palles gezicht zag er zo geconcentreerd en ernstig uit dat het dreigend leek; die van de tantes waren lijkbleek en vertrokken, en er stond een smartelijke glimlach op afgedrukt waardoor ze nog ouder leken in hun maagdelijke gewaden; de aanwezigheid van zoveel mondaine knapen met gezichten die te zeer deden denken aan hun dagelijkse gewoonten en activiteiten, en die niet zo onbeweeglijk en stil konden worden als de omstandigheden vereisten, leverde, ook als ze stilstonden en zwegen, toch een explosief effect op. De roerige groep was compleet, de aanwezigheid van de nachtelijke verslinders van de mooie gouden omeletten die Niobe op miraculeuze wijze wist te bereiden leek niet alleen te verraden dat dit geen ernstige zaak was, maar, durf ik te zeggen, dat het zelfs geen waarachtige gebeurtenis was. Het Florentijnse en het landelijke, georganiseerd door iemand die niet uit Florence kwam en ook niet van het platteland, waren uiteindelijk uitgemond in dit resultaat. Je zou kunnen denken dat iedereen een gymnastiekpakje droeg onder zijn ceremoniele kleding, ook de bruid, ook de tantes, en dat ze die van het ene moment op het andere snel konden afwerpen en allemaal sprongen en capriolen zouden gaan maken en hun kracht en lenigheid gingen vertonen: iets wat het midden hield tussen een circus en een Weense operette.

De harmonie van Compiobbi zette de triomfmars uit *Aïda* in en daarna begon de mis, begeleid door het mystieke koor uit *Norma*. Zowel dat muziekkorps als de trompetters leverden hun diensten op het plein, ze waren niet gecoördineerd met de plechtigheden en bleven doorspelen terwijl die plaatsvonden, De goochelende fotografen hadden hun handel naast het altaar neergezet en om beurten lieten ze hun flitslicht afgaan, waarvan iedereen schrok op het moment dat hun wonderen werden verricht.

Te midden van al deze verrassende dissonanten wist één enkele persoon zich onberispelijk te gedragen: Remo. Onbevangen, elegant, correct in zijn prachtige jacquet dat zijn figuur volmaakt deed uitkomen, gedroeg hij zich geen moment lomp of onzeker, vulgair of kwajongensachtig terwijl hij zorgzaam en hoffelijk naast zijn bruid liep om haar naar het altaar te leiden, en met grote waardigheid bij haar bleef staan; en op het hoogtepunt van de eredienst concentreerde hij zich op de ernst van het ritueel. Anders dan bij de anderen was zijn hele houding in perfecte harmonie met het tijdstip en de omgeving.

De jonge pastoor, die de mis opdroeg, observeerde hem terwijl hij hem die heilige, onlosmakelijke band oplegde en voelde zich tot hem aangetrokken, door zijn houding, hij leek zelfs alleen door hem aangetrokken terwijl de rest hem onverschillig liet. Al waren hun geest en hun leven zo verschillend, tussen deze jonge mannen was een stroom van sympathie ontstaan die bijna onuitgesproken was of nauwelijks uitgesproken, bedeesd, wederkerig en onoverwinnelijk, en die werd versterkt op dat strenge en tegelijk zachtaardige uur. Hij was op een vreemde, nobele wijze meer ontroerd door de houding van de jongeman dan door alle andere mensen die de kerk zo vulden dat ze elkaar verdrongen om toe te kunnen kijken.

Onmiddellijk achter de bank met de bruid en bruidegom zaten de tantes op twee vergulde armstoelen, of stonden ze naargelang de mis dat vereiste; en hun gezichten drukten geen zichtbare emotie uit, vanbinnen hadden ze een medicijn die hen veranderde, een verdovend middel dat bleef werken. Ze huilden niet maar glimlachten, een bittere glimlach die was als een merkteken op hun gezichten. Het leek alsof ze elk moment iets verwachtten van de menigte die naar hen staarde en op zijn beurt iets van hen leek te verwachten: *geloof er maar niets van, het is een farce, het is een huwelijk zonder liefde, hij trouwt haar om haar geld. De liefde is door de hond opgevreten.*

Kort voor de elevatie speelde de muziek op het plein een stuk uit de *Rigoletto*:

Tutte le feste al tempio
mentre pregava Iddio,
bello e fatale un giovane
s'offerse al guardo mio...*

Inderdaad toonde de mooie, fatale jongeling zich dagenlang aan Peggy's blik wanneer hij de Turkse hal van hotel Danieli in Venetië binnen kwam of verliet; maar dat is een te verwaarlozen detail.

De mensenmenigte werd steeds onrustiger doordat het

* Altijd wanneer ik op feestdagen in de kerk aan het bidden was, toonde zich een mooie, fatale jongeling aan mijn blik.

kerkje zo nauw was, en omdat de meesten buiten moesten blijven hoorden ze het rumoer van binnenuit als het geluid van eb en vloed. Bij een van de zijaltaren vielen kaarsen om, wat verwarring veroorzaakte.

Als er in die onrustige en onsamenhangende menigte mensen, bij wie de aandacht verdeeld was tussen de schoonheid en de bekoring van de ceremonie en een vage geur van schandaal, één enkele persoon was die een zekere waardigheid had kunnen behouden, één enkele persoon die zich had kunnen overgeven aan betere gevoelens, dan was het Niobe. Nadat ze was binnengekomen via het huis van de pastoor en zich verborgen had achter het altaar, huilde ze hevig met echte, dierlijke tranen. Uit een hart dat begerig was naar het leven en ogen die begerig waren naar schoonheid, huilde ze vanwege tien jaren van geluk, een tweede jeugd die de jongeman haar had kunnen schenken met louter zijn aanwezigheid in het huis, en die nu voorgoed voorbij was.

Toen de eredienst was afgelopen en de mensen de kerk verlieten speelde de harmonie van Compiobbi, misschien al bij de gedachte aan de glazen die stonden te wachten om te worden gevuld, het drinklied uit *La Traviata*. En de fotografische goochelaars verschenen nog een keer achter hun statieven en verdwenen onder hun zwarte doeken.

Libiam nei lieti calici,
che la bellezza infiora;
e la fuggevol'ora
s' inebbrî a voluttà.*

* Laat ons drinken uit de glazen van vreugde die wordt verfraaid door de schoonheid; en laat het vluchtige moment dronken worden van wellust.

En al had de fanfare van Settignano een beperkt repertoire, we moeten toegeven dat ze het ongewoon onstuimig speelden:

A sette mesi lo fece un bel bambino
con il cappello da bersaglier.*

De trombone deed extra zijn best terwijl de stoet opnieuw werd gevormd en de gasten in de auto's stapten.

A nove mesi andava in bicicletta
perché era figlio di un bersaglier.**

Peggy, die gewend was aan de uitbarstingen van de Amerikaanse jazz, vond dat die melodieën perfect pasten bij de lieflijkheid van de landelijke idylle, en overal ontsproot een bloem voor haar. Ze had het gevoel dat ze het ware sentiment had gevonden en was er blij om, ook omdat ze er meteen uit kon springen zodra het haar ging vervelen; en ze merkte niet dat niets echt was. Ze voelde een dwaas verlangen om iedereen te omhelzen en tegen iedereen een lief, opgetogen woordje te zeggen, zo een als haar verloofde haar voor de gelegenheid had geleerd: '*delizioso*, *incantevole*, *paesano*, *strapaesano*, *villereccio*, *silvano*, *agreste*'*** –, en die ze zo ongeveer kon uitspreken. Ze voelde een onweerstaanbaar verlangen om iedereen te omhelzen en te zoenen of minstens snoepjes te geven, ook degenen die met de tanden op elkaar naar haar keken, ook de tantes, die een dolk verborgen onder hun witte kleren en vergif achter hun zure glimlach: *hij houdt niet van haar, hij trouwt haar om haar geld*. Een taal die voor haar onbegrijpelijk was en absoluut

* In de zevende maand maakte ze een mooi kind met de hoed van een bersagliere.
** In de negende maand ging hij fietsen want hij was de zoon van een bersagliere.
*** Woorden waarmee men zijn bewondering uit voor de landelijke sfeer. (*Vertaler*)

onvertaalbaar; en als ze het haar hadden laten begrijpen in de juiste betekenis zou ze er smakelijk om hebben gelachen. Wat voor hen het drama was waarin ze tot op hun laatste druppel bloed waren verwikkeld, zou voor haar een nieuwe reden tot vrolijkheid zijn geweest.

Bij de stoet, die zich langzaam richting Florence voortbewoog, voegden zich twee vrachtwagens met het muziekkorps en de fanfare, en langs de hele weg, tot aan de eerste huizen van de stad, wisselden ze de triomfmars uit *Aïda* af met het drinklied uit *La Traviata* (vergeet niet dat de glazen snel naderden):

> Libiam, ne'dolci fremiti
> che suscita l'amore,
> poiché quell'occhio al core
> omnipotente va.*

En de fanfare uit Settignano:

> O bersagliere stai fermo con le mani
> sennò la mamma si desterà.

Almaar hetzelfde, maar met steeds toenemende kracht en kleur.

Bij de binnenkomst in de stad reed de stoet in stilte voort, op het rumoer na van de onstuitbare jongemannen; omdat ze langs de hele weg levendige nieuwsgierigheid wekten, stopten overal mensen en kwamen ze toelopen. De meesten dachten dat het ging om een huwelijk van een prinses, anderen dachten

* Laat ons drinken in de zoete extase die de liefde opwekt, want dat oog gaat recht naar het almachtige hart.

dat er een schoonheidskoningin was gekozen, weer anderen dat er een film werd opgenomen: 'Het is Greta Garbo! Het is Greta Garbo!' zeiden in Florence ook degenen die niet eens wisten wie dat was.

Het middagmaal werd geserveerd in twee grote zalen van het hotel waar de jonggehuwden logeerden. In de eerste zaten zij met hun vrienden en familie, en in de tweede de muzikanten met een groot aantal anderen. Het was een maaltijd die niet alleen vol vrolijkheid en hartelijkheid was, maar vooral bijzonder rumoerig: buitengewoon luidruchtig. De vrolijkheid van al die jongens, die nauwelijks in bedwang waren gehouden tijdens de ceremonie, werd op natuurlijke wijze gecompenseerd bij de eerste happen, en begon na een paar slokken champagne uit te lopen op onweerstaanbaar en toenemend enthousiasme, uitmondend in kreten die uit al die twintigjarige borsten kwamen toen ze hun vriend gelukwensten met wie ze zoveel mooie dagen hadden gedeeld.

Aan het hoofd van de ovale tafel zat het bruidspaar en links van Remo zaten naast elkaar de tantes. Teresa, die de plaats naast haar neef innam, toonde voldoende zelfbeheersing, al zag haar droevige gezicht eruit als van was die op het punt stond uiteen te vallen. Carolina zat verschrikt dicht tegen haar aan alsof ze probeerde zich te verbergen of te vluchten, alsof ze leed onder de kou die van haar witte, glanzende japon op haar gezicht afstraalde. Je zou kunnen zeggen dat Remo zich tussen drie bruiden bevond, en hij zag er niet uit alsof het er te veel waren of van een dubieuze soort, allerminst, hij verdeelde zijn aandacht over alle drie op de hartelijkste en briljantste manier, zodat je zou geloven dat het er nog veel meer hadden mogen zijn en van elke soort.

Daarnaast kwamen twee rijen jongemannen, zo'n vijftig, aan elke kant vijfentwintig; sommigen die geen hoge hoed droegen en geen jacquet waren rechtstreeks naar de maaltijd gekomen. En aan het andere hoofd van de tafel zat in zijn eentje, ernstig en nadenkend, Palle, bijna fronsend en onder de indruk van al het heerlijks dat op zijn bord en in zijn glas belandde, en vastbesloten om zich de aard en de verscheidenheid daarvan niet te laten ontgaan, waarbij zijn bedachtzaamheid zijn vlijt om het te laten verdwijnen evenaarde.

Maar de tantes leden terwijl ze met moeite een paar happen naar binnen werkten; hun handen trilden zichtbaar terwijl ze ze naar hun mond brachten, en wanneer ze hun glas erbij in de buurt brachten, trokken ze het terug alsof ze geen slok durfden te nemen, alsof er een vergif of een toverdrank in zat. Hun gezichten waren doodsbleek, hun ogen star, hun monden samengeknepen zodat ze niet in staat waren om te glimlachen en hoe dan ook antwoord te geven aan Remo, die zijn aandacht bekwaam kon verdelen tussen de bruid en zijn tantes. De kracht die hen tot dan toe overeind had gehouden, had hen in de steek gelaten toen ze aan die tafel waren gaan zitten. Het scheelde maar weinig of ze zouden alleen en in hun bruidstoiletten zijn teruggegaan naar Santa Maria. Bij die gedachte hadden ze willen verdwijnen, ze hadden gewild dat de vloer onder hun voeten zich opende om hen te verzwelgen. Nog maar even en ze zouden afscheid moeten nemen van Remo, die met zijn vrouw de weg naar Genua nam, zich ging inschepen, naar Amerika ging, misschien voorgoed. Ze dankten de Heer dat ze zaten, ze voelden dat hun lichaam niet in staat was hen overeind te houden bij de ultieme beproeving. In hun harten was geen wrok meer, voor niemand, en ze onderscheidden ook niet meer de een van de ander, ze voelden dat hun hart een steen in hun borst was en konden het hoofd niet meer rechtop houden. Teresa staarde naar Palle aan het andere eind van de tafel, ze zag hem in de verte, ver weg en omgeven door nevels, ze klampte zich aan hem vast als een schipbreukeling aan een stuk hout dat hij kan vinden, ook al kan het hem niet dragen. Niemand had over hem gesproken, niemand had men iets horen zeggen dat op hem betrekking had; het was duidelijk dat Luilekkerland voorbij was en dat hij weer de draad van zijn echte leven moest oppakken. De band tussen de twee jonge mannen was er niet meer, hun vriendschap was voorbij. Palle zou een baan moeten zoeken in een garage, als monteur en chauffeur, hij zou moeten buigen onder het juk van alle andere mensen en zwaar, regelmatig werk moeten accepteren. Om hem heen vroeg iedereen wat hij ging doen, maar hij gaf niemand antwoord en berustte kennelijk in zijn lot. Ze raakte vertederd toen ze hem zag eten en kwam, afwezig als ze was, door naar hem te kijken weer in contact met de werkelijkheid waarvan ze zich op dat moment vervreemd voelde. Ze zouden teruggaan naar Santa Maria met hem, die tien jaar lang de onafscheidelijke vriend van hun neef was geweest: dat was wat er overbleef van Remo en die tien jaren. De loutere aanwezigheid van deze weinig spraakzame jongeman zou hun bestaan verlichten dat ze in de duisternis zagen wegzinken, ze zouden hem blijven zien en hem dwingen om te praten, te gedenken, ook voor hem zou het waardevol zijn om zich zijn zorgeloze, gelukkige jeugd te herinneren.

Inderdaad hadden Remo en Palle geen woord gewisseld over wat er voor hem op zat, er was niets geregeld en besproken, de twee vrienden hadden tegenover elkaar geen toespelingen gemaakt op hun plannen en hun bedoelingen. Palle was er de man niet naar om vragen te stellen, en Remo wist dat de ander alles zou hebben geaccepteerd zonder te reageren, er was niemand bij gehaald om papieren af te handelen die betrekking hadden op een vertrek, het was stilzwijgend aangenomen dat hij in Florence zou blijven, alles wees daarop, en het was logisch en terecht dat hij zo gulzig voor het laatst aanzat aan een bijzondere maaltijd zoals de fortuin hem zo lang had geschonken. Die jongen was het reddende stuk hout dat Teresa's hoofd nog ondersteunde, terwijl Carolina voelde dat ze gauw zou instorten; haar door droefheid overmande geest dommelde in, een duizeling maakte dat ze alles omringd door nevels zag, en de geluiden die tot haar oren doordrongen leken haar ver weg.

Ze keken niet meer met wrok, met jaloezie naar de bruid, ze waren niet meer in staat de draak met haar te steken vanuit hun inwendige zekerheid, het dodelijke wapen was vanzelf gevallen. Ze zagen haar in de verte, ver weg achter glas, ze zagen alles achter glas, ook de geluiden waren geïsoleerd door glas, en de ijskoude weerschijn van hun japonnen alleen deed hen huiveren van kou en angst: koude en angst voor zichzelf.

De toosten begonnen en er waren hartelijke en geestige bij, die op sympathieke wijze op het gewaagde af waren, en waarbij niet alleen waarderende woorden werden uitgesproken over de schoonheid en charme van de bruid – die alleen maar kon antwoorden met '*oh, yes, all right*' zonder het te kunnen begrijpen –, maar ook de aandacht werd gevestigd op het goede gesternte dat de jonge bruidegom en hun dierbare vriend leek te willen begeleiden in het leven. Maar soms ving ze een paar van die woorden op, waardoor het probleem ontstond dat ze uitgelegd moesten worden en dat haar verzocht moest worden haar mond te houden, en net als een kind bleef ze hardnekkig en met luider stem herhalen wat ze had opgevangen.

Ook de Materassi's moesten klinken en nog eens klinken met de jongens die ze als een draaimolen om zich heen zagen wervelen, en terwijl ze het gevoel kregen dat hun lichaam werd rondgeslingerd, probeerden ze houvast te krijgen aan de aanwezigheid van Palle. Ook hij had niet meegedaan aan het kabaal en aan het toosten tenzij hij ertoe gedwongen was.

Op een gegeven moment verliet Remo zijn plaats met zijn glas in de hand en toen hij bij het andere eind van de tafel was, zei hij: 'Op je gezondheid, Palle', waarbij hij hem zijn glas aanreikte. Palle nam het zijne op en klonk zachtjes met dat van zijn vriend, zonder te lachen; daarna stak Remo een hand in zijn zak en haalde een blauw boekje tevoorschijn, dat hij bij de jongen op het tafelkleed gooide. Het was een paspoort voor Amerika. Er klonk een kreet uit alle monden: de hele zaal barstte uit: Palle ook naar Amerika! Maar Palle liet uit niets blijken dat hij verrast was, geen blijdschap of emotie, instinctief pakte hij het boekje van tafel en stak het in zijn zak zoals je een doosje lucifers terugstopt na het te hebben uitgeleend aan een vriend om een sigaret aan te steken.

'Onmogelijk zonder Palle,' zei Peggy luid, terwijl de groep vrienden naar hem toe kwam en hem omhelsde, optilde en in triomf de zaal ronddroeg: 'Ook Palle naar Amerika!'

'Natuurlijk,' herhaalde Peggy dolgelukkig, 'onmogelijk zonder Palle.'

Het rumoer vanuit de andere zaal nam snel toe, de fanfare van Settignano deed opnieuw zijn best:

O bersagliere stai fermo con le mani
sennò la mamma si desterà.

Vooral de trombonist deed zijn best.

Met grote haast werd de tafel afgeruimd, de zaal ontruimd, en werden de stoelen in een kring langs de muren gezet. Remo opende het bal met zijn bruid die, als een soort Minos verkleed als engel, met verbazingwekkende handigheid acht meter sleep om zich heen wist te wikkelen. Ze ging foxtrots dansen, tango's en rumba's, en omdat er voor diegenen voor wie het leven gemakkelijk is nooit iets ontbreekt, verschenen er, aangezien er bij die grote groep mannen geen enkele vrouw was die kon dansen, tien of twaalf meisjes die enthousiast begonnen te dansen – waar ze vandaan kwamen wist men niet, het leek alsof ze uit de vloer omhoog waren gespoten. Remo's vrienden vochten bijna om de bruid, die danste zoals alleen Amerikaanse meisjes uit New York kunnen dansen.

De Materassi's waren in een hoekje komen te zitten zonder te kunnen onderscheiden wat er om hen heen gebeurde: ze trokken hun in al dat gewoel aanzienlijk beschadigde bruidssluier dicht om zich heen, alsof ze erdoor beschermd en verborgen wilden worden. Hun arme ogen onderscheidden niets meer in dat wervelende gedans; ze waren ondergedompeld in een chaos van stemmen en gebaren, een totale warboel, nu hun laatste steun en toeverlaat hen had verlaten. Ook Palle vertrok naar Amerika. Nu zagen ze schimmen, schimmen die druk in de weer waren, ze hoorden een vaag gebrom in hun oren, onderscheidden de personen niet meer. Had men hun gevraagd op te staan om te vertrekken, dan zouden ze daar niet in geslaagd zijn. Een enkele jongeman kwam vrolijk tegen hen praten en noodde hen, bij het zien van hun sombere blikken, ten dans en wilde hen opvrolijken; maar zij konden zelfs geen antwoord geven, ze begrepen niet wat zij wilden en zeiden, ze onderscheidden in de mist alleen lachende monden en in hun geest verscheen een macaber visioen van twee als bruid geklede dansende lijken.

Remo, wie niets kon ontgaan ook al moest hij voor veel dingen tegelijk zorgen en ook opletten hoe zijn tantes het maakten, ging na Peggy, die onafgebroken bleef dansen, een paar woorden te hebben ingefluisterd en gebruikmakend van de almaar toenemende verwarring, haastig naar hen toe en boog zich naar hun oren om te worden gehoord te midden van al dat lawaai. Zijn nabijheid, zijn adem die langs hun wangen streek, deed hen als bij toverslag herleven uit hun droeve apathie: 'Het is al vier uur, jullie kunnen beter nu naar huis gaan, anders wordt het te laat. Ik breng jullie weg, kom maar.'

Peggy riep zonder op te houden met dansen '*Goodbye, goodbye*!' en wapperde met een hand in de richting van de tantes. Maar zij zagen haar niet en konden haar niet antwoorden.

De twee witte schimmen verdwenen uit die rokerige, volle ruimte zonder dat ook maar iemand het merkte, ze verdwenen langs de muur, tussen die feestvierende jongens die zo vaak 's nachts hun verre huis waren binnen gevallen, altijd aan hun tafel hadden gezeten om ham en worst te verslinden, en goudgele omeletten die Niobe kon improviseren, en fantastische sla die Palle 's nachts bij de boerderij plukte: Sergio, Franco, Vittorio, Ettore, Vasco, Corrado, Renato, Bruno, Renzo, Jim, Piero, Alfredo...

Ook deze keer had Remo de situatie gered, niemand zou hun de kracht hebben gegeven om hem daar te groeten: ze zouden gevallen zijn.

Buiten stond de auto klaar met Palle. Ze stapten haastig in en Remo reed met een snelheid die slecht paste bij de kleding van de vrouwen die erin zaten en nu alleen nog maar schimmen zagen en nevels, zwarte schimmen van dansende figuren, witte schimmen van bruiden die in die mist verdwenen.

Het vertrek was vastgesteld op vijf uur, het was nu kwart over vier, hij had geen minuut te verliezen.

In een oogwenk waren ze gearriveerd, na een rit van ontoelaatbare snelheid dwars door Florence en over de Via Settignanese.

Remo had de situatie gered, en terwijl ze heen en weer werden geslingerd en bij de bochten van de ene kant naar de andere tegen elkaar werden geperst, voelden ze zich, hoe apathisch ze ook waren, toch tot hem aangetrokken. Ze wilden hem vaarwel zeggen in hun eigen huis en daar hadden ze geen angst voor ontreddering en verdriet zoals tussen al die mensen.

'Ga afscheid nemen van je moeder,' zei Remo tegen Palle terwijl hij uit de auto stapte, 'ik ga even naar mijn kamer om iets te pakken wat ik vergeten heb, maar denk eraan dat we niet meer dan tien minuten hebben.' In huis zette hij zijn hoge hoed op tafel en vloog de trap op terwijl de tantes doodstil midden in de kamer bleven staan, en uit het raam keken naar het afnemende licht.

Remo was naar zijn kamer gegaan om iets te halen wat hij had vergeten: wat? Zoals bleek had hij niets vergeten. Zijn spullen waren allemaal de dagen daarvoor al naar zijn hotel overgebracht, en Niobe en de tantes hadden de meubels en de laden grondig doorzocht.

Hij bleef precies tien minuten weg, zoals hij tegen Palle had gezegd, die naar het nabije instituut was gehold om zijn moeder gedag te zeggen.

Het zou interessant zijn om te speculeren over wat de jongen die tien minuten daar deed in die kamer die hem tien jaar met zoveel liefde onderdak had gegeven. Nu blijkt dat hij daar niets te doen had, niets hoefde mee te nemen, staat het wel vast dat hij die tien minuten moest nadenken. Maar het is niet altijd gemakkelijk te zeggen wat mannen in bepaalde gevallen kunnen denken. Laten we dan maar zeggen dat sommige actiemannen, die geboren zijn voor een onstuimig, koortsachtig leven waarin alle uren altijd vol gebeurtenissen zijn, af en toe op hun weg open plekken achterlaten, een kleine leegte die anderen op het juiste moment kunnen vullen. Zij, die zo goed weten hoe ze zelf hun tijd kunnen vullen, weten ook dat de weinige ogenblikken die op dat juiste moment de anderen gegund worden, veel meer waard kunnen zijn dan als ze ze zelf hadden gevuld. De anderen, die laten merken dat ze dat geschenk zeer op prijs stellen, zullen het er minstens tien jaar mee doen. Daarom is dat zo fabelachtig belangrijk.

Toen hij haastig beneden kwam, liep hij op de vrouwen toe die daar nog net zo stonden en drukte ze samen stevig tegen zich aan. Ze lieten zich omklemmen, tegen elkaar drukken en samenknijpen alsof ze twee poppen waren. Hij kuste beiden twee keer op hun wangen.

'Tot ziens, we zien elkaar gauw terug, we komen zeker terug naar Florence, Peggy houdt zo van Italië en Florence, en verder... wie weet...'

In dat 'wie weet...' lag zijn hele levensvisie zonder programma, en in zijn stem klonk op dat moment echte voldoening, en medeleven met hen.

'Zo is het leven,' voegde hij er tot besluit aan toe, en terwijl hij meteen weer terug was bij zijn eigen gedachten: 'Nietwaar, Niobe?'

Hij omhelsde ook Niobe en kuste haar. Deze vrouw, die in de deuropening stond, leek een zak vodden in zijn armen en bleef daar staan terwijl ze haar gezicht in haar handen verborg. Remo pakte zijn hoge hoed van tafel en liep snel naar de auto.

'Tot ziens, dames,' zei Palle, die om de hoek van de deur verscheen en met de toppen van twee vingers tegen de klep van zijn pet tikte.

Ook deze keer hoorden ze niets en konden ze niet reageren.

Terwijl Remo even haastig naar buiten ging als hij was binnengekomen, merkte hij dat de metselaars het muurtje voor het huis hadden gesloopt en waren begonnen aan het leggen van een fundering om er een hogere muur op te bouwen.

De twee stapten snel in de auto en toen Remo aan het stuur draaiend deze voor het laatst naar de Via Settignanese keerde, leek het alsof hij wilde zeggen: *iets beters of meer had niet ge-*

kund. Waarschijnlijk had hij gelijk.

De twee vrouwen vielen, na te zijn omhelsd en gekust, neer in hun stoelen, bij hun borduurramen. Daar bleven ze futloos en verstijfd zitten zonder te huilen en keken ze naar de leegte voor zich waarin hun blikken verdwaalden. Van toen af konden ze alleen nog maar terugkijken om te kunnen leven. Niobe, die nog steeds met haar gezicht in haar handen in de deuropening stond, liet af en toe een dierlijke snik horen: het enige geluid.

Daarna besloten ze op te staan en heel langzaam met robotachtige bewegingen naar boven te gaan om zich eindelijk in hun kamer uit te kunnen kleden, zich te bevrijden, uit te rusten na een dag die hun krachten ver te boven ging. De lange witte sleep, die een lijk was geworden, sleurden ze achter zich aan over de donkere trap; ze verdwenen als spoken.

Toen ze eenmaal in hun kamer waren en tegen hun bed leunden, voelden ze dat ze de kracht niet hadden om die japonnen uit te trekken, ze voelden dat hun lichaam als van hout was en dat hun kleding een verflaag was geworden, witte pek; ze raakten die aan, streken er een beetje over met hun handen en wisten zeker dat ze zich er niet meer van konden ontdoen: ze voelden zich als twee dingen waar die jurken deel van uitmaakten. Zo lieten ze zich op bed vallen. Het was bijna donker. Buiten het raam flakkerden boven het dak van de kerk en op de kleine klokkentoren de vuurtjes van de illuminatie die de feestdag bekroonde.

Pastacaldi, de slager van Ponte a Mensola, die de eerste hypotheek had genomen, was eigenaar van de huizen geworden; en raad eens wie de eigenaar van de boerderij was geworden... Fellino, jawel, de pachter van de Materassi's in eigen persoon.

Waar het lage muurtje voor het huis had gestaan, met niet erg florissante vazen, was een tweeënhalve meter hoge muur opgetrokken die erlangs liep vanaf het hek naar het huis en er een ingesloten toegangspad vormde die adem en licht wegnam van de hele benedenverdieping, die nu met zijn tralies leek op een klooster, om niet te zeggen een gevangenis.

Ook was het poortje van de keuken dat toegang had gegeven tot het veld dichtgemetseld.

Teresa en Carolina kwamen niet vaker buiten dan een halfuur op zondag om de eerste mis bij te wonen. Ze liepen goed ingepakt snel voort met het hoofd omlaag of ze keken ostentatief voor zich uit en deden alsof ze niemand zagen en kenden om niet te worden gedwongen hun oude, destijds zo eerbiedige huurders te groeten, die hen hooghartig bejegenden nu ze wisten dat ze geruïneerd waren.

Zij bespaarden hun geen kuchjes of brutale lachjes om te laten voelen, om hen ook te laten begrijpen dat ze hen wel degelijk in de gaten hielden, hun belangen, hun ongeluk, hun ellende, en een enkeling lachte hen uit oude wrok opzettelijk en uitdagend uit. Ze uitten tal van beledigingen aan hun adres en gaven met luider stem commentaar op wat hun was overkomen en op hun huidige droevige omstandigheden, want niemand was nog bang voor ze sinds ze nergens meer de baas over waren, nu ze niet meer een voorwerp van bewondering en afgunst waren: en dat lieten ze vooral 's nachts merken, onder de ramen van hun kamer, om door de stakkers te worden gehoord wanneer die probeerden te slapen, en daar slaagden ze perfect in, want de twee moesten huiveren onder de dekens, en na een woedeaanval hun oren dichtstoppen uit schaamte, en zich in Gods hand leggen.

Maar wat erger is, een smeerlap, die onbekend bleef, had de brutaliteit gehad om zijn behoefte te doen bij hun hek, precies in het midden waar je langs moest en, erger nog, de tralies ermee bevuild om de smaad nog erger te maken. De arme Niobe had 's morgens de stenen en het hek christelijk berustend en nederig moeten schoonmaken, zonder de kracht te hebben een scheldwoord te uiten aan het adres van degenen die zich dergelijke vuiligheid veroorloofden; maar ze sloeg haar ogen ten hemel en vroeg de Heer paal en perk te stellen aan al die boosaardigheid. En toen ze, vernederd en diep beledigd, met hangend hoofd terugkwam in huis, mompelde ze tegen zichzelf: *het zij zo, dit is werk voor mij als vrouw*. Wij willen in elk geval geen onderzoek instellen naar Niobes gesternte.

Ze werden op alle manieren bespot en beledigd, en niet zozeer vanwege datgene waarvan ze anderen hadden laten genieten of dat waarvan ze zelf meenden te hebben genoten, maar vooral omdat ze gevallen waren, omdat ze verslagen waren, uit wraak omdat ze hoog in het zadel hadden gezeten en getriomfeerd.

Geen enkele smoes kon hen naar het hek lokken en geen geroep kon hen doen verschijnen voor het raam, dat altijd dicht bleef. Alleen op zondagochtend waren ze te zien terwijl ze zich naar de vroegmis haastten, en daar leden ze innerlijk onder, ze hadden zich liever helemaal niet laten zien, aan niemand, maar uit een ingeworteld moreel principe konden ze zich niet onttrekken aan die plicht van de geest die ze, ondanks alle kwellingen, verheffend vonden.

Wanneer ze naar buiten waren gegaan in de grauwe winterochtend, dicht bij elkaar, bleven ze de hele duur van de mis geknield en baden met het gezicht in de handen of keken smekend naar het altaar; waar ze een paar maanden eerder, in hun schitterende kleding van wit satijn, in sluiers en met oranjebloesems, uitdagend op twee vergulde, met hemelsblauw damast beklede armstoelen hadden gezeten.

Aldus verstijfd leken ze te boeten voor hun schuld en te smeken om vergiffenis.

In hun werkkamer dwaalden ze van de ene naar de andere tafel, van het ene naar het andere meubel, als om dingen te ordenen of te zoeken, terwijl ze met hun gedachten elders waren. Uit de grote kast en de ladekast haalden ze stukken stof die ze, nadat ze ze met een kille blik hadden uitgevouwen en beoordeeld, weer opvouwden en ongeïnteresseerd teruglegden. Linten, koordzijde, restjes kant waarvan ze strengetjes maakten. Ze zochten terwijl ze wisten dat er niets te vinden was. Daarbij leek het alsof ze de laden van een arm, overleden familielid doorzochten om diens spullen, die ze allemaal al kenden, met respect maar afstandelijk de revue te laten passeren als een loutere formaliteit en met een zekere weerzin, zonder de minste belangstelling, bij voorbaat wetend dat ze niets nuttigs en belangrijks zouden vinden.

Het was duidelijk dat wat ze deden hun niet werd ingegeven doordat het nodig was, dat het zelfs geen zin leek te hebben.

Soms hielden ze midden in deze handeling op en keken ze verloren om zich heen, gingen werkeloos zitten en konden voor hun handen geen redelijke positie vinden. Terwijl ze een of meer vingers door hun haar lieten gaan, krabden ze hun huid en bleven ze daarna stil zitten met de handen in de schoot.

Bij de deur verscheen Niobe, haar handen slap langs haar zij hangend, die armen die ze altijd tussen het ene werkje en het andere actief en klaar voor het volgende op haar heupen had gezet, hingen nu ook omlaag.

Als je ze zo zag waren ze niet meer dan drie halve citroenen die waren uitgeperst en op de vuilnishoop gegooid.

De huizen waren verkocht, de boerderij was verkocht, het spaargeld was op tot op de laatste cent, de laatste klanten waren verdwenen.

Giselda had boodschappen gedaan in Florence met kleine gouden en zilveren voorwerpen, en zelfs met huishoudelijke artikelen waarvoor ze maar weinig geld had gekregen.

Nu was er niets meer te verkopen behalve de meubels en die muren, waaraan ze zich gehecht voelden als oesters. Als ze ook daarvan eenmaal waren losgeweekt, als dat zou lukken, zouden ze zoals ze wisten aan het treurigste armenhuis zijn overgeleverd, maar daar konden ze niet eens aan denken en ze voelden dat ze voor het hek zouden doodvallen voordat ze het huis konden verlaten.

Dertig jaar eerder, bij de dood van hun vader, waren de omstandigheden van de familie niet zo treurig: op de huizen en de boerderij rustten alleen hypotheken en zij waren jong, vol werklust en geloof, en ze streefden ernaar hun koortsachtige, overvloedige energie te laten zegevieren, het werk kwam van alle kanten toestromen en ze moesten geregeld opdrachten weigeren.

Nu zagen ze, waarheen ze zich ook keerden, alleen maar as, as, as… Boven de as zagen ze verre, vage spoken: koetsen met trappelende paarden, schitterende auto's die ooit stopten voor hun deur die een magische aantrekkingskracht uitoefende, destijds hun roem en trots, en waardoor het bescheiden landhuisje tientallen jaren lang het heiligdom van werk en deugd had geleken waarvoor iedereen het hield; ze waren nu weggereden, ver weggereden over andere wegen en in hun herinnering konden ze ze nauwelijks meer onderscheiden.

Deze herinnering maakte hen kwaad, zuur en boosaardig. Al die verwende vrouwen die ze veertig jaar lang trouw en met liefde hadden gediend, hadden hen in de steek gelaten omdat ze oud waren, omdat hun afgeleefde ogen niet meer tot wonderen in staat waren en omdat het werk de laatste jaren niet meer hun enige zorg was en de enige reden om te leven, omdat ze moe en verstrooid waren door de lotgevallen des levens. Die egoïstische vrouwen waren alleen maar naar hen toe gekomen om te nemen, om gebruik te maken van de wonderen die ze konden aanschaffen zonder iets op te offeren, omdat ze rijk waren: nu zij die wonderen niet meer konden herhalen lieten ze hen van honger sterven. Ze kregen aanvallen van verontwaardiging en haat jegens hen en af en toe legden ze het oor te luisteren, maar tevergeefs. Spoken die verschenen en verdwenen boven de as. En boven alles uit klonk, als de slagen van een doodsklok, de echo van een stem die hen de keel dichtkneep, het hart verscheurde: '*Zì' Tè, Zi' Cà.*' Maar geleidelijk veranderde die bittere kramp in een zoet gevoel dat hun oogharen vochtig maakte en hen lange zuchten deed slaken.

Ze hadden Niobe thuis zien komen met een half brood verborgen onder haar schort, en ook wat groente, terwijl ze een paar eieren tegen haar borst gedrukt hield, ervoor zorgend dat ze ze niet brak, of met een bosje hout dat ze was gaan sprokkelen in het bos van Vincigliata. In huis waren geen kolen meer.

De oude huurders genoten met slecht verholen leedvermaak

van de etappes van hun geleidelijke ondergang, zoals ze ooit met tegenzin hun opkomst hadden gevolgd.

Onder aan de muur die voor hun ramen was opgetrokken, op dat strookje grond dat precies op het zuiden lag en beschut was tegen de noordenwind, maakte Fellino, na de oude linden te hebben omgehakt die hun ogen met het eerste licht hadden gezien – en zijn bijlslagen weerklonken in hun hart alsof van dat hout hun doodkisten werden gemaakt –, de grond rijp voor de eerste groente-oogst: vroege doperwtjes, radijsjes en de eerste courgettes, en hij hield niet op de grond te bemesten om hem vruchtbaar te maken. De stakkers, die zo hooghartig en kieskeurig waren geweest toen ze de baas waren, moesten nu alle ramen dicht houden om de stank niet te ruiken, en alsof het een straf was waaraan ze zich door een decreet van hogerhand niet konden onttrekken, roken ze hem toch, want de stank drong door de kieren.

Maar niets ter wereld had hen in staat kunnen stellen om hun stem te verheffen tegen de nieuwe, wettige eigenaar, die ze intens haatten; en ze zouden liever sterven van honger dan hem of hun oude huurders om een stuk brood te vragen.

Levend begraven hadden ze geen recht van spreken.

Ze bevonden zich in deze allertreurigste situatie van zinloos wachten toen er op een ochtend, na veel inspanningen en voorzieningen van Niobe, in huis niets meer te eten was.

De meesteressen keken naar de dienstbode met een vragende blik als van een ziek kind dat naar zijn moeder kijkt en niet kan geloven dat zij, die voor hem almachtig is, niet iets doet om hem te genezen; hij kijkt naar haar zonder dat hij zijn vertrouwen voelt wankelen, maar vraagt zich wel af waarom ze niets doet.

De beschaamde, deemoedige, verbijsterde dienstbode keek bemoedigend en vriendelijk naar haar meesteressen, net zoals de moeder die weet dat het laatste wat in haar macht ligt het verbergen van haar eigen onmacht is, zodat ze het kind niet nog erger ontmoedigt.

Teresa keek naar Niobe en wachtte op een woord van haar lippen, al kon ze niet begrijpen waarom het niet vanzelf kwam, waarom het onder die omstandigheden nog niet eerder was geuit. Ze kon het niet begrijpen, maar ze was nog lang niet toe aan twijfels over Niobes ruimhartigheid en haar volledige toewijding: ze trachtte het te begrijpen.

Ze deed met veel moeite een poging om het ijs te breken: 'Niobe, luister eens, Niobe, kom eens hier.'

Omdat ze voorzag wat er uit de mond van haar meesteres zou komen, maakte de dienstbode geen aanstalten om dichterbij te komen, want het antwoord dat ze zou moeten geven bracht haar in verlegenheid. En Teresa's stem trilde omdat zij zo openlijk moest verklaren hoe treurig de werkelijkheid van haar omstandigheden was.

'Je weet, voor ons is dit een slecht moment, wij hebben geen werk, zoals je ziet; maar het werk komt terug, daar ben ik zeker van, we gaan naar Florence om onze oude klanten op te zoeken, we doen een beroep op hen, bieden gunstige voorwaarden, zullen ons tevredenstellen met kleine verdiensten, genoeg om van te leven, maar op dit moment weten we echt niet wat te doen; neem me niet kwalijk als ik je om een gunst vraag, ik vraag het je omdat ik in de eerste plaats overtuigd ben van je goedhartigheid, maar vooral omdat ik zeker weet dat ik je kan teruggeven wat je me zult geven; op dit moment zou ik niet weten wie ons kan redden behalve jij... je ziet hoe we eraantoe zijn...'

De vrouw, die altijd zo moedig, oprecht en vol zelfvertrouwen was, had nu niet de moed om haar dienstbode in de ogen te kijken, ze sprak terwijl ze haar handen wrong en voortdurend haar hoofd gebogen hield. De arme dienstbode boog het hare steeds meer, zoals iemand die schuldig is en voelt dat hij terecht een verwijt krijgt. Ook Carolina hield haar hoofd gebogen op dit allervernederendste moment.

Bij al hun tegenspoed en alle strijd was er altijd een gigantische kracht geweest die hen steunde, de onoverwinnelijke gedachte aan hun handen die wonderen konden verrichten, en dat kon niemand hen afnemen. Nu liet die zekerheid hen in de steek, hun handen hingen doelloos langs hun lichaam, en ze wisten niet eens meer hoe ze ze moesten houden: dat was de werkelijkheid die ze niet konden accepteren, de rest was heel aanvaardbaar.

Omdat het de oude dienstbode aan de moed ontbrak om

een stap naar voren te zetten en om ook maar met een lettergreep te antwoorden spreidde ze, zoals Christus toen hij zich liet kruisigen, haar armen om haar kruis te aanvaarden.

Een flits, een sprankje van inzicht deed Teresa opschrikken, en terwijl ze haar hoofd oprichtte, riep ze: 'Je hebt alles aan hem gegeven, je hebt niets meer…'

Ze verzweeg de rest van haar gedachte, die op haar lippen wegstierf: *En ik mij maar afvragen waarom je me nog niet je hulp hebt aangeboden…* Het leek alsof ze verdwaalde in die gedachte en toen ze weer tot zichzelf kwam ging ze zachtjes, vriendelijk, met een vage onderhuidse glimlach door: 'Ook jij hebt geen stuiver meer, arme Niobe… Daarom zei je niets… En ik kon het maar niet begrijpen… Wat onnozel…'

Ze keek verloren en berustend om zich heen, streek tweemaal met een hand over haar voorhoofd zoals wanneer ze afgemat van het werk een paar seconden opkeek. Daarna ging ze zitten.

Carolina zat daar nog steeds met gebogen hoofd en haar handen in haar schoot alsof ze niets te maken had met dit tafereel, en zonder te laten blijken dat ze het begreep.

Maar Niobe kwam zachtjes naderbij, tussen de zusters in, nu ze de waarheid kenden, en om zich dichterbij te voelen, om een intiemer gesprek te voeren, ging ze tussen hen in zitten.

'U weet best dat ik van mijn loon nooit iets uitgaf, op mijn spaarbankboekje had ik tienduizend lire, u weet dat ik er af en toe wat op ging zetten, weet u dat nog? Bijna mijn hele loon bracht ik erheen, behalve een paar kleinigheden die ik nodig had voor wat ondergoed, schoenen of een schort, en om wat geld op zak te hebben. De eerste vijfduizend heb ik zes jaar geleden aan hem gegeven om die motorfiets te kopen.'

'Ah!'

'Ah!'

De gezusters ontwaakten tegelijk uit hun apathie.

'Dus jij hebt het aan hem gegeven.'

'U begrijpt, u beiden wilden niet toegeven, u had besloten nee te zeggen, nee, tot op het bittere einde... En ik, wat moest ik doen...?'

Teresa keek Carolina aan met een lichtje in haar pupillen, en Carolina keek haar zuster aan, kwam bij, en beefde.

'We hadden altijd gedacht dat de een of andere slet ze hem had gegeven.'

'Maar jij hebt ze gegeven.'

'Ja, vijfduizend lire.'

'Maar de motor kostte tienduizend.'

'De rest was op afbetaling, en hij vroeg mij die keer niet meer. En twee jaar later, weet u nog? Toen verkocht hij hem om die auto te kopen.'

'Ik zei het je toch, hij had zich liever laten vermoorden dan geld van vrouwen aan te nemen.'

Terwijl ze spraken, voelden alle drie nieuwe energie opkomen, ze zetten hun stoelen dichter bijeen en omhelsden elkaar.

'En nog eens vijfduizend moest ik hem geven toen hij twee jaar geleden plotseling terugkwam uit Viareggio; hij zei dat het ging om een zaak waar zijn hele leven van afhing, een zaak die hij onmiddellijk moest regelen. U begrijpt, ik wilde geen gewetenswroeging hebben... de arme jongen... Ik zette al jaren geen geld meer op mijn spaarbankboekje, wat wilt u, er waren veel uitgaven, we hadden heel wat meer nodig dan mijn miserabele spaargeld, we hadden een munt in de kelder moeten hebben om daar geld uit te tappen zoals je wijn gaat tappen uit het vat.'

'Dus jij hebt die motorfiets afbetaald...'

'Het was nooit bij me opgekomen... ik had van alles bedacht... Het was iets wat me erg in de war bracht, ik meen het, en toen het ging om die nieuwe auto was ik niet sterk genoeg om weerstand te bieden.'

De affaire met de motor was het enige duistere punt in hun leven met hun neef, en dat werd als bij toverslag opgehelderd. Teresa slaakte een zucht van opluchting omdat die twijfel nooit eerder was weggenomen. De motorfiets die de knappe achttienjarige zo nonchalant mee naar huis had gebracht was een donkere wolk aan hun horizon gebleven, en nu ademden ze onder een hemel overgoten met zonlicht.

'Net als met die auto, omdat we bang waren dat hij die liet kopen door die… die gravin van Lenin.'

'Jaa…' antwoordde Niobe, en ze kreeg haar normale stemgeluid terug, 'jaa… u kent dat soort vrouwen niet; die gravin wilde graag nemen en niet geven, maar de jongen was slimmer dan zij, en hij redde er zich goed uit; ook hij hield van vers spul en niet van dat wrak, al zette ze alle zeilen bij.'

'De slet.'

'Daar kon je je niet in vergissen.'

'Maar hij had meteen door dat ze op zoek was naar jonge sukkels, de gravin.'

'Maar waarom sleepte hij haar dan urenlang met zich mee voor de deur?'

'Ach… hij zal ook wel zijn redenen hebben gehad.'

'U begrijpt, het doet een familie geen plezier als ze een nette jongen samen met zo'n oude vrouw zien, daarom heb ik besloten er een eind aan te maken en de auto te kopen. En er waren nog zoveel andere kleine uitgaven, weet u, want wie uitgaat heeft allerlei dingetjes nodig om niet onder te doen voor de anderen.'

Terwijl ze sprak voelden de gezusters zich bijkomen en kreeg Niobe weer haar grappige, glimlachende gezicht.

'U begrijpt, de lakens in huis zijn zo ruw, ze zijn goed voor ons want wij gaan met een hemd aan naar bed; als hij ook in een hemd had geslapen had ik er niets van gezegd, maar zo helemaal naakt... dat kon ik niet aanzien. Ik had voor hem een paar goede gekocht, van licht en fris linnen, ik kon het niet hebben dat hij onder die ruwe boerse lakens sliep, hij hoefde zich niet te krabben van de jeuk, hij had een huid als van ivoor. En wat was hij blij toen hij het merkte! Want zelf zou hij niets gezegd hebben, geen sprake van, hij dacht er niet eens aan, ik was het die moest zien dat het zo niet langer kon. Wel, laten we eerlijk zijn, het was niet goed...'

De twee gezusters keken haar gefascineerd aan en hingen aan haar lippen, en al had het twaalf uur geslagen terwijl ze praatten, ze hadden dat niet eens gemerkt; ze voelden niet meer hoe laat het was en of ze honger hadden.

'Hij was zo aardig, en omdat hij van bepaalde verfijnde dingen hield, liet merken dat hij er verstand van had, er waardering voor had, was hij geboren om een echte heer te worden. Af en toe deed hij me foto's cadeau, hij heeft er ook gestuurd uit Viareggio.'

'O ja, ook naar jou? Waarom heb je ze niet laten zien?'

'Ik wist dat u er al zoveel had...'

Het was Remo's gewoonte om als hij weg was kiekjes te sturen naar zijn tantes en hij had er ook een paar naar Niobe gestuurd, of ze rechtstreeks overhandigd. Maar terwijl de tantes die van hen aan iedereen hadden laten zien tot men er genoeg van kreeg, had Niobe de hare verborgen gehouden. Het leek alsof ze nog iets verborgen had en ze glimlachte sluw.

'Ik heb er trouwens een paar in mijn commode, ik kan ze gaan halen.'

Even later kwam ze terug met de foto's, en ze keken ze samen door met groeiende nieuwsgierigheid. Carolina kon zich niet inhouden en ging naar haar kamer om de hunne te halen, bijna dertig, om ze te vergelijken met die van Niobe, al met al niet meer dan tien. Ze spreidden ze uit over de tafel. Elke foto riep een herinnering op, aan een plaats, een dag, een moment. Het gesprek werd steeds levendiger, er klonken uitroepen en uitbarstingen van gelach zoals in de gelukkige tijd, alsof de benauwende problemen waarin ze verkeerden waren opgelost. Door te praten over hun neef terwijl ze naar hem keken op die kiekjes, werd hun hart bijna zo versterkt alsof hijzelf elk moment kon binnenkomen voor het middagmaal. Het eerste wat opviel toen ze ze allemaal doornamen, was dat Remo op die van de tantes altijd perfect gekleed was, en vaak ook een hoed droeg, maar op die van Niobe in bad- of roeikostuum stond, in shirt en korte broek, in een groep met andere roeiers of met vrienden, en ook met jongedames; in een roeiboot met Palle, of op een rotsblok. De gezusters kregen er maar niet genoeg van om ernaar te kijken en ze te vergelijken met de hunne, maar geboeid door de nieuwe waarvan ze geen vermoeden hadden gehad, slaakten ze kreten van verbazing over de schoonheid en robuustheid van zijn schouders, zijn benen, de proporties van zijn lichaam en zijn hoofd, waarvan de kracht nooit zijn voorname elegantie en harmonie overheerste.

'Waarom heb je ze ons niet laten zien?'

'Ach…'

Niobe aarzelde en het was duidelijk dat ze iets verborg, en naar haar meesteressen kijkend leek ze op het punt te staan om in lachen uit te barsten en kon ze zich niet inhouden.

'Ik heb er nog een, eigenlijk… als u die wilt zien…'

'Waar is die?'

Het leek alsof de vrouw aarzelde de foto te laten zien, of hun nieuwsgierigheid nog wilde vergroten. Ze had een hand onder haar schort.

'Kom, laat zien!'

'Laat hem zien!'

'Waarom wil je hem niet laten zien?'

'Waarom heb je hem ons niet laten zien?'

'Wat kan het voor kwaad?'

Ze haalde haar hand onder haar schort vandaan en legde op tafel een foto die veel groter was dan de andere.

'Die heeft hij me in een envelop gestuurd.'

Op die foto, die groter was dan een ansichtkaart, stond Remo alleen en met niet meer dan een nogal kleine en korte zwembroek aan, zodat het volle effect van zijn buitengewoon fraaie lichaam in volle glorie te zien was. De foto was gemaakt aan de rand van het water. De jongeman keek met opgeheven hoofd naar de zon, waarvan het felle licht zijn serene gelaat niet verstoorde maar hem een lichte frons gaf die hem zo goed stond. Achter hem, als achtergrond, was de zee.

Teresa was erdoor verblind alsof ze zelf recht in de zon keek. En Carolina sprong op nadat ze er een blik op had geworpen waardoor ze leek te worden verzwolgen, uitte een kreet en viel weer neer in haar stoel.

Ze hadden een paar minuten bezinning nodig voordat ze weer naar die foto konden kijken.

'Zo was hij, inderdaad, precies zoals hij is,' zei Niobe dromerig terwijl de anderen in grote verwarring naar het portret keken.

Ze wendden zich tot haar.

'*Ik* wist dat hij er zo uitzag.'

Ze keken nog gretiger naar haar.

'U begrijpt, elke morgen moest ik drie, vier keer zijn kamer in, wanneer hij wilde baden en voor het ontbijt. En dan, hoe gaat dat, als hij zich uitkleedde had ik niet eens de tijd om ervandoor te gaan, om zo te zeggen zelfs niet om me om te draaien. Ik moest hem wel zien, of ik wilde of niet. In een mum van tijd was hij zoals de Heer hem had geschapen; ik weet echt niet hoe Hij het gedaan heeft, maar we moeten toegeven dat Hij hem heel goed geschapen heeft. Nee maar...' voegde ze eraan toe, wijzend naar de foto.

Terwijl Carolina bij die woorden in grote verwarring raakte, schonk Teresa de dienstbode een glimlach die recht uit haar hart kwam, een uiting van zuivere vrolijkheid zoals ze al een hele tijd niet meer had meegemaakt.

Steeds verbaasder bleven de gezusters elkaar de kiekjes doorgeven en ernaar kijken. Van die van Niobe keken ze naar hun eigen foto's om meteen weer terug te komen bij die waarop de jongeman was geportretteerd in zwem- of roeikleding, tot aan de grootste, waarop zijn naaktheid in fascinerende helderheid te zien was. Daar eindigde hun onderzoek en begon het opnieuw.

'Waarom heb je ons die niet laten zien?'

'Ach... dat weet ik zelf ook niet, wat moet ik ervan zeggen... misschien omdat ze me te goed bevielen, dat moet ik bekennen, en verder omdat ik dacht dat u erdoor geschokt zou zijn, al steekt er niets verkeerds in, maar ik weet dat u allebei zo verlegen raakt bij bepaalde aangelegenheden... ik zag dat hij u andere had gestuurd die verschillend waren van de mijne...'

Op dat moment was er geluid op de trap te horen. Giselda kwam naar beneden.

Doordat ze zo druk waren geweest met het doornemen van de foto's en er commentaar op te geven, was het al over enen: het uur om aan tafel te gaan.

Het is nodig eerst te zeggen dat Giselda, al hadden haar zusters tegenover haar geen exacte bekentenis afgelegd of een verklaring gegeven, precies had beseft met wat voor wanhopige situatie haar zusters te kampen hadden sinds het verlies van al hun bezit, en dat hun maaltijd al meer dan een maand bestond uit wat ze op krediet of te leen hadden gekregen, en gebedeld of geleend was door Niobe in de niet onmiddellijke omgeving, want, zoals ik u al heb gezegd, haar meesteressen weigerden elke vorm van hulp die kon komen van diegenen die hun huurders waren geweest of hun ondergeschikten en die nu in staat waren hen te helpen.

Nu Giselda hoorde dat het drama snel verergerde, kwam ze naar beneden met nobele en ruimhartige bedoelingen, kwam ze haar hulp aanbieden, zichzelf aanbieden om haar zusters te helpen die arm en oud waren geworden; en al vond ze dat zijzelf de schuld hadden van hun eigen ondergang, toch voelde ze dat het nu zinloos was om hen te haten en te klagen, en dat het moment was aangebroken om te handelen zonder te discussieren. Ze was vijftien jaar jonger en niet zoals zij afgemat door het harde werken, en ze voelde in haar hart, dat in wezen nobel was en alleen verbitterd was geraakt door tegenspoed, een dringende plicht om door haar tussenkomst en bijdrage ten minste een deel te vergoeden van de weldaden die ze van hen had ontvangen, en op dat moment vergat ze hoeveel wrange en onaangename conflicten er in hun gemeenschappelijke leven hadden plaatsgehad. Haar gezicht zag er ongewoon vredig en rustig uit, geduldig, bijna lief, en ze leek bereid om kalm te praten, plannen te maken, adviezen aan te nemen en de hare te geven voor de oplossing van de ondraaglijke stand van zaken. Maar aan het beeld dat zich aan haar vertoonde toen ze in de kamer verscheen, zag ze meteen dat de drie vrouwen gelukzalig opgingen in het bewonderen van de foto's waarmee de tafel bedekt was, en toen begon haar bloed te koken, vlammende woede steeg naar haar hoofd en bracht haar in een staat van razernij die haar gevoelens totaal veranderde.

Na wat er is gebeurd, na de onherstelbare catastrofe die uitsluitend te wijten was aan hun onvergeeflijke zwakheid waardoor ze als het ware van welstand tot in absolute armoede zijn gezonken, na al die dagen van gebrek en bijna van honger; met een vuur dat niet meer brandt, een lege provisiekast en zonder een cent op zak, zitten die drie malloten in extase te kijken naar de foto's van die ploert die hen zo onverschillig in die toestand heeft gebracht, en zitten ze nog vrolijker om die tafel dan als ze aanzaten aan een overvloedige maaltijd.

'Wat is hier aan de hand?' vroeg ze wit van woede tussen haar opeengeklemde tanden door.

De drie vrouwen, die hoorden dat ze werden aangevallen door die harde, wrede stem, keken tegelijk op voor een tegenaanval.

'Wat doen jullie, mag ik dat weten?'

'Waar we zin in hebben.'

'Alsof wij verantwoording aan jou moeten afleggen.'

'Is het geen etenstijd?'

Ze keken elkaar aan onder die ogen die fonkelden als een mes. Ze waren de tijd en de honger vergeten, het had één uur geslagen en ze wisten niet wat te antwoorden. De foto's hadden hen uit de werkelijkheid kunnen wegvoeren naar een gelukkige droom waaruit ze niet gewekt wilden worden. De snijdende stem van hun zus riep hen terug naar de treurigste werkelijkheid. Ze keken elkaar aan en voelden dat ze werden overrompeld door een gevoel van haat tegen haar die daar stond als een rechter.

'We hebben geen honger,' zei Teresa op een ironische en koele, bijna vrolijke toon.

'We hebben geen honger,' herhaalde Carolina geaffecteerd.

'Maar ik wel.'

'Zorg dan maar voor jezelf.'

Giselda wist niet waar te beginnen, ze wilde zoveel zeggen dat het allemaal in haar keel bleef steken en eerder op het punt stond om te ontploffen dan te worden geuit.

'Zorg voor jezelf... zorg voor jezelf... jawel, ik zal ervoor zorgen, maar voor mijzelf, alleen voor mijzelf, reken maar, en in elk geval niet hier, niet hier in huis waar geen korst brood meer is om aan een hond te geven... Jazeker, ik zal voor mijzelf zorgen, en ik zal jullie meteen laten zien hoe, reken maar', ze sprak hortend en stotend, onregelmatig en hijgend, 'ik ga dienstbode worden zoals ik tot nu toe ben geweest voor deze fraaie dames' – ze maakte een spottende buiging – 'voor deze fraaie dames en hun waarde neef' – ze maakte opnieuw een heel snelle buiging terwijl ze haar gal spuwde – 'en daar zullen ze me tenminste te eten geven en loon aan het eind van de maand; maar hier werk je voor de mooie ogen van de meesteressen.'

Ze glimlachte openlijk en maakte een zwaaiende buiging. 'Dienstbode zijn en er niets voor krijgen – behalve jullie smoelen, en ook nog geen eten krijgen, nee, nee, schatjes, zoek maar een ander om je neus te snuiten, ik ga weg, zo waarlijk helpe mij God! Ik had al eerder moeten gaan, dan had ik nu niet in de rotzooi gezeten: báh.' Het leek alsof ze zich op haar zusters wilde werpen om ze te bijten, maar die actie liep uit op een kreet van afschuw: 'Báh!' herhaalde ze terwijl ze haar wrok over hen uitkotste.

De drie vrouwen, die ook op haar afkwamen, leken zich op haar te willen werpen om haar te slaan, maar een krampachtige trilling hield hen tegen en maakte dat ze in het wilde weg met hun armen zwaaiden.

'Eruit!'

'Eruit!'

'Eruit!'

Ze konden geen ander woord vinden terwijl ze met hun armen zwaaiden om haar weg te jagen.

'Eruit!'
'Eruit!'
'Eruit!'

Dat verhevigde Giselda's woede niet, hun woede en dreigementen maakten dat zij de sarcastische toon aansloeg van giftige spot; en in plaats van zich terug te trekken toonde ze zich bereid hun aanval met dreigementen en intimidaties te doorstaan.

'Natuurlijk ga ik weg, en hoe, dat hoeven jullie niet te herhalen, wees gerust, dames, u doet er goed aan me weg te sturen want jullie hebben geen dienstmeid meer nodig, want ook een dienstmeid wil te eten krijgen wanneer het twaalf uur is, zij heeft er behoefte aan haar maag te vullen, de dienstmeid, en de dames hebben ook na een of twee uur lege magen.'

'Ons huis uit!'
'Eruit!'
'Ga weg!'
'Snuit je neus maar aan je mevrouw!'

Het scheelde maar weinig of ze hadden hun tanden werkelijk in Giselda gezet toen ze ziedend van woede als door een orkaan de trap op werd gejaagd.

De anderen bleven trillen en branden van withete woede terwijl ze boven in de kamer van Giselda opgewonden geloop van de ene naar de andere kant van het vertrek hoorden, voorwerpen die werden verplaatst, omvergegooide stoelen, laden die met veel lawaai werden geopend en gesloten.

Toen hun woede bedaard was nu ze hun giftige zuster niet meer voor zich hadden, keken de drie vrouwen elkaar nog eens onregelmatig hijgend aan, haalden diep adem en brachten hun verwarde haren weer in orde op hals en slapen.

Nu keken ze naar de foto's, maar doelloos, totdat die van Remo, halfnaakt op het strand van Viareggio met de zon in zijn gezicht en achter hem de zee, hen tot bezinning kon brengen; zelfs hadden ze weer de kracht er na dat heftige intermezzo moedig naar te kijken, zonder de natuurlijke verlegenheid waarover Niobe het had gehad en waardoor ze zich overvallen hadden gevoeld toen ze er voor het eerst naar hadden gekeken.

'En waarom heb je hem niet laten zien?'

Omdat ze in gedachten was over de aan het onwaarschijnlijke grenzende verwarring glimlachte de dienstbode nauwelijks.

Zo verliep een halfuur van onduidelijk en ongemakkelijk zwijgen, van kwellend gespannen afwachten, de oren steeds, zij het zonder het te laten merken, gespitst op de geluiden uit de kamer boven – de stilte die voorafgaat aan een ernstig en onvermijdelijk feit dat slechts ten dele te voorzien is –, totdat ze opnieuw groot lawaai hoorden op de trap. Giselda kwam naar beneden stormen met mantel en hoed, een koffer aan één hand en in de andere een groot pakket dat met een touw was dichtgebonden.

Ze liep zo opgewonden door de kamer dat ze van woede struikelde en slingerde, zonder zich om te wenden naar de drie vrouwen, alsof ze ze niet had gezien. Maar toen ze bij de deur was zette ze door een nieuwe aanval van onbedwingbare woede haar koffer op de vloer zoals iemand die iets vergeten heeft en haastig teruggaat, ze draaide zich om, en zette een paar stappen om zich op hen te werpen.

'...sufferds!... stomkoppen!' riep ze.

De berg had een muis gebaard. Toen ze zich bij de deur bedacht en tot de aanval wilde overgaan was het niet te voorzien dat dat zou worden bekroond door deze bescheiden scheldwoorden. Maar omdat Niobe die aanval zag aankomen, wierp ze zich met gebalde vuisten op haar om haar meesteressen te verdedigen: '...hoer!... sloerie!...' schold ze en Niobe draaide zich twee keer om. Toen Giselda daarna haar koffer had opgepakt, nam ze de benen.

Ze achtervolgden haar tot aan het hek en riepen haar achterna: 'Eruit!'

'Weg!'

'Donder op!'

'Ons huis uit!'

'Het is hoog tijd, mijn god!' riep Niobe woedend.

'Weg!'

Hun kreten, eerst van binnenuit, daarna buiten, hadden een toeloop en een oploop van nieuwsgierigen veroorzaakt die wilden horen en zien wat er in dat huis gebeurde. Maar Niobe had met veel kracht het hek gesloten achter de vertrekkende vrouw.

'Hou het hier vast, hou het hier vast,' riep ze tegen haar meesteressen, 'hou het hier vast, alstublieft', zo vroeg ze hun het hek dicht te houden met hun handen terwijl zij het huis in wilde hollen om de sleutel te halen.

De twee gezusters klemden zich eraan vast en hielden het zo verwoed dicht dat vier mannen ze niet los hadden kunnen trekken. Ze wisten niet echt waarom ze die tralies zo stevig vasthielden, hun opgewonden zenuwen hadden een climax bereikt en die leefden ze onbewust uit op die ijzeren stangen, terwijl Niobe was weggehold om de sleutel te halen en zij gezichten trokken tegen degenen die waren komen toelopen en nog steeds toestroomden en die, niet in staat om zich te bewegen en hun mond open te doen, naar hen bleven kijken en bang en machteloos op afstand bleven, alsof ze twee wilde dieren waren die trachtten uit hun kooi te breken om hen verwoed te verscheuren.

De kinderen klemden zich vast aan de rokken van hun moeders.

'Hebben jullie iets van ons te goed?'
'Wat moeten jullie hebben?'
'Wat willen jullie, laat het ons weten.'
'Een beetje nieuwsgierig zeker!'
'Hebben jullie ons nog nooit gezien! Kijk nu dan maar goed!'
'Wat valt er te zien?'
'Let liever op jullie dochters!'
'Bemoei je met je eigen zaken!'
'Kletskousen!'
'Roddelaars!'
'Ga voor je eigen deur vegen, daar ligt zoveel vuil!'
'Praatjesmakers!'
'Viezeriken!'
'Smeerlappen!'
'Over ons kunnen jullie niets zeggen, wij zijn fatsoenlijke vrouwen. Er zouden heel wat vrouwen moeten zijn zoals wij. Er zouden er twee in elk huis moeten zijn, maar ja... hm!...'
Teresa gromde en deed alsof ze wilde spuwen naar de almaar toestromende menigte, en Carolina stak een hand door het hek, maakte een lange neus en greep daarna gauw weer de spijlen vast. De menigte werd snel groter, bleef op eerbiedige afstand, maar keek nieuwsgierig toe.
'Jullie kunnen naar ons kijken, jawel, kijk maar goed naar ons, want toen ze ons gemaakt hebben is de mal voor vrouwen als wij kapotgegaan, en de vrouwen uit dit dorp zijn een kudde zeugen.'
Niemand durfde zijn mond open te doen of een vin te verroeren
'Ezelsmuilen!'
Hun verbazing had die gezichten inderdaad zo lang gemaakt en zodanig bevroren dat elk menselijk gevoel eruit was verdwenen.

Niobe kwam aanhollen, maar in plaats van de sleutel, die al minstens een halve eeuw niet meer bestond, bracht ze een ketting met een hangslot.

Met moeite wist ze haar meesteressen los te krijgen die zich als twee woedende slangen aan het hek vastklampten en doorgingen met razen en tieren. Nadat ze de ketting vier of vijf keer rondom de middelste staven had gewikkeld stak ze het hangslot erdoorheen en draaide de sleutel om terwijl ze een laatste woord richtte tot de toeschouwers: 'Stinkerds!'

Terwijl ze een uiterst vulgair en smerig gebaar tegen hen maakte, begon ze de gezusters het huis in te duwen.

Ze sloten zich op en sloegen de deur zo hard dicht dat het leek alsof de ruiten er tot op de laatste uit moesten vallen, en met een zucht van verlichting begonnen ze met grote stappen in alle richtingen door de kamer heen en weer te lopen alsof ze zich eindelijk in het volledige bezit ervan voelden, zoals ze niet hadden ervaren tot op dat stormachtige moment. 'Ah! Oh! Nu wel! Ah! Oh!', en hun lichamen leken meer ruimte in te nemen en zich uit te breiden: 'Ah! Oh!'

Ze waren alles kwijt en hadden zelfs niets meer te eten, maar ze voelden zich bevrijd van de inquisitoire aanwezigheid van de vijandige getuige, van de wrede rechter, van de vijand, de buitenstaander; voor het eerst voelden ze zich waarlijk baas in eigen huis: 'Oh! Ah!'

Zoals na een schipbreuk zaten de gezusters nu extatisch, verbaasd, met ogen die nog wijd openstonden van de schrik en het hoofd nog steunend op de handen, rond de tafel waarop de kiekjes van Remo in allerlei kleren en poses verspreid lagen. De foto aan de kust bij Viareggio stak boven alle andere uit. Hun te grote ogen knipperden niet, maar fixeerden een bepaalde plek, zonder iets te zien, alsof ze op het punt stonden om in te storten.

Niobe was de heldin die nooit rustte, want ze was onvermoeibaar. Toen ze in huis terug was, op haar vaste plaats, omlijst door de deur, keek ze naar haar meesteressen met een lichtstraal in haar pupillen, met dat levendige licht dat haar zelfs niet verliet op wanhopige momenten. Ze keek naar hen met een groeiend vertrouwen dat haar ogen steeds duidelijker weerspiegelden als het licht van de zon. Ze was vol verlangen om te spreken, het was duidelijk dat er een woord op haar lippen brandde en dat ze niet meer in staat was het in te houden.

Nadat deze stilte even geduurd had, mompelde Carolina, die naar de tafel was blijven staren, bedeesd, alsof ze bijkwam van de uitwerking van een verdovend middel: 'Waarom heb je ons die niet laten zien?'

'Ach...' antwoordde Niobe, diep verzonken in haar eigen gedachten, en om maar een antwoord te geven zei ze: 'Ik weet zelf ook niet waarom.'

'Het is de grootste.'

'Ja.'

'Wij hebben van Remo geen groot portret, alleen deze kleine kiekjes.'

Ze sprak op een vermoeide, afwezige, vriendelijke, onsamenhangende manier.

'Die kleine kunnen trouwens vergroot worden,' voegde Niobe eraan toe om een gesprek te beëindigen dat haar belangstelling niet had.

'Dat is waar, ja, je hebt gelijk,' ging Carolina door, en haar stem werd nog zwakker.

Teresa luisterde met even weinig belangstelling naar dit gesprek als ze naar de foto's keek en ze volgde haar eigen droevige, kwellende gedachten; totdat ze zich vermande en inviel: 'Maar hoe laat is het eigenlijk?'

'Bijna drie uur,' antwoordde Niobe zonder meer.

Teresa en Carolina keken elkaar verward aan. Ze raakten vervuld van een angstig gevoel, een begin van wanhoop bij het idee dat ze niet hadden gegeten en dat er in huis niets te eten was, ook al hadden ze niet het minste hongergevoel. Niobe begreep dat het moment was aangebroken om tussenbeide te komen, ze speelde in het halfdonker van de deur met het woord dat in haar ogen schitterde als een juweel en waarvan ze een opbeurend resultaat verwachtte.

'Luister,' begon ze terwijl ze naar Teresa toe kwam, 'luister, ik moet u iets zeggen... ik heb het niet eerder willen vertellen, maar nu moet ik wel. U kunt er natuurlijk mee doen wat u wilt, ook als ik het mis heb, maar ik weet zeker dat u het me niet kwalijk zult nemen.'

Teresa keek naar haar met groeiende belangstelling terwijl Carolina een beetje knikte bij de woorden van de vrouw wier vertrouwen niet geschokt was.

'De dochter van Rosina van Mezzanotte trouwt in april, ze hebben haar uitzet klaar, thuis zelf gemaakt, maar haar moeder zegt dat ze om hem compleet te hebben minstens zes luxe hemden zou willen hebben, van die heel goede, en eventueel iets anders erbij als dat mogelijk is; haar dochter trouwt een welgesteld man, hij is eigenaar van een bakkerij in Florence, ze zijn op elkaar verliefd geworden toen zij vlak bij hem ging werken bij een naaister; ze trouwt in een familie van vermogende mensen en ze zou goed voor de dag willen komen, ze wil niet graag voor hen onderdoen, en ze heeft wat geld opzijgelegd. Ik heb haar gezegd dat ik zou bemiddelen, maar dat ze niet op me kon rekenen: "Ik zal het vragen, ik zal vragen of het kan." Het zijn boerinnen, dat weten we, maar hun geld is net zoveel waard als dat van dames. Ze weten dat u niet voor boerinnen werkt, dat heb ik ze gezegd: "Meisje," zei ik, "ik kan er niets over zeggen, je weet beter dan ik wie hun klanten zijn en wat voor werk mijn meesteressen doen, het is werk voor voorname dames, niet voor het gewone volk." Zij is degene die me de laatste dagen eieren en brood heeft meegegeven, ze heeft me ook een mandfles wijn gegeven en een fles olie, maar zonder verplichtingen natuurlijk. Elke keer wanneer ik daarnaartoe ga, vraagt ze me: "Hoe staat het ermee?" En ik antwoord: "Kind, hoe zou het ermee staan?" Ik moet toch iets antwoorden. Ik zeg het u omdat ik dat verplicht ben, ik weet dat het fatsoenlijke mensen zijn, en ze willen eventueel vooruitbetalen.'

Eerst fronste Teresa haar voorhoofd, en Carolina wrong zich omhoog zoals ze altijd deed wanneer ze van iets af wilde waardoor ze zich onaangenaam omklemd voelde; maar na die eerste zo natuurlijke en terechte aarzeling hief Teresa het hoofd en hervond ze haar oude trots als vrouw die gewend was het een en ander tot stand te brengen.

'Ga maar, Niobe, ga er maar heen, en zeg haar dat we die hemden voor haar maken, zeg haar dat we ook de rest maken, dat we alles maken wat ze wil.'

Om niet af te wachten of ze zich zouden bedenken over die toezegging of de zaak zouden vertragen, snelde Niobe heen als een kind dat eindelijk datgene in handen heeft waarnaar het al zo lang verlangt, en de gezusters hoorden hoe ze al bijna de ketting losmaakte en het hek opende voordat ze 'ja' hadden gezegd.

Ze volgden haar over de hoofdweg en via een zijweg tot aan het huis van Mezzanotte, die een boerderij had waarvan het land bijna tot aan Ponte a Mensola reikte, langs de beek, en ze hoorden hoe ze opgewonden hun antwoord overbracht, hijgend van emotie.

'Hier is ze,' zei Niobe toen ze de boerin voorstelde aan de gezusters, 'dit is ze.'

En terwijl zij het begonnen te bespreken, modebladen, ontwerpen en modetekeningen tevoorschijn haalden en doorbladerden, waren in de keuken al tekenen van leven te horen waar geleidelijk doodse stilte was gaan heersen. En toen Rosina vertrok nadat ze met de Materassi's had afgesproken wat er gedaan moest worden, verscheen Niobe glimlachend en riep hen aan tafel, waar hun een mooie omelet met worstjes wachtte.

Dit nieuws verspreidde zich met de snelheid waarmee dergelijke ongehoorde gebeurtenissen bekend worden: de Materassi's naaiden hemden voor de dochter van Mezzanotte. Rondom dat huis begon het te wemelen van vrouwen en meisjes, met discussies op gedempte toon, geroezemoes, gekwetter over kleuren en modellen, over borduursels, over voorwaarden en over hoe die vrouwen, die altijd te maken hadden gehad met dames van stand, hun nieuwe klant hadden aangenomen. Rosina van Mezzanotte, Margherita van Bucce, Amelia van Gozzo, Armida van Gocciolina, Maria van Mela, Assuntina van Fringuello, Cesira van La Casanova, Luisina van Montesole, Pantèra, Bullègia, Fracassa… een ware processie die zich geleidelijk naar het huis van Mezzanotte bewoog, eerst schuchter, en daarna wat brutaler: rechtstreeks naar het huis van de Materassi's. Alle moeders die huwbare dochters hadden, alle dochters die hun uitzet moesten voorbereiden. Teresa en Carolina werden belaagd, belegerd. Je zou zeggen dat al die vrouwen, als een leger dat bekwaam was verborgen door een vakkundige generaal, alleen maar wachtten op een teken om aan te vallen. En geloof maar niet dat ze tevreden zouden zijn met werk dat overeenkwam met hun nederige staat, dat nooit meer, ze wilden het helemaal zoals dat voor de dames, of het moest op zijn minst die illusie wekken; dat was hun grootste genoegen en hun triomf, daar stelden ze een eer in. Ze stonden erop dat elk voorwerp het label 'Gezusters Materassi' droeg, net als bij de dames, en ze wilden dat de facturen geadresseerd werden aan hun officiële namen en niet hun algemeen bekende bijnamen: niet Bucce, Gozzo, Cicche, Filze, Stoppa, Mezzanotte, maar 'aan mevrouw Rosa Cerotti, aan mevrouw Lucrezia Porcinai, aan mevrouw Regina Gambacciani, aan mevrouw Argìa Bracaloni...' En de rekeningen moesten goed gespecificeerd zijn, met de aantallen die ze heel onbeholpen spelden terwijl ze weggingen en, als ze niet konden lezen, bleven bekijken, en ze raakten in die arabesken gretig het spoor bijster. Teresa, die destijds zo bedreven omging met haar illustere klanten, wist met evenveel vaardigheid met hen om te springen en zonder mankeren in te spelen op hun ijdelheid: 'Je begrijpt meer van de finesses dan die dames, het is gemakkelijker een van hen in de maling te nemen dan jou.' Dat was niet waar, maar dat leugentje deed veel goed en geen enkel kwaad. Je moest hun zeggen dat alleen de fortuin hen anders had gemaakt, en dat er verder geen verschillen bestonden. En dat kon Teresa goed zeggen.

'Wat denk je, bij dames gaat het alleen maar om de uiterlijke schijn. Was je hun gezicht en neem je ze de mooie kleren af die ze aanhebben, dan zul je eens zien.'

Ze stelden zich tevreden met bescheiden inkomsten die pasten bij hun nieuwe cliëntèle, en tegelijk bij hun zozeer verminderde capaciteiten, die nog steeds afnamen.

'Voortaan net genoeg om van te leven...'

Slechts eenmaal gooide Carolina, op een moment dat ze ontmoedigd en moe was, haar werk aan de kant en wrong ze zich los: 'Oef, ik hou het niet meer vol, met al die volkswijven.'

Maar dat waren de laatste stuiptrekkingen uit een tijd die niet meer hoorde te bestaan. Teresa antwoordde niet en zonder op te kijken werkte ze door.

Ook de boerinnen schonken de kerk giften voor de Madonna van Oktober, voor de kosteressen en de moeder-oversten, een altaardoek, een superplie, een kazuifel of een pluviale voor de priester.

En toen ze eenmaal aan de verandering gewend waren gingen ze van hun nieuwe klanten houden,

'Arme zielen,' zei Teresa, 'ze komen hier met het geld in de hand, en ze zijn altijd blij met wat we maken. Hoe vaak lieten dames ons niet vergaan van ongeduld tot we ons geld kregen, nadat ze ons bloed hadden laten zweten om hen tevreden te stellen.'

En daar moet aan worden toegevoegd dat ze, nu ze erin waren geslaagd hun krachten terug te krijgen door ondergoed te naaien voor boerinnen en arbeidsters uit een gebied dat met de dag angstwekkend groter werd, er ook in waren geslaagd weer aanzien te krijgen in hun onmiddellijke omgeving. Maar ze hadden zich liever laten vermoorden dan dat ze een hemd zouden naaien voor hun vroegere huurders; om niet te spreken van wat ze de vrouw van Fellino, hun vroegere pachter, geantwoord zouden hebben als die een dergelijk voorstel was komen doen. Wel, zou u het geloven? Deze partijdigheid was heel onaangenaam voor degenen die werden gepasseerd en zich daardoor gekleineerd voelden ten opzichte van de rest van de bevolking. Fellino zou trots zijn geweest als hij hun voor hemden en directoires wat geld kon teruggeven dat eigenlijk al in hun zakken had moeten zijn.

'Is ons geld niet evenveel waard als dat van alle anderen?'

'Wat hebben wij die aanstelsters voor kwaad gedaan?'

'Is het onze schuld dat het slecht met ze is afgelopen?'

'Ze hadden niet zo stom moeten zijn.'

Ze kookten van woede omdat ze niet ergens zo'n befaamd label 'Gezusters Materassi' konden dragen. Vooral diegenen die uit lange en dagelijkse ervaring wisten wat het wilde zeggen, die onder de jurk verborgen naam.

'Wat hebben ze tegen ons, die twee ragebollen, die twee slonzen, die twee sletten?'

En de gezusters, van hun kant: 'Nog voor geen duizend lire zou ik een hemd maken voor zo eentje.'

'Ik liet nog liever mijn hoofd afhakken.'

'Ik zou nog liever gaan bedelen, gras uittrekken met mijn tanden, van honger sterven, dan een steek voor hen te zetten.'

En toen de kassa weer begon te rinkelen zonder al te veel lawaai te maken, riepen ze Niobe: 'Luister, Niobe, we kunnen je niet meer een loon geven zoals vroeger, daar zijn we te arm voor, maar wanneer je iets nodig hebt, maak je geen zorgen, hier is geld, het is van ons alle drie, dit is onze gezamenlijke kassa.'

Niobe vluchtte geschokt weg, en terwijl ze zich naar de deur begaf, antwoordde ze, voordat ze naar de keuken ontsnapte: 'Ik wil helemaal niets, ik heb niets nodig, ik heb nergens recht op, ik zou me er beroerd bij voelen, een gevoel hebben alsof ik het van het altaar had weggenomen.'

Maar een eerste verlangen kwam bij haar op toen ze kalmeerde en besefte dat het hun weer goed ging.

'We hebben geen groot portret van Remo,' zuchtte Carolina onophoudelijk.

'We kunnen een van die daar laten vergroten, dat kost niet veel,' reageerde Niobe, 'de beste, die u het meest bevalt.'

Maar toen ze ze talloze malen doornamen en nog eens de revue lieten passeren leken ze niet in staat te beslissen welke ze moesten uitkiezen. Totdat Niobe dapper de discussie sloot en nu, als een goede ezel die zijn rug aanbiedt om een last te dragen, ook de hare aanbood om die last van de schouders van haar meesteressen te nemen.

'Deze,' zei ze beslist, en daarbij drukte ze het verlangen van alle drie uit, 'dit is de grootste, die het best gelukt is.'

De twee zeiden eerst nee, maar het was een lijzig, aarzelend nee; ze brachten ertegen in dat ze die beter niet ten toon konden stellen in een zaak waar meisjes komen, de vergroting van een jongeman in zwembroek, en misschien wel een te kleine en te korte.

'Ach kom!... Ach kom!...' zei Niobe, 'dat is een ouderwets idee, u kent dat soort dingen niet, de jongemannen van tegenwoordig dragen altijd een zwembroek, dat is gezond, ze doen er goed aan ze zo op te voeden, zo worden ze gezond en knap en sterk, en goed; als ze altijd in de watten gelegd worden en aan de rokken van hun moeder blijven hangen worden ze zwak en bleek en huichelachtig en zeurderig, boosaardig, onbetrouwbaar, en dan weet je nooit wat er in ze omgaat.'

Daarna greep ze een onweerlegbaar argument aan om hen te overtuigen.

'Op de Piazza della Signoria staat toch David?'

'Jawel, maar omdat die van marmer is maakt hij minder indruk.'

'En is deze dan niet van karton?'

'En David is geen familie van ons.'

'Kom, gun me het plezier...' besloot ze daarna, 'laat mij ervoor zorgen. Ook u weet allebei dat u deze wilt.'

Carolina merkte op dat Niobe gelijk had en dat het vergroten van de andere niet kon lukken omdat ze te klein waren.

Niobe zelf ging naar Florence, en bij een fotograaf aan de Piazza Santa Croce liet ze een vergroting maken die een meter vijfentwintig hoog was, ongeveer twee derde van de ware grootte, en die werd achter glas in een mooie lijst opgehangen aan de centrale muur van het atelier, zodat de jongeman voor wie binnenkwam hoog te midden van de twee gezusters verscheen. Opzij daarvan twee andere lijsten waarin keurig gerangschikt alle kiekjes van Remo op vele plaatsen, in vele pakken en te midden van vele verschillende vrienden: Franco, Sergio, Jim, Corrado, Piero, Renato, Bruno, Ettore, Alfredo... ook zij nu ver weg aan een verre horizon, maar zo dicht bij het hart. En na drie, vier keer rangschikken hadden ze het, alsof het zo uitkwam, voor elkaar gekregen dat ze elkaar een stukje overlapten en Remo naast Palle te zien was en hem een beetje bedekte, 'die vervloekte Palle'.

De boerinnen bewonderden het portret zonder voorbehoud, ze wilden het van dichtbij zien, openden de lijsten en vroegen uitleg over wie de foto's voorstelden, welke plaatsen en personen, in Viareggio, in Montecatini, in Rome, in Venetië, in Bologna, in Milaan...

'Wel allemachtig!'

'Wat is hij goed gebouwd!'

'Heel goed, echt heel goed,' zei Niobe op het juiste moment.

'Wat een houding!'

'Wat een gedistingeerde jongeman!'

'Als een echte heer!'

'Een heer herken je ook in zwembroek,' voegde Niobe eraan toe.

Teresa en Carolina konden zich ervan weerhouden om hen te omhelzen en richtten al hun dankbaarheid op het ondergoed.

Ze maakten vergelijkingen met hun zoons, de *avanguardista*,* de rekruut, de bokser, de voetballer, de hardloper... Ook zij droegen altijd een korte broek: 'Ook de mijne, net als de mijne, ook de mijne is zo gebouwd, hij heeft een schóúders!! Als je zijn benen zou zien! Hij kan ze niet stilhouden. Die van mij ook, wanneer hij gaat hardlopen. Ook de mijne, wanneer hij bokst. Die van mij moet je alleen laten slapen, want anders

* Avanguardista: lid van de fascistische jeugdbeweging. (*Vertaler*)

blijft hij 's nachts schoppen, en zijn broers willen niet bij hem slapen. De mijne heeft vier medailles gewonnen. Je zou hem in uniform moeten zien!'

De gezusters glimlachten en gunden hun klanten alle vergelijkingen, maar zij wisten wel beter en wanneer ze alleen waren zetten ze alles weer recht.

'De stakkers, het zijn hun zoons, ze hebben gelijk, je kan het hun niet kwalijk nemen.'

'Zouden ze ook het lef hebben ze te vergelijken wanneer hij gekleed is?'

'Je snapt wel... het zijn wel zoons van onbeschaafde mensen, arbeiders, wat kan je verwachten?'

Hoe knap en sterk hun zoons ook mochten zijn, hij was uitzonderlijk, een klasse apart.

En geen vrouw maakte zich druk omdat ze in die kamer de vergrote foto aantrof van een jongeman in zwembroek.

'Had ik gelijk?' zei Niobe. 'Hebt u het gezien? En u was nog bang dat het niet kon. Bent u nu tevreden? Zei ik niet dat u te schuchter bent bij dit soort zaken?'

'Als de dames hier waren blijven komen, wist ik het nog niet,' antwoordde Teresa, 'dan wist ik nog niet of we hem daar konden laten, ze zouden hun neus hebben opgetrokken en bedenkelijk hebben gekeken, denk ik.'

'Ja,' zei Niobe, 'maar wel nadat ze er goed naar hadden gekeken.'

'Haha!'

'Haha!'